ENFANTS
SANS ENFANCE

MARIE WINN

ENFANTS SANS ENFANCE

Titre original :
''Children Without Childhood''

Publication originale de :
Pantheon Books, New York.

Traduction Française :
Editions de Mortagne

Illustration de la couverture :
Pascale Sergerie

Distribution :
Les Presses Métropolitaines
175, boul. de Mortagne
Boucherville, Qué, J4B 6G4
Tél. : (514) 641-0880

ISBN : 2-89074-120-6

1 2 3 4 5 - 89 88 87 86 85

À MES PÈRE ET MÈRE,
AVEC AMOUR

MARIE WINN

Une partie de ce texte fut publiée sous une forme légèrement différente dans *The New York Times Magazine*, le 25 janvier 1981.

Il nous fait plaisir d'exprimer notre vive reconnaissance pour l'autorisation d'imprimer du matériel déjà publié à : Kathryn Watterson Burkhart : extrait de *Growing into Love : Teenagers Talk Candidly About Sex in the 1980's* (Grandir dans l'amour : des adolescents parlent candidement du sexe dans les années 1980) par Kathryn Watterson Burkhart. Copyright © 1981 par Kathryn Watterson Burkhart. Reproduit avec l'autorisation. Emerson Books, Inc. : extraits de *Psychoanalysis for Teachers and Parents* (Psychanalyse pour les enseignants et les parents) par Anna Freud. Copyright © 1935 par Emerson Books, Inc. Reproduit avec l'autorisation de Emerson Books, Inc., Verplanck, N.Y. Families Anonymous, Inc. : Extraits de *Families Anonymous* (Le credo des familles anonymes). Copyright © 1980 par Families Anonymous, Inc. Reproduit avec l'autorisation de Families Anonymous, Inc. Box 528, Van Nuys, Calif. 91480. Phillip Lopate and Teachers & Writers Collaborative : extrait de *Chekhov for Children* par Phillip Lopate. Copyright © 1979 par Teachers & Writers Collaborative. Reproduction de *Teachers & Writers Magazine* (Le magazine des professeurs et des écrivains). Hiver 1979, avec l'autorisation de Phillip Lopate and Teachers & Writers Collaborative. *The New York Times :* extrait de *Coming of Age with Judy Blume* (L'arrivée de l'âge avec Judy Blume), par Joyce Maynard, le 3 décembre 1978. Copyright © 1978 par The New York Times Company. Reproduit avec l'autorisation. Charles Scribner's Sons : Extrait de *The Magic Years* (Les années magiques), par Selma H. Frailberg. Copyright © 1959 par Selma H. Frailberg. Reproduit avec l'autorisation de Charles Scribner's Sons.

Traduit et adapté de l'américain par
Les entreprises Raymond Morissette, Enr.

NOTE DU TRADUCTEUR :
Nous assumons la responsabilité de la traduction française mise entre parenthèses suivant chaque titre américain.

TABLE DES MATIÈRES

PRÉFACE 13
INTRODUCTION : Quelque chose est arrivé 17

Première partie

DE LA PROTECTION À LA PRÉPARATION

CHAPITRE 1

DES PARENTS QUI ONT PERDU LE CONTRÔLE 25
La méthode de Pearl Harbor 25
Le mythe de l'adolescent ''loup-garou'' 28
Les enfants et les relations sexuelles 32
La peur des fugues 35
La fin de la surveillance 36
Les drogues, le sexe et les vrais enfants 39
L'émancipation précoce 42
La saga d'une famille moderne 45
Des contes moralisateurs 48
L'humour grinçant 52
Le fatalisme des parents 52
À la recherche d'un refuge 56
Une télévision hors de contrôle 57
Ce n'est pas ce qu'ils regardent 59

CHAPITRE 2

LA NOUVELLE ÉGALITÉ 63
Prise de conscience précoce 63
Aucun héros 65
La fin du respect 67
Les insultes 71
Les partisans de l'intégration 72

CHAPITRE 3

LA FIN DU MYSTÈRE 75
Trouver tout normal 75

Un grand pas franchi à cause des livres 77
La magazine **MAD** 79
Les films sont pour les «**adultes** » 83
La confrontation avec l'inquiétude des adultes 88
Des «**instincts** » trop vite éveillés 90

CHAPITRE 4

LA FIN DES JEUX 93
La télévision et les jeux 93
Les jeux vidéo contre les billes 96
La perte des jeux 98

Deuxième partie

LES RACINES DU CHANGEMENT

CHAPITRE 5

L'ENFANCE D'AUTREFOIS 105
Avant l'enfance 105
Le comportement et le sexe 108
Une transformation radicale 110

CHAPITRE 6

LA NOUVELLE ÉDUCATION 115
L'influence de Freud 115
Le parent psychanalyste 117
Les années enchantées 121
Une terrible autonomie 126

CHAPITRE 7

LA FIN DE «L'UNION ÉTROITE » 131
Les femmes et les enfants d'abord 131
Un attachement déterminant 133
La fin de la protection 135
La nouvelle revendication 136
La femme-enfant 139
Les femmes au travail 141

CHAPITRE 8

ÉCHEC DU MARIAGE 145
L'épidémie de divorces 145
Dire la «vraie vérité » 147
Shoot the Moon 149
La vie sexuelle de la mère 150
Un nouveau rôle pour les enfants 152
Le salaire du divorce 155
Pas divorcés... pas encore 157
Rester ensemble pour l'amour des enfants 158
Le milieu social thérapeutique 161

Troisième partie

LE BUT DE L'ENFANCE

CHAPITRE 9

LA FIN DU REFOULEMENT 169
Intransigeance sexuelle 169
Encourager la sexualité 172
Et les petites filles 173
Identité sexuelle 175
Le dilemme des parents 179

CHAPITRE 10

RETARDEMENT DE LA SEXUALITÉ 169
Une demi-privation 183
Un travail ardu 186
La peur de la grossesse 187
Le manque de préparation affective 188
L'inceste 190

CHAPITRE 11

PÉRIODE DE LATENCE ET ACQUISITION DU SAVOIR 195
Freud, un puritain 195
De Charybde en Scylla 197
Un état naturel 199
Les enfants prodiges 201
Divorce et apprentissage 203

CHAPITRE 12
PROLONGER L'ENFANCE 205
Retard ou développement physique (néoténie) 205
Le merveilleux de l'enfance 208
L'enfance réprimée 211

CHAPITRE 13
LA SIGNIFICATION DE L'ENFANCE 215
Composer avec la réalité 215
L'émancipation des enfants 219
Les besoins de l'enfance 221
L'utilité de l'enfance 224
POSTFACE : Le nouveau Moyen Âge 229

PRÉFACE

L'idée qui a donné naissance à ce livre découle de ma propre expérience de parent. Comme je regardais grandir les enfants dans les années 1970, les miens, les enfants de mes amis et ceux du voisinage, je fus frappée par le fait que quelque chose d'essentiel avait changé dans leur comportement quotidien, leur langage, les choses qu'ils connaissaient et dont ils parlaient ouvertement. La pensée que quelque chose de fondamental avait aussi changé dans l'idée que la société se faisait des enfants et de l'enfance me vint petit à petit au cours des centaines d'entrevues effectuées pour écrire ce livre. Comme je parlais simplement et longuement avec les parents, les médecins et les éducateurs qui ont généreusement donné de leur temps pour en discuter avec moi, un sentiment s'éveilla en moi qui me surprit et me mit mal à l'aise. Il constitue la toile de fond de cet ouvrage.

Étant donné que je vis à New York, mon premier impératif pour étudier les exemples de ce changement fut d'étendre ma sphère d'activités, de parler aux adultes et aux enfants dans d'autres régions géographiques telles que les banlieues, les plus petites villes et les milieux ruraux. Je me suis concentrée sur deux publics différents pour effectuer des entrevues plus approfondies. J'ai choisi Denver, au Colorado, à cause de sa situation dans le Middle West et de la région montagneuse voisine où j'allais trouver une population plus rurale. Comme j'avais déjà vécu à Denver, je pouvais facilement entrer en contact avec un groupe étendu et varié de parents-enfants. Je me suis également rendue à Scotia, New York, une petite banlieue à l'extérieur de Schenectady que j'ai choisie parce qu'elle me semblait être une petite ville confortable, et aussi parce que ma cousine Helen y enseignait en quatrième année. Cela me donna la chance d'atteindre un autre groupe important de parents, d'enseignants et d'enfants. Dans ces deux endroits, j'organisais des entrevues de groupes avec les enfants des écoles publiques, ainsi qu'un grand nombre de rencontres individuelles avec parents, enseignants, administrateurs scolaires, bibliothécaires et spécialistes de l'enfance. Toutes les citations anonymes dans les pages qui suivent sont tirées de ces entrevues. J'ai préféré conserver l'anonymat des parents et des enfants mis en cause. Pourtant, la plupart des enfants interviewés furent très désappointés quand je les mis au courant de ma décision. Je leur promis d'ajouter au moins leur nom à mes remerciements : ce que j'ai fait.

Je n'ai fait aucun effort pour que ces entrevues offrent un éventail complet des différentes couches sociales — la portée d'une telle étude aurait été trop difficile à contrôler. Presque tous les parents et les enfants auxquels j'ai parlé faisaient partie de la classe moyenne. Mais à l'intérieur de ce groupe, j'ai trouvé une abondance de choix — sur le plan tant professionnel que religieux, racial ou politique —, suffisamment de distinction pour me persuader que je faisais appel à un choix représentatif de cette part essentielle de la population américaine, les parents et enfants américains moyens.

Au début de mes enquêtes, il y a plus de trois ans, je m'attendais vraiment à trouver de grandes dissemblances dans les types de comportements que j'étudiais selon les lieux géographiques où je me trouvais. En effet, j'étais sûre de découvrir que la précocité, l'attachement aux biens matériels, le caractère blasé que j'avais observés parmi les enfants dans mon milieu étaient strictement un phénomène urbain, peut-être plus spécialement une particularité de la ville de New York. Je m'imaginais que les enfants des autres parties du pays pourraient être plus naïfs, plus semblables aux enfants de l'ancien temps. J'ai été surprise de ne pas trouver une telle différence. J'ai rencontré en effet quelques-uns de ces enfants qui s'amusaient encore avec des jouets et lisaient des contes de fées. J'ai aussi rencontré un certain genre de parents vivant selon la tradition, qui traitaient encore leurs enfants à la façon habituelle d'autrefois, ce qui me rappelait ma propre enfance. Mais la précocité ou la candeur des enfants semblait être reliée beaucoup plus à la structure familiale et aux types de travail qu'au lieu géographique ou qu'à l'importance de la communauté. C'est-à-dire que j'ai découvert que la cause déterminante décisive venait du fait que les parents étaient divorcés ou qu'ils travaillaient tous deux à plein temps. Les autres points de divergence entraient peu en ligne de compte. Il m'apparut bientôt que les grands changements sociaux qui se sont établis au cours des deux dernières décades ont beaucoup plus influencé les rapports entre les adultes et les enfants, en définissant la place de ceux-ci dans la société que n'importe quelle variété géographique. Bien plus, l'influence d'uniformisation de la télévision a aidé à effacer tout écart géographique qui peut avoir existé dans le passé.

J'aimerais offrir mes remerciements les plus cordiaux à Peggy Steinfels, Allan Miller, Mike et Steve Miller, Bonnie Thron, Joan Winn, et Joseph Mitchell, qui lurent des parties du manuscrit, et à Sarah Kahn, Karla Kuskin, Janet Malcolm, Helen Steiner, Joel Solomon, Betty Greene, et Aaron Green pour leurs aide et encouragement, et à Jeanne Morton, l'éditeur à la production de Pantheon, qui a édité ce livre.

Mes remerciements vont également à C. Christian Beels, M.D., Kay Brover, Ellie Caulkins, Glenn Collins, Michael I. Cohen, M.D., Vincent Crapanzano, Anne Durrell, Anke Erhardt, M.D., Richard Heffner, Karen Hein, M.D., Annie Herman, Paulina Kernberg, M.D., Jane Kramer, Milton Levine, M.D., Phillip Lopate, Maggie Mandel, Peter Neubauer, M.D., Holcolm Noble, Sarah Paul, Katharine Rees, Betsy Ross, Richard Routhier, Nora Saytre, Peter Steinfels, Charlotte Zolotow.

M. Aragon, Rabbi Joshua Bakst, William Branch, Doris Burns, Geraldine Cook, Donna Coombs, Marty DelMonaco, Helen Dillon, Shirley Early, Norma Giron, Albert Goetz, Emily Graham, Pat Hayes, Mary Ann Hull, Francie Joslin, Dick Koeppe, Bob Korthas, John Kuntz, Rosemary Lawless, Lucy Lawson, Theada Mc Ilvenny, Linda Metcalfe, Nancy Migneault, Joanne Milavek, Jack Nelson, Ruth Ritterband, Rita Romeo, Maureen Sauter, Randy Testa, Mamie Toll, Joann Welch, Barbara Wurz, Hillel Zaremba.

Ginny Avery, Maja Bednarski, Lisa Berg, Jean Bundy, Lillie Burrell, Martha Cox, Midge Cullen, Cathy Currin, Helen Donadio, Sophia Duckworth, Carole George, Vesna Gjaja. Terri Glynn, Mona Goldenberg, Beth Griffiths, Mary Lou deGuire, Mary Hannahs, Nancy Haugen, Diane Hebert, Tina and David Hinkley, Marcia Johnson, Sharon Jones, Cindy Kahn, Shirley Kinzele, Kent and Liz Kreider, Marlen Lederer, Carolyn Lewis, Gail Lipson, Clara Longstreth, Linda McKnight, Barbara Moe, Barbara Nathanson, Anne O'Sullivan, Dave Petricca, Florence Phillips, Nancy Pike, Linda Pommerer, Fern Portnoy, Marie Prentice, Sandy and Bob Rhodes, Steve Rosenfeld, Ann Shafer, Donna Singer, Fred and Mareline Staub, Caroline and Harry Subin, Arlin Sutherland, Mary Ann Undrill, Irene Uzgiras, Florence Walker, Becky Weaver, Elaine Wertalik, Jean Zegger.

Et finalement, merci aux enfants :

Lisa Abeel, Amy Adams, Barbara Adams, Amit Agrawal, Mark Albright, Glenn Arnold, Abby Asher, Neal Baley, Hunky Banbury, Sabina Bednarski, Jenny Bergstrom, Anna Berkenblit, Ted Birkey, Kim Blakeley, Bobby Blumenfield, Jay Blumenfield, Matt Bond, Mercer Borden, Alice Brover, Kenny Bubrmaster, Jim Burns, Mary Caulkins, Elizabeth Cheroutes, Trisha Cognetta, Shannon Connery, Renee Cooke, Jason Cooper, Giulia Cox, William Cox, Shelley Cullen, Michelle Culler, Chad Currin, Robert Della Villa, Jennifer Deluca, Amy Deutl, Eric Dickson, Jr., Debby D'Isabel, Dina Donadio, John Early, Shannon Emery, Stefanie Feuer, Suzanne George, Marin Gjaja, Paul Glynn, Nisha Goel, Diana Goldberg, Jeff Griffiths, Alexandra Guarnaschelli, Steve Gutterman, Carol Hannahs, Sheila Harbin, Jenny Harris, Mellissa Hart, Rachel Hart, Tyler Harvey, Paul Heiner, Jonathan Hinkley, Jennifer Hobins, Julie Holt, David Kahn, John Kahn, Gail Katz, Andy Kingsley, Sarah Kreider, Doug Lapp, David Lee, Michael Lewis, Debbie Lilley, Horst deLorenzi, Chris Loux, Sherri McGrail, Karen McKnight, Peter McLaughlin, Ingrid Medelman, Mark Messenbaugh, David Michael, Heiner Mohnen, Monique Moyse, Sue Ness, Lara Noonan, Christine O'Connor, Sean O'Keefe, Scott Olinger, Mark O'Sullivan, Darnell Parker, Kim Percent, Leah Pike, Emily Polachek, Eric Pommerer., James Powers, Laurie Rankin, Mindy Reilly, Lis Reinstein, Kate Reppel, Frank Rispoli, Sonia Savkar, Sunil Savkar, Edna Scheindling, Nina Shafer, Susannah Sheffer, Kenny Shihrer, Allison Simpson, Tara Simsak, Mike Singer, Christine Smith, Debbie Smith, Lisa Smith, Tahlia Spector, Amy Stankevich, Gordon Stanton, Phillip Staub, Gabrielle Steinfels, John Melville Steinfels, Pam Stewart, Samantha Strauss, Dave Susich, Sarah Taggart, Howard Tanner, Nicki Undrill, Rimas Uzgiras, Regan Vann, Beth van Dewater, Page Volean, John Walstorm, Sten Walstrom, Elaine Weiner, Annette Wertalik, Gina Wertalik, Louis John Wertalik, Susie Wheeler, Linda Ann Wicks, Mike Wilson, Jane Wulf, Lisa Zegger, Nina Zegger.

INTRODUCTION

QUELQUE CHOSE EST ARRIVÉ

Il était une fois une petite fille imaginaire de douze ans de Nouvelle-Angleterre, nommée Lolita Haze, qui eut des relations sexuelles avec un intellectuel européen d'un certain âge nommé Humbert Humbert, ce qui choqua profondément la sensibilité américaine. Ce n'était pas tellement l'idée d'un adulte ayant des intentions sexuelles sur une enfant qui était épouvantable, c'était Lolita elle-même, impure bien avant qu'Humbert n'entre en scène, Lolita si expérimentée, si blasée, au comportement tellement peu enfantin, qui semblait violer quelque chose que l'Amérique considérait comme sacré. Le livre fut interdit à Boston. Un critique littéraire raffiné du *New York Times* qualifia même le roman de Nabokov de «*répugnant* » et «*dégoûtant* ».

Pas plus d'une seule génération après la publication de Lolita, la vision de Nabokov sur l'enfance américaine semble prophétique. Il n'y a aucun doute que les enfants des années 1980 sont plus apparentés à la nymphette de Nabokov qu'à ces créatures sans astuce et naïves avec leur visage reluisant et leurs queue de cheval,leurs genoux écorchés et leurs façons ingénues, qui étaient appelées des enfants il n'y a pas si longtemps.

Quelque chose s'est passé pour entraver les joies de l'enfance. L'enfant de l'autre génération, remarque le magazine satirique *National Lampoon,* passait un samedi après-midi typique «*faisant de l'escalade autour d'un chantier de construction, sautant du toit d'un garage sur un vieux canapé, menant une guerre à coups de pommes sauvages, tondant le gazon* ». Le programme de l'enfant d'aujourd'hui, cependant, se lit : «*Grasse matinée, télévision, leçon de tennis, aller au centre commercial et acheter des albums ainsi qu'un nouvel écran pour le jeu électronique, jouer à la deuxième guerre mondiale électronique, regarder la télévision, se droguer* ». Les poches gonflées de l'enfant d'hier contenaient les articles suivants : «*couteau, compas, 36 cents, bille, patte de lapin* ». D'un autre côté, la poche du jeune contemporain contient : «*joint de hash, cassette de rock-pop, préservatif, 20 $, petits trésors habituels, cigarettes* ».[1]

Quelque chose a modifié les restrictions normales de l'enfance. Un texte publicitaire pour une nouvelle collection de livres appelés «*livres pour jeunes adultes* » définit un jeune adulte comme «*une personne faisant face aux problèmes de la maturité*''.[2] Pourtant, ces livres qui traitent de sujets tels que la prostitution, le divorce et le viol sont destinés aux lecteurs de dix à treize ans, des «*personnes* » qui étaient jadis reconnues comme des enfants.

Quelque chose a changé dans l'image de l'enfance. Une pleine page publicitaire dans un journal théâtral montrant une femme provocante portant du rouge à lèvres foncé, une ombre à paupières trop lourde, un manteau de vison et probablement rien d'autre, porte la légende : «*Croiriez-vous que je n'ai que dix ans ?* » Nous le croyons ! Car au-delà des extravagances du monde du spectacle, il y a, dissimulée, une population d'enfants ordinaires, normaux, autrefois clairement perçus comme petits garçons et petites filles, qui, maintenant, ressemblent et agissent comme de petits adultes.

Quelque chose s'est produit pour brouiller les frontières autrefois si nettes entre l'enfance et la maturité, pour affaiblir la membrane protectrice qui a autrefois servi à mettre les enfants à l'abri des expériences précoces et de la pénible connaissance du monde de l'adulte. Dans tout le pays, les jeunes mères seules s'asseoient avec leurs enfants et font ce qu'il est convenu d'appeler *Une leçon de choses* : «Regarde ; les choses vont maintenant se passer différemment. Nous sommes tous dans un ensemble et nous allons devoir être des partenaires. » Les choses sont réellement différentes pour un grand nombre d'enfants, aujourd'hui, car la structure hiérarchique traditionnelle de la famille, dans laquelle les enfants sont des enfants et les parents, des adultes, est minée et de nouvelles associations sont forgées.

Qu'est-ce qui se passe avec les enfants d'aujourd'hui ? Est-ce que tout arrive trop vite ? Le sexe n'a rien de mauvais en lui-même, l'adulte moderne en est arrivé à le comprendre, mais que dire du sexe à l'âge de douze ans ? La marijuana et l'alcool sont des «*auxiliaires sociaux* » communs dans la société d'aujourd'hui, mais est-ce que la sixième année primaire est la période idéale pour qu'ils soient ajoutés à leurs «*plaisirs* » ? Est-ce que les enfants de neuf ans doivent s'inquiéter au sujet de l'homosexualité ? Leurs parents ne connaissaient guère le mot jusqu'à leur adolescence. Lassitude, indifférence, cynisme sont des défenses compréhensibles contre les épreuves de la vie adulte moderne, mais ces comportements sont-ils inhérents à l'enfance ? Ces enfants ne devraient-ils pas être près d'un lac pour pêcher ou en train de jouer avec leurs poupées ou leur collection de timbres plutôt que de lire *Screw* et *Hustler*, ou tourner rapidement le sélecteur de la télévision pour voir ce qu'il y a, exactement comme des adultes épuisés après une dure journée de travail ? Est-ce que le royaume de l'enfance devrait être gardé à part et différencié du monde des adultes ?

Nous commençons une nouvelle ère, et comme à chaque période de transition, nous passons d'une façon de penser à une autre ; la nôtre est caractérisée par le refus de l'ordre, l'anxiété et une petite dose de nostalgie pour ces événements marquants familiers dont la plupart des adultes contemporains se rappellent encore, et qui ont marqué leur propre enfance, «*Il n'y a pas si longtemps* ». Et pourtant, le changement est survenu si rapidement que la plupart des adultes sont à peine conscients qu'une véritable révolution est en route au niveau des concepts et des comportements, une révolution qui doit être maintenant clairement définie et comprise. Au coeur de la question se dissimule une profonde modification de l'attitude de la société envers les enfants. Il fut un temps où les parents luttaient pour préserver l'innocence des enfants, leur conserver l'insouciance du jeune âge et les mettre à l'abri des vicissitudes de la vie. La nouvelle génération agit selon la certitude que les enfants doivent être exposés tôt à l'expérience adulte pour qu'ils puissent survivre dans un monde de plus en plus compliqué et incontrôlable. L'âge de la protection est terminé. Une époque préparatoire est amorcée.

Chaque aspect de la vie des enfants actuels est affecté par ce changement dans la façon de penser des adultes à leur sujet. En effet, c'est un changement aussi considérable que la transformation de la pensée et du comportement qui s'est produite à la fin du Moyen Âge. Ce n'est qu'à ce moment que l'enfance fut reconnue comme une entité distincte et que les enfants furent considérés comme des êtres à part avec des besoins propres, non comme des adultes en miniature. L'intégration actuelle des enfants dans la vie adulte marque un curieux retour à cet ancien état de choses dans lequel l'enfance et l'âge adulte se confondaient.

Il est indubitable que le changement d'approche actuel envers les enfants n'est pas le résultat d'une quelconque décision délibérée d'adulte de traiter les enfants d'une nouvelle manière ; il s'est développé face à une nécessité. Car la vie de l'enfant est toujours le miroir de la vie de l'adulte. Les grands bouleversements sociaux de la fin des années 1960 et des premières années de 1970 — ce qu'on a appelé la révolution sexuelle, le mouvement féministe, la prolifération des appareils de télévision dans les maisons américaines et son rôle plus important dans l'éducation de l'enfant et la vie de famille, l'accroissement déchaîné des divorces et de la condition de parent seul, le désenchantement politique dans la guerre du Vietnam et de l'après-Vietnam, une détérioration de la situation économique qui pousse plus de mères sur le marché du travail — toutes ces causes ont amené des changements dans la vie des adultes, qui ont nécessité de nouvelles façons d'agir dans les rapports avec les enfants.

Aucun changement social, aussi important soit-il, ne peut justifier la fin d'une conviction qui remonte à des siècles au sujet de l'enfance et l'apparition d'un face-à-face courageux entre les adultes et les enfants. C'est la rencontre de tous ces changements à un moment donné, agissant conformément les uns aux autres, et sur la société comme un tout, qui a aidé à modifier les modèles établis depuis longtemps en une seule décade. C'est seulement avec la multiplication des familles dont chacun des parents a embrassé une carrière et avec l'augmentation de la proportion de divorces — deux facteurs qui reviendront souvent au cours de la discussion — ,que les parents ont eu un motif de renoncer à leur surveillance étroite et protectrice des enfants. C'est surtout à cause de la fascination qu'exerce la télévision dans chaque maison, hypnotisant et calmant des enfants habituellement imprévisibles et exigeants, que l'actuelle diminution de la surveillance et de la surprotection des adultes fut rendue possible. Cette conjonction des faits se produisit dans les années 1960. Soudain, cette idée de l'enfance en tant que condition à part devant être protégée sembla à déconseiller, voire réellement dangereuse, en tout cas presque impossible à soutenir.

Quelle a été la première transformation : l'enfant qui ne se conduit plus en enfant ou l'adulte qui ne protège plus ? Il existe une liaison étroite et compliquée entre les concepts profonds de l'enfance et le comportement visible des enfants. Un modèle constant apparaît toujours à l'esprit. Par exemple, comme les enfants d'aujourd'hui impressionnent les adultes avec leurs manières blasées, les adultes commencent à changer d'idée à leur sujet et à repenser leurs vrais besoins ; c'est-à-dire qu'il se forme de nouvelles conceptions de l'enfance. Pourquoi ? Parce que ces petits garnements solides n'ont pas besoin de protection ni d'éducation attentive ! Les adultes n'ont pas besoin de refuser plus longtemps aux enfants l'information sur les dures réalités de la vie. Ils ne doivent pas davantage cacher la vérité sur leurs propres faiblesses. Ils commencent plutôt à avoir le sentiment que c'est leur devoir de préparer les enfants aux exigences de la vie moderne. Cependant, comme les adultes sont moins protecteurs (pas tout à fait en réaction contre le matérialisme de leurs enfants naturellement mais à cause de leurs propres inquiétudes, leur travail, leurs ennuis conjugaux) et comme ils révèlent aux enfants le côté autrefois secret de leur vie — la sexualité des adultes, la violence, l'injustice, la souffrance, la peur de la mort — ceux qui étaient autrefois innocents grandissent dans un état d'esprit plus dur. Par la force des choses, ils sont moins espiègles et moins confiants, plus sceptiques — en bref, plus conformes aux adultes. Nous avons bouclé la boucle.

Ce livre se veut une analyse de ces enfants qui ne sont plus des enfants, de leur situation depuis peu dénuée de protection dans la société changeante actuelle. La première partie examine les réalités de la chute de l'approche protectrice à l'approche préparatoire pour les enfants ; le sentiment des parents qui peuvent contrôler ce qui arrive à leurs enfants ; le recul des frontières entre les enfants et les adultes alors que l'autorité de ces derniers décline et que le respect des enfants pour leurs aînés est devenu chose du passé ; la nouvelle ouverture des adultes au sujet des enfants et de ceux-ci au sujet des adultes, alors que les enfants sont admis dans le territoire jadis secret de la vie des adultes ; l'influence de la télévision sur les temps libres des enfants, et spécialement son rôle dans l'élimination des jeux à l'intérieur de leur vie.

La seconde partie examine les antécédents historiques de cette transformation, comment les concepts de l'enfance ont changé et par conséquent combien la position de l'enfant dans la société a changé au cours des siècles. Cette section jette un regard sur un nouveau genre d'éducation des enfants et inclut une étude sur deux changements cruciaux de la société qui sont à l'origine d'une nouvelle intégration des enfants dans la vie adulte : notamment, la nouvelle position des femmes dans la société et la condition indubitablement instable du mariage aujourd'hui.

La dernière section examine l'impact de l'activité sexuelle sur l'enfance et présente, de divers points de vue, des réflexions sur la volonté prononcée d'une période plus longue de protection et d'innocence au début de la vie.

INTRODUCTION - QUELQUE CHOSE EST ARRIVÉ

1. «Parents Pages», *National Lampoon,* Kids Issue, June 1979.
2. Publicité pour Flare Books (Avon imprint) in *Publishers Weekly,* March 13, 1981.

PREMIÈRE PARTIE

DE LA PROTECTION À LA PRÉPARATION

CHAPITRE 1

DES PARENTS QUI ONT PERDU LE CONTRÔLE

LA MÉTHODE DE PEARL HARBOR

Au temps où l'enfance était privilégiée, les parents s'inquiétaient rarement de leurs enfants d'âge scolaire pendant les heures où ils étaient absents de la maison. Ils les contrôlaient assez bien, croyaient-ils, même les plus obstinés et les plus indépendants de la bande. Le pire ennui pour un enfant, c'était de casser des vitres en jouant au baseball, ou encore, ce qui pouvait lui arriver de plus grave, c'était de commettre une infraction mineure, comme se faufiler en douce au cinéma ou chaparder une tablette de chocolat. Les parents étaient préparés à ces problèmes, craignant que leurs enfants ne soient pas acceptés au collège, n'ayant pas la trempe morale pour devenir chefs d'État. Mais en dehors des soucis inévitables causés par la maladie et les accidents, les parents avaient confiance dans le fait que rien ne pourrait arriver au cours du déroulement de la journée de leurs enfants. Jamais, dans leurs pires fantasmes, ils n'auraient imaginé que leurs enfants de dix ou onze ans pourraient se droguer ou avoir des relations sexuelles, ou encore faire une fugue et tomber dans les mailles d'un réseau de prostitution de mineurs. Ces parents ne savaient pas qu'une drogue appelée *marijuana* existait ; ils pensaient encore moins qu'un élève du premier cycle secondaire voudrait l'utiliser pour se droguer. C'est comme pour la prostitution des enfants et les phénomènes du même type — ce genre de choses pourrait se produire à Tanger ou dans la Casbah, mais pas ici !

Bien plus, même dans le passé, lorsque leurs enfants parvenaient au milieu de l'adolescence, le sens de l'autorité des parents commençait à faiblir. Soudain, ces enfants autrefois dociles, souples, même dans les années moroses de la prime adolescence, prenaient des risques réels. Ils passaient leur permis de conduire et risquaient leur vie en auto. Ils prenaient de l'alcool, ce qui rendait leur conduite au volant encore plus dangereuse. Ils commençaient bien sûr à s'impliquer dans une quelconque activité sexuelle, la jeune fille courant parfois le risque d'être enceinte ou le jeune homme, d'être responsable d'une grossesse. Les parents s'arrachaient les cheveux et se plaignaient amèrement de ce que leur vie devenait impossible. Mais en fait, tout le monde acceptait l'idée que ces enfants n'étaient *pas réellement des enfants*. Presque adultes dans leur développement physique, encore perchés sur le bord du nid, comme on pourrait dire, il s'en fallait d'un ou deux ans avant qu'ils ne volent de leurs propres ailes, qu'ils aillent au collège, à l'armée ou sur le marché du travail. Même s'ils demeuraient en partie dépendants de la famille pour plusieurs années encore, ils ne seraient toutefois plus jamais considérés comme«*des enfants* » dans la famille.

Aujourd'hui, peu de temps après la fin de la première enfance, avec encore plusieurs années de vie en famille en vue, les parents savent que leurs enfants *peuvent* être impliqués dans n'importe quelle activité dangereuse, illégale ou simplement inconvenante. À moins de les enfermer dans leur chambre ou d'établir des règles familiales extravagantes qui donnent un grand coup aux critères habituels (tels que : «*Pas de visite à la maison des autres enfants* »), les parents savent qu'ils ne peuvent pas faire grand-chose pour empêcher leurs enfants de faire ce qu'ils veulent, surtout si les autres le font. Aujourd'hui, à douze ans, ils *fument vraiment* de la marijuana, ils ont de *vraies* relations sexuelles, ils surveillent *vraiment* de près les films pornographiques à la télévision et sont vraiment impliqués dans plusieurs occupations n'ayant strictement rien à voir avec les enfants. Pourtant, ils doivent encore attendre des années avant de ne plus être considérés comme des enfants, avant de pouvoir légalement essayer de vivre par eux-mêmes.

Il est clair que tous les enfants n'ont pas ces problèmes, de nos jours. Il y a toujours ceux qui ne rêvent pas de fumer un joint ou de «*faire du sentiment* » avec un membre du sexe opposé. Plusieurs jeunes continuent à lire les écrivains «conservateurs » comme E. Nesbit et Noël Streatfeild plutôt que les «progressistes tels Judy Blume et Paul Zindel ; il y en a d'autres pour qui un bon film à voir signifie qu'ils vont aller visionner *Lassie,* et non *Caligula.* Il est bien entendu que, d'après les statistiques, le nombre de pré-adolescents adeptes des drogues, de l'alcool et des relations sexuelles demeure relativement bas. En outre, l'incidence de ces faits est beaucoup plus élevée dans les familles qui ont des problèmes que dans celles qui sont solides.

Mais à peu près sans exception, les parents d'aujourd'hui ont le sentiment d'avoir perdu le contrôle de la vie de leurs enfants. La précocité, cela s'attrape, d'une façon ou d'une autre ; c'est comme les poux : même les enfants les plus gentils en sont la proie. Dans leur crainte de ce que l'enfance réserve à certains enfants, les parents ne peuvent pas être sûrs d'avance de ce qui attend les leurs. L'ignorance d'autrefois *était* vraiment un bonheur suprême.

Une parodie satirique présentée récemment au programme populaire *Saturday Night Live* (Le samedi soir en direct) sur un réseau américain montre le grave dilemme auquel font face les parents quand ils se rendent compte qu'ils ont perdu le contrôle. Dans le drame simulé, deux obstétriciens dans leur costume opératoire sont interrogés dans un entretien télévisé. Le premier médecin est le porte-parole de la méthode d'accouchement Leboyer. Il recommande que les médecins fassent un plus grand effort pour amener le nouveau-né dans le monde sans choc ou traumatisme excessif et ensuite, démontre sa technique. Les lumières sont tamisées. Le personnel de la salle d'accouchement sourit, parle doucement avec une voix mélodieuse. Quand le bébé paraît, il n'est pas question de claque sur les fesses ; au lieu de cela, on le pose délicatement sur le ventre de la maman. Elle et le docteur le caressent doucement. Ensuite, avant de couper le cordon ombilical, le bébé est baigné dans l'eau chaude pour qu'il retrouve le plus possible l'impression du liquide amniotique à l'intérieur de l'utérus. Le premier médecin croit qu'ainsi on donne à l'enfant un meilleur départ dans la vie.

Le second médecin annonce qu'il présente un point de vue très différent, même si lui aussi espère rendre l'expérience de la naissance profitable pour l'avenir du bébé. Sa méthode est appelée la méthode de Pearl Harbor. Utilisant une grosse poupée qui représente le nouveau-né, le médecin arrache brusquement le bébé dès qu'il apparaît dans le monde. Alors, pendant que les assistants crient, hurlent et allument des pétards, il lance le bébé en l'air, lui donne la fessée, et continue de courir en mêlée avec lui dans une partie de football improvisée dans la salle de l'accouchement. L'idée, explique le médecin, c'est «d'habituer le bébé aux difficultés du monde nouveau dans lequel il devra apprendre à vivre aussi vite que possible ».

Comme les parents d'aujourd'hui regardent autour d'eux avec anxiété et embarras une société étonnamment différente de celle dans laquelle ils ont grandi, un monde beaucoup moins inoffensif, solide et tranquille, ils ont peur de ne plus savoir très longtemps protéger leurs enfants des dangers de la vie. Ils se tournent plutôt vers un nouveau style d'éducation des enfants, similaire à la méthode Pearl Harbor : ils préparent plutôt qu'ils ne protègent.

LE MYTHE DE L'ADOLESCENT «LOUP-GAROU »

Un mythe envahissant qui s'est emparé maintenant de l'imagination des parents aggrave leur sentiment d'impuissance dans le contrôle du destin de leurs enfants : le mythe de l'adolescent «loup-garou ». Son principe veut que peu importe à quel point l'enfant peut être charmant, doux et innocent, tellement gentil, docile et amical, actuellement, dès que surgit la première poussée hormonale de la puberté, l'enfant deviendra un monstre qui ne peut être maîtrisé. Mais contrairement au loup-garou qui devient inoffensif au lever du soleil, l'adolescent «loup-garou », croit-on, reste monstrueux pendant de nombreuses années. C'est un mythe terrifiant qui assombrit la vie des parents.

Dans son roman *The War Between the Tates* (La guerre chez les Tates), Alison Lurie décrit la redoutable métamorphose :

Jeffrey et Matilda étaient de magnifiques bébés en excellente santé ; des tout-petits charmants ; des enfants affectueux, enjoués, intelligents. Il y a des albums de photos, des cartons de dessins et d'histoires et des rapports scolaires pour le prouver. Depuis l'an dernier, alors que Jeffrey a eu quatorze ans et Matilda douze, ils ont commencé à changer, à devenir «mal élevés », grossiers, égoïstes, insolents, désagréables, brutaux. C'était comme si la mère tenait une pension de famille dans un cauchemar, et les enfants qu'elle avait aimés étaient devenus d'affreux locataires —

des locataires qui ne payaient pas de pension, dont le bail ne pouvait être résilié. Ils étaient terribles à la maison et ailleurs, en compagnie et seuls, le matin, l'après-midi et le soir...

Bien que désagréables tous les deux, les enfants l'étaient de différentes façons. Jeffrey est maussade, agité et parfois violent. Matilda est boudeuse, paresseuse et parfois malhonnête. Jeffrey est obsédé par les inventions et l'espace ; Matilda par les vêtements et la musique pop. Matilda est prodigue et gaspilleuse ; Jeffrey, avare et parcimonieux. Jeffrey est correct à l'école, alors que les notes de sa soeur sont désespérantes...[1]

Tout le monde a entendu des contes semblables. Et la métamorphose semble se produire de plus en plus tôt. À mesure que passent les années de l'enfance, les parents cuirassent leurs nerfs et attendent que l'épée tombe, désagrégeant leur vie familiale. Même des parents d'enfants de la maternelle voient leurs rapports avec leurs enfants affectés par le mythe de l'adolescent «loup-garou ».

«C'est maintenant que je vois la réalité au sujet de mes enfants, dit le père d'un enfant de sept ans et d'un autre de trois ans, des êtres semblables à des enfants, beaux, merveilleux, innocents, et je pense au fantasme stéréotypé de l'adolescent abandonné à lui-même, gloussant au téléphone, fumant de la marijuana, hargneux avec ses parents. Je peux difficilement supporter d'y penser. J'ai l'impression que je dois prendre un peu de recul pour que mes sentiments ne soient pas trop en cause. »

Les parents d'autrefois, pour ne pas avoir de surprise, se préparaient à se faire un peu de souci lorsque leurs enfants atteignaient l'adolescence. Ils savaient qu'ils devraient faire face à certaines rébellions, à certains désaccords pénibles. Mais l'idée qu'à la puberté ou avant, les enfants seraient transformés en êtres effrayants qu'on ne pourrait maîtriser, ne s'est emparée de l'imagination du public que vers les années 1970. Qu'est-ce qui a donné naissance à cette nouvelle image ?

Une partie de la réponse peut se trouver dans l'épidémie de drogues des années soixante. Certaines des histoires horribles sur la drogue, largement répandues dans les dernières années de 1960 et les premières de 1970, continuent de hanter les parents d'aujourd'hui. Comme une mère inquiète l'explique : «La drogue est la chose qui me terrifie le plus. Nous connaissons deux adolescents vraiment abominables, vraiment perdus par la drogue, qui étaient avant de vrais bons petits enfants que nous aimions et avec qui nous passions beaucoup de temps. Je redoute que ce genre de choses puisse arriver à nos gentils petits garçons bien élevés. »

De la même façon, un papa de New York définit la source de sa peur au sujet de ses jeunes enfants qui pourraient devenir du jour au lendemain des bêtes voraces : «Je sais que les enfants doivent se rebeller un jour, dit-il, j'étais moi-même un adolescent assez rebelle. Mais en ce temps-là, c'était beaucoup plus innocent. C'était strictement une rébellion du genre style-et-culture. Je laissais pousser mes cheveux et j'écoutais du rock-n-roll. Mes parents ne pouvaient supporter cela. Mais nous n'avions pas de drogues. La possibilité de se détruire avec des drogues est tellement grande. Toutes ces histoires de drogues et ces documentaires à la télé mettent en évidence le fait qu'il est beaucoup plus dangereux d'être un adolescent, aujourd'hui. »

Une histoire de drogue, l'une des centaines qui nourrissent la peur des parents à travers l'Amérique, c'est celle de «Ellen : A Mother's Story of Her Runaway Daughter » (Hélène : l'histoire d'une mère portant sur la fugue de sa fille), par Betty Wason, publiée dans les années 1970. Le livre donne aussi un bref compte rendu sur Stéphanie, treize ans, «une fille qui jouissait d'unc grande popularité, brillante, une élève consciencieuse, prenant une part active aux sports, bien adaptée selon tous les critères habituels », et qui fut trouvée morte, un matin de mars, dans sa chambre, à Springfield, en Virginie, après avoir imbibé un tampon de papier avec une bombe aérosol et en avoir respiré les vapeurs. L'autopsie démontra aussi qu'elle avait fumé de la marijuana, l'après-midi précédent, bien que ses parents déclarèrent : «Nous n'avions aucune idée qu'elle avait déjà fumé de la mari, fait des expériences avec des aérosols ou utilisé tout autre produit pour les cheveux. »[2] Une histoire typique de l'adolescent «loup-garou ».

Dans la réalité, l'adolescent «loup-garou » *est* un mythe : le nombre de pré-adolescents ou de jeunes adolescents qui sont très sérieusement des adeptes de drogues représente une petite fraction du groupe d'âge — quatre pour cent de jeunes de douze ans, selon une évaluation de 1977. Cependant, l'existence même du problème crée une profonde anxiété parmi les parents, et les media jouent sur cette anxiété dans un but vénal : un article ou un programme sur les enfants qui vont à l'école et qui prennent de la drogue attirera une large audience ; la cote d'écoute du programme sera élevée, le magazine se vendra bien. Ainsi, un article sur certaines boutiques spécialisées dans le supplément du journal *Parade*[3] est illustré d'une photo d'un enfant qui n'a pas plus de neuf ans, tenant une pipe à l'eau, au milieu d'un attirail de drogué, et qui semble complètement défoncé.

Pourtant, ce n'est pas seulement l'anxiété qui a incité les parents américains à croire au mythe de l'adolescent «loup-garou ». Depuis les dernières décades, il y a eu parmi les adultes des signes d'une ambivalence affective croissante, si ce n'est une hostilité absolue envers les enfants. Examinez l'image fluctuante des enfants dans les films. Dans les années soixante, une nouvelle génération d'enfants apparut dans les films. Dépassée, l'image des douces poupées idéalisées par des actrices comme Shirley Temple ou Margaret O'Brien. L'enfant des films est devenu un monstre. Ce fut d'abord Patty McCormack, jouant le rôle d'une tueuse précoce dans *The Bad Seed* (La mauvaise graine), en 1956. Ensuite, dans *Village of the Damned* (Le village des damnés) (1962), des enfants au visage d'ange devinrent des êtres malveillants venant de l'espace. La tendance s'accentua dans les dernières années de 1960 et les premières années de 1970, et trouva son apogée avec l'apparition d'une avalanche d'adolescents démoniaques qui envahirent les écrans de cinéma. *Rosemary's Baby* (Le bébé de Rosemary) fut le premier, un faible apprentissage de l'horreur au grand écran, si on le compare à *l'Exorciste,* qui mettait en vedette le premier adolescent loup-garou véritable, une petite fille adorable transformée, juste à sa puberté, en une créature vorace, avide de sexe et meurtrière. Linda Blair, douze ans, se masturbant avec un crucifix pendant qu'elle s'enroue à crier des blasphèmes et des obscénités. Peut-être symbolise-t-elle l'incarnation définitive de ces paroles affectueuses, dites aux enfants, et qui sont vieilles comme le monde : «Tu es un petit diable ! »*

Il est sûr qu'il y a une part de désir d'accomplissement dans l'appétit de l'auditoire adulte actuel pour les documentaires télévisés sur l'enfance maltraitée, la prostitution des mineurs, les attentats à la pudeur, les scènes filmées d'enfants battus, brûlés, corrompus sexuellement ou détruits par les drogues, aussi bien que pour ces portraits de progénitures diaboliques qui battent leurs parents, tuent des voisins aimables et font des choses terribles sur eux-mêmes avec des objets sacrés.

D'autre part, la peur largement répandue parmi les parents d'aujourd'hui que leurs enfants dociles vont se transformer du jour au lendemain en drogués invétérés, abandonneront leurs études ou deviendront avides de sexualité, reflète une certaine colère et de l'animosité envers les

---

* Il est intéressant de s'interroger sur une nouvelle vague de films mettant en scène des enfants dont les parents vont divorcer ou ont divorcé, notamment les enfants de *Shoot the Moon* (Finie la lune de miel) ou *Kramer vs. Kramer* (Kramer contre Kramer), l'enfant dans *Rencontre du troisième type* et les enfants dans *E.T., l'extraterrestre*. Ces enfants ne sont pas tous des monstres. Ils sont adorables. Peut-être ont-ils été suffisamment punis d'être des enfants de cette génération par la perte d'un parent et d'une famille stable.

jeunes, une peur et un dégoût qui aident à transformer le mythe en une prophétie qui trouve son accomplissement en elle-même. Après tout, il y a eu des «mauvais » enfants et des adolescents indomptables dans le passé ; cependant, les parents s'attendaient à ce que leurs propres enfants soient bons et soient bien éduqués. Les exceptions étaient appelées les «moutons noirs ». Le fait que les parents d'aujourd'hui soient étonnés que leurs enfants ne deviennent pas des «moutons noirs » prouve qu'une attitude non seulement peu optimiste, mais profondément méfiante et négative existe aujourd'hui envers les enfants.

Peut-être qu'une partie de l'hostilité qui est au fond du mythe de l'adolescent «loup-garou » est en relation avec l'éducation actuelle de l'enfant qui insiste sur la démocratie, l'égalité et les décisions prises en commun , facteurs qui ont aidé à produire des enfants avec lesquels il est plus difficile de vivre qu'avec leurs aînés moins libres d'hier et qui par conséquent peuvent engendrer des idées de meurtre chez leurs parents.

Ou peut-être que le mythe de l'adolescent «loup-garou » est une projection de la culpabilité ressentie par les parents dans la poursuite de leurs buts égotistes de réalisation personnelle. Au lieu de vouloir, en tant que société, se sacrifier pour les enfants et considérer leur surveillance comme un devoir primordial, les adultes ont transformé l'image même de l'enfance qui demande protection et éducation, en une image qui justifie un abandon parfois scandaleux.

LES ENFANTS ET LES RELATIONS SEXUELLES

Si l'ignorance était une bénédiction pour les parents d'autrefois, il se peut qu'une «mauvaise » connaissance soit une chose dangereuse pour les parents actuels. Car une certaine déformation, montrant les enfants beaucoup plus précoces et pervertis qu'ils ne le sont vraiment, est apparue et a semé l'inquiétude parmi les parents. Cette déformation, en affectant le style d'éducation des enfants, peut très bien encourager ces comportements que les parents craignent tant.

Considérez ce phénomène singulier : les parents de filles de douze ou treize ans répondent rarement : «Mais oui ! » aujourd'hui, quand on leur demande si leur fille est vierge, même quand l'aspect extérieur de la jeune fille en question apparaît peu développé — poitrine plate, voix haut perchée et à peine pubère. N'importe comment, les gens croient maintenant que depuis la révolution sexuelle, avec le relâchement des moeurs, la majorité des jeunes adolescents ont des activités sexuelles peu de temps après le début de la puberté. Après tout, la puberté ouvre la voie à la capacité de reproduction. Pour cette raison, lorsque les barrières sociales des manifestations sexuelles ont disparu, on croit que comme les jeunes de quelque île des mers du Sud dans les vieux livres d'anthropologie ou les magazines géographiques, les douze et treize ans en grand nombre vont se libérer joyeusement des entraves d'une moralité puritaine dépassée pour être *in,* comme ils disent, chaque fois qu'ils en ont l'occasion.

La juxtaposition de cette impression générale de la première sexualité avec la réalité d'un groupe moyen de jeunes actuels du secondaire un ou deux est ahurissante. En dépit de leurs vêtements si peu enfantins, de leur coiffure à la Farrah Fawcett ou carrément «punk », de leur sang-froid dans l'utilisation d'obscénités sur le sexe dans la conversation ordinaire, l'idée de ces enfants ayant des rapports sexuels paraît tellement anormale par rapport à leur manque évident de maturité, qu'elle nous oblige à nous demander si quelque chose de radical n'a pas changé au sujet de l'acte sexuel en lui-même.

L'idée actuellement répandue selon laquelle la pré-adolescence est une période de sexualité intense, vient en partie de l'utilisation d'enfants et de jeunes adolescents comme objets sexuels dans les media. Le flot constant de filles à peine pubères qui se font violer dans les mélodrames à épisodes, qui couchent avec leur père dans les best-sellers, et regardent les annonces provocantes et suggestives des magazines a contribué à la nouvelle image de la sexualité enfantine. En imitant ces symboles sexuels dans leur démarche et dans leur tenue, les élèves de cinquième année primaire jusqu'en deuxième secondaire acquièrent certaines façons de s'habiller et de se comporter qui ajoutent aux doutes de leurs parents sur ce qui les attend dans leur vie sexuelle.

La croyance en une précocité sexuelle importante parmi les pré-adolescents et les adolescents d'aujourd'hui peut aussi trouver sa source dans certaines statistiques bien orchestrées sur la sexualité. Il y a par exemple le spectaculaire accroissement des adolescentes ayant eu des enfants naturels pendant les vingt dernières années. La plupart des gens prétendent que cela prouve forcément que les adolescents ont aussi plus d'activités sexuelles maintenant — après tout, «il faut en avoir » pour être enceinte. Mais les auteurs de l'étude *Teenage Sexuality, Pregnancy and Childbearing* (La sexualité adolescente, la fécondité et la grossesse)[4] ont une autre explication. Ils suggèrent que l'adolescente qui était enceinte il y a vingt ans était vraiment plus portée à légitimer son bébé en se mariant que l'adolescente actuelle pour qui l'enfant naturel n'est plus synonyme de déshonneur. Les statistiques rassemblées par les auteurs de l'étude confirment cette hypothèse : un grand nombre de bébés nés de mères adolescentes dans les années 1950 et 60 naissent après sept ou huit mois de mariage. Peut-être que quelques-uns de ces bébés étaient prématurés, mais il est clair que la plupart des mariages ont été faits au bout d'un «fusil de chasse». Vue sous cette perspective, une augmentation des grossesses chez les adolescentes ne prouve pas nécessairement un accroissement énorme des activités sexuelles de l'adolescente.

Il va sans dire qu'il y a un relâchement dans les critères sexuels de la société prise dans son entité. Et plusieurs parents connaissent l'enquête sérieuse faite par Zelnick et Kantner [5] révélant que la proportion d'adolescents «sexuellement actifs» a augmenté substantiellement dans la dernière décade. Mais même cette statistique est trompeuse. Le terme «sexuellement actif» conduit inévitablement à des images de prouesses sexuelles, sinon athlétiques, tout comme le terme «physiquement actif» suggère quelqu'un qui court chaque jour, fait des tractions et pratique généralement l'activité physique régulière. Mais les enfants définis comme «sexuellement actifs» dans ces études sont simplement ceux qui ont eu au moins une fois des relations sexuelles et il n'existe aucun moyen de connaître le nombre de ceux qui n'en ont eu qu'une seule fois. En effet, une recherche plus approfondie démontre qu'il y a eu une *diminution* dans la fréquence des relations sexuelles parmi les adolescents dans les dernières années. Il y a mieux ; plus de la moitié des adolescents qualifiés de «sexuellement actifs» n'avaient pas eu de relation sexuelle au cours du mois précédant l'enquête. Ainsi, dans la réalité, plus de la moitié pourraient être appelés sexuellement *inactifs*, c'est-à-dire *rarement* actifs. Jusqu'à présent, les études comme celles-là nourrissent l'idée d'une sexualité adolescente exubérante vis-à-vis du public : si 34,9 pour cent d'un échantillon entre les âges de quinze à dix-neuf ans sont trouvés «sexuellement actifs», on prétend alors qu'il doit y avoir en général pas mal d'activité sexuelle parmi les adolescents.

Une autre explication à propos de la prétendue augmentation dans «l'activité sexuelle» parmi les adolescents suggère que les jeunes gens d'aujourd'hui n'accordent plus autant de valeur à la chasteté avant le mariage et peuvent vouloir entreprendre des expériences sexuelles plus jeunes, et en dehors du mariage. La sexualité peut très bien être une partie plus occasionnelle, moins importante de leur vie qu'elle ne l'était dans la vie des adolescents d'il y a vingt ans ou plus. Peut-être que lorsque le sexe n'est pas un fruit défendu, il perd une partie de son charme, pour le jeune révolté. Bien plus, la nouvelle assurance et le féminisme des jeunes femmes d'aujourd'hui peuvent conduire à moins d'activité sexuelle que dans le passé ; elles peuvent succomber plus tôt que leurs consoeurs des années cinquante ou soixante — parfois par pure curiosité — mais il est moins probable qu'elles soient contraintes d'avoir d'autres expériences sexuelles avec des mâles dont l'énergie sexuelle adolescente est plus forte que la leur.

Le fin mot de cette croyance publique envahissante dans la sexualité incontrôlable des adolescents et éventuellement des pré-adolescents, c'est que les parents ne mettent que la moitié de leur coeur dans leurs efforts pour surveiller et contrôler leurs enfants, même quand ils sont très angoissés quant à l'aptitude de leurs enfants à faire face à une relation sexuelle à part entière. «Comment pouvons-nous remonter le courant ? » disent les parents désespérés, souvent sans être tout à fait certains que l'océan qu'ils voient est réel et qu'il ne s'agit pas d'un mirage.

LA PEUR DES FUGUES

En essayant de comprendre le sentiment envahissant d'impuissance qui accable tant de parents d'aujourd'hui, nous pouvons trouver la source de certaines de leurs anxiétés dans un phénomène particulier qui donne le frisson, même si la grosse vague a passé dans les années soixante : l'épidémie des fugues.

Une mère de New York décrivit son incapacité à contrôler les allées et venues nocturnes de sa fille de treize ans : «Cette année, Sandy et sa petite bande commencèrent à fréquenter les clubs. Des clubs comme le Xénon — vous savez,les discos.Elles consacrent des heures à se préparer, elles — savent que la seule façon d'y être admises, c'est d'avoir l'air extravagant, aussi portent-elles tout ce maquillage et ces costumes barbares. Honnêtement, elles ressemblent à des petites putains ! Elles sortent vers vingt-trois heures et elles reviennent en taxi à deux ou trois heures du matin, dormant une fois chez l'une et une fois chez l'autre. Ca me rend réellement nerveuse de voir Sandy dehors si tard, et Dieu sait ce qui se passe. »

Pourquoi alors ne défend-elle pas simplement à sa fille d'y aller ? dit-on à cette mère. Sa réponse révéla une peur peu commune : «Je suis contre le fait qu'elle aille dans les clubs, mais je n'ose réellement pas l'arrêter.

Quand vous et moi grandissions, lorsqu'on nous disait d'être à la maison pour minuit, nous revenions à la maison, même si nous n'en avions pas tellement envie. Mais dans les années soixante, quand les parents disaient la même chose à leur enfant et que l'enfant répondait : «Non ! » et que les parents n'étaient pas d'accord, eh bien, *l'enfant faisait simplement une fugue*. Maintenant, nous avons eu deux décades de fugueurs et cela ne quitte pas mon esprit. Je pense avoir élevé mes filles de façon à ce qu'elles n'aient jamais envie de faire une fugue. Les images de ces petits enfants faisant du stop à travers le pays, se faisant violer et tuer, ces affiches d'enfants disparus un peu partout — ces choses-là ne sont jamais sorties de mon esprit. Chaque fois que Sandy claque la porte et se met en colère parce que j'essaie de mettre un frein à ses sorties, je pense que ça amplifie ma peur des fugues. »

En outre, l'épidémie de divorces a amené un nouveau genre de fugues que les enfants eux-mêmes utilisent comme une menace dans l'intention de ravir l'autorité à celui ou celle qui en a la garde. «J'étais terriblement bouleversée, quand j'ai découvert que ma fille de treize ans fumait régulièrement de la marijuana à des réunions de jeunes, chaque fin de semaine, déclare une mère divorcée. J'ai tout essayé, les hurlements, les cris perçants, les cajoleries, les corruptions. Finalement, comme elle continuait à revenir de plus en plus tard, manifestement droguée, je lui ai dit que je ne lui permettrais plus jamais de sortir la nuit. Elle m'a répliqué : «Tu ne peux pas m'empêcher ! » et je lui ai dit : «Je vais t'enfermer dans ta chambre, s'il le faut. Tu ne sortiras pas ! » Et elle m'a répondu : «Si tu fais ça, je fais une fugue et je vais vivre avec papa. » C'était l'argument final contre lequel il n'y avait plus rien à dire. J'ai craqué et je l'ai laissée sortir. »

LA FIN DE LA SURVEILLANCE

Au fond de cette perte de contrôle par les parents, il y a le fait que les parents actuels surveillent moins leurs enfants d'âge scolaire que leurs aînés le faisaient, même il y a dix ans et certainement vingt ans. La désinvolture des parents fait à ce point partie de la norme actuelle que c'est seulement lorsqu'on compare la vie des enfants d'aujourd'hui à celle de ceux des années 1960 et des premières années de 1970 qu'on réalise combien plus rapidement les parents d'aujourd'hui laissent la bride sur le cou aux enfants. Il existe des exemples évidents d'une diminution globale de la surveillance des parents sur chacun des aspects de la vie des enfants, du plus insignifiant à celui qui peut coûter la vie. En effet, la liberté précoce des enfants dans la société actuelle est tellement généralisée que ce qui était considéré comme de la surveillance et de l'éducation est maintenant appelé de la surprotection. Les enfants actuels semblent être plus avancés de deux ans quand on les compare à ceux d'il y a dix ans. Ils traversent la rue sans tenir la main d'un adulte à quatre ans plutôt qu'à six. Les enfants de sept ans vont seuls en autobus alors qu'autrefois ils devaient avoir atteint l'âge de neuf ou dix ans. Le temps d'aller au lit pour les enfants de sept ans est habituellement fixé à vingt-deux heures comme cela a déjà été pour les élèves de cinquième ou de sixième année, alors que ces derniers, des jeunes adultes — comme ils sont appelés, par les media — n'ont souvent aucune heure déterminée pour aller se coucher. (Une récente enquête non officielle sur les élèves de cinquième et de sixième année révèle que la majorité de ces enfants ne se considèrent plus eux-mêmes comme tels. Quand on leur demande : «Qu'est-ce que vous êtes alors ? » ils répondent : «Des pré-adolescents » ou «de jeunes adultes ».

Quelles sont les raisons qui ont amené cette baisse de la surveillance chez les enfants ? Les plus évidentes sont la hausse du taux de divorces et l'augmentation du taux des parents ayant chacun une carrière. Dans chaque cas, la surveillance des parents est inévitablement détournée de l'enfant au profit des responsabilités personnelles qui leur incombent. Une autre partie de la réponse réside peut-être dans le fait que les enfants d'aujourd'hui, grâce à leur nouvelle précocité, sont simplement plus difficiles à surveiller que les enfants d'il y a quinze ou vingt ans. Face à la lutte perpétuelle impliquant le critère suprême, que les enfants utilisent depuis toujours : *tout le monde peut rester jusqu'à une heure du matin* , face à des enfants qui peuvent n'avoir que onze ou douze ans mais qui parlent comme s'ils en avaient seize, les parents d'aujourd'hui sont davantage portés à capituler.

Mais au moins une partie des motifs pour lesquels les enfants d'âge scolaire sont moins surveillés aujourd'hui réside dans la conviction bien établie que les dés sont jetés au cours de la petite enfance, et que ce que les parents pourront faire au cours des étapes suivantes, n'a pas beaucoup d'importance. Au début des années soixante, une telle croyance devint courante. Elle a préparé la voie à un abandon des enfants d'âge scolaire à leur sort sur une grande échelle, ceux-là même dont le comportement si peu «enfantin », qui les mène le plus souvent à leur destruction, cause tellement d'inquiétude aujourd'hui.

Le psychiatre britannique John Bowlby fut probablement le précurseur — il est à ce jour la plus grande autorité dans ce domaine — qui a joué un rôle dans la conversion des parents américains à la croyance dans la suprématie de l'expérience de la première enfance. C'est une version popularisée de son étude universitaire sur les effets des séparations à court ou long termes sur des bébés et des enfants d'âge pré-scolaire d'avec leur mère, publiée principalement dans un livre intitulé *Child Care and the Growth of Love* (La surveillance des enfants et le développement de l'amour)[6], qui a eu des conséquences profondes sur l'éducation de l'enfant américain. Comme les découvertes accablantes de l'étude de Bowlby commençaient à être largement connues par ses livres et les écrits des autres spécialistes de l'enfance qui les avaient lus, les parents commencèrent à comprendre la relation alarmante existant entre la vie dans la première enfance et l'état adulte. Quand Bowlby décrivit avec force détails émouvants la douleur et l'affliction d'enfants de deux ans séparés de leur mère pour un certain temps et les cicatrices indélébiles que cette expérience laissa sur leur aptitude future à croire et à aimer, les parents américains commencèrent à réfléchir avant de laisser leurs bambins aux soins d'une gardienne, même pour un soir, et encore moins pour une semaine de vacances. Mais la conséquence la plus importante de l'influence de Bowlby fut d'implanter profondément dans l'esprit des parents la compréhension du fait que l'avenir de l'enfant est déterminé de façon immuable dans ses premières années. Basant résolument ses conclusions sur les principes freudiens et, à l'aide de graphiques, Bowlby démontra aux parents que c'étaient les premières années qui comptaient avant tout.

Les années 1960 et les premières années de 1970 virent renaître un intérêt pour la première enfance. Plusieurs recherches furent entreprises pendant cette période ; que ce soit en rapport avec le développement des connaissances, qu'il s'agisse des émotions ou des attitudes sociales des enfants d'âge pré-scolaire, presque tout s'avéra déterminant au niveau de ces conclusions. Deux livres qui influencèrent les années 1960, *Intelligence and Experience* (L'intelligence et l'expérience) de Joseph McVicker Hunt et *Stability and Change in Human Characteristics* (La stabilité et le changement dans les caractéristiques humaines) de Benjamin Bloom, soulignèrent le fait que les évaluations des quotients intellectuels dans la première enfance suivent naturellement celles de l'adulte, renforçant l'idée que l'avenir intellectuel de l'enfant est scellé dès l'instant où il entre à l'école. Les expériences bien connues d'Harry Harlow avec des singes privés de l'affection maternelle firent valoir la vulnérabilité des jeunes enfants et laissèrent entendre que les périodes suivantes de la vie étaient moins accessibles au changement. Une nouvelle preuve de l'action décisive de la première enfance fut la publication du livre de Christopher Jencks, *Inequality* (Inégalité) en 1972 démontrant que la notion ambitieuse aux Etats-Unis, de progrès, à travers l'éducation des enfants manquait de réalisme. Ce livre largement répandu intensifia la conviction déjà forte que l'avenir de l'enfant se décide au cours de sa première enfance.[7]

Le résultat pratique de cette action déterminante de la première enfance est un nouveau genre de libération pour les parents : s'ils croient que la part importante de la personnalité humaine est formée avant que les enfants n'aillent à l'école une fois passées les années pré-scolaires, ils estiment également ne plus avoir à s'inquiéter du laps de temps accordé à leurs enfants, c'est-à-dire surveiller leurs activités jusqu'à un certain point et les guider sérieusement dans une direction ou une autre. Ils croient simplement qu'en leur procurant nourriture et vêtements, qu'en payant la facture du dentiste, tout ira bien. Pour ces parents cernés de tous côtés des années 1970 et 80, essayant de sauver leur mariage ou de reprendre le dessus après leur divorce, menant une lutte économique pour ne pas couler, continuant difficilement leur nouvelle vie, essayant sans espoir de contrôler les séances de télévision de leur progéniture, l'action déterminante de la première enfance apparut comme un don des dieux.

LES DROGUES, LE SEXE ET LES VRAIS ENFANTS

Il est indubitable que l'autonomie est le but le plus recherché de l'éducation de l'enfant, et il en est de même en ce qui concerne l'indépendance économique. Pourquoi ne pas considérer la tendance vers une surveillance moins étroite comme une bonne chose ? Si les enfants hors du contrôle des parents étaient créés pour se comporter en adultes et pour conduire leur vie de façon constructive et saine, une nation de jeunes indépendants de douze ans ne seraient sûrement pas une cause d'alarme. Le problème, c'est que certains enfants ne montrent *aucune* maturité précoce et utilisent leur liberté pour se compromettre dans des activités dangereuses qui les détruisent. Mais au moment où les parents se rendent compte du danger, ils ont souvent déjà perdu le contrôle de leurs enfants et il est trop tard pour revenir en arrière.

Le rapport entre la nouvelle autonomie des enfants vis-à-vis de la surveillance des adultes et leur expérience précoce dans le domaine des drogues et du sexe est souvent souligné par un fait dont on se souvient rarement : au sommet de «l'épidémie de drogues » des années soixante et soixante-dix, les vrais *enfants* ne s'y étaient pas vraiment laissé entraîner. Les drogués et les hippies de cette période difficile étaient pour la plupart des étudiants, légalement assez vieux pour poursuivre leur vie sans surveillance. Les élèves de cinquième et sixième années primaires et ceux de la première année du secondaire étaient encore élevés sous la surveillance étroite des parents. Où seraient allés ces enfants pour faire des expériences défendues il y a quinze ans, quand la plupart des maisons de banlieue étaient encore dirigées par une mère, femme au foyer, qui attendait le retour de l'école avec du lait et des biscuits ? C'est vers le milieu des années soixante-dix que cette étroite surveillance commença à se relâcher, à cause de l'accroissement des divorces, et de la recrudescence des femmes au travail, une grande foule d'enfants furent livrés à eux-mêmes dans les villes, les banlieues et les régions rurales de toute l'Amérique. À ce moment, il était facile de trouver une maison ou un appartement vide où «inviter des amis » ; surprise-partie, boom... mots que les enfants utilisent maintenant pour désigner leurs retrouvailles périodiques, là où ils fument un joint et se laissent aller (rien à voir avec ''l'antique'' fête, avec gâteau, chapeaux de papier, etc.).

Soudain, l'attention des media se tourna vers les «enfants » plutôt que vers les «adolescents » dans des articles et des documentaires sur le sexe et les drogues. Un article paru en 1980 dans le *Newsweek* rapporte que «les garçons plus jeunes surtout s'adonnent à la marijuana plus tôt, plus souvent et en plus grand nombre que jamais jusqu'ici ». Une photographie alarmante de deux enfants ne paraissant pas âgés de plus de neuf ans, allumant un joint accompagne l'article : «Fumer la marijuana et en faire le trafic est devenu normal à l'école, à tous les niveaux d'âge, c'est devenu un fait établi dans l'expérience de la croissance », déclare un article du *New York Times Magazine* [8].

Le personnel des écoles commença à faire des observations similaires au cours des dernières années 1970. «Il y a plusieurs années, les élèves du secondaire en faisaient l'expérience. Maintenant, nous trouvons de nouveaux étudiants à l'école secondaire qui ont commencé à se droguer en quatrième, cinquième ou sixième années du primaire, et qui endossent une lourde dépendance dès le premier cycle du secondaire », dit le directeur des élèves d'une école secondaire du Connecticut. Même les véritables adolescents se mirent à commenter le changement, souvent avec une certaine indignation. «J'ai commencé à fumer de la marijuana en secondaire IV, quand je suis allé au pensionnat, se souvient un collégien. Dans ce temps-là, la marijuana n'avait pas encore atteint les plus jeunes. C'était alors une chose qui se faisait surtout au secondaire. Mais maintenant, les jeunes *enfants* sont dans le vent ! »

Cependant, la surveillance moins restrictive n'est pas la seule raison inhérente à ce phénomène. Déjà, dans les années cinquante, il y avait des enfants peu surveillés, dont les parents étaient divorcés ou dont la mère travaillait, mais qui, néanmoins, n'étaient pas enceintes à treize ans dans le cas des fillettes, ou même n'avaient pas dévié du droit chemin, et qui ne fumaient rien de plus fort qu'une «Camel » ou une «Lucky Strike » de temps à autre. La différence, c'est que l'acte sexuel s'accomplissait encore dans la chambre à coucher, en ces temps qui précédèrent les films pour adultes comme *The Joy of Sex* (La joie du sexe) ; de plus, les drogues n'étaient disponibles que dans l'échelon le plus inaccessible de la société, la pègre. Il a fallu l'association d'enfants non surveillés *et* une atmosphère de tolérance hautement chargée de sexualité *et* un flot de drogues obtenu facilement *et* les ressources nécessaires pour les acheter, pour entraîner des enfants de plus en plus jeunes à une expérience précoce. Cela s'est produit au milieu des années soixante-dix.

Les ressources nécessaires pour acheter les drogues : ceci soulève une question souvent posée. Si les parents sont inquiets parce que leurs enfants achètent des drogues, pourquoi ne pas simplement couper leur argent de poche et garder le contrôle du même coup ? Les parents qui ont essayé cette stratégie témoignent de son échec. «Les enfants ont tous les atouts dans leur manche, explique un père de deux adolescents de New York. Quand nous avons dit à Linda que nous allions couper son argent de poche parce qu'elle achetait de la marijuana, elle nous a regardés froidement dans les yeux et a dit : «Très bien, je devrai donc en vendre aux autres. » Il va sans dire que nous lui avons laissé son argent de poche. » D'autres, dont les parents suppriment l'argent de poche, gardent des enfants pour se procurer des fonds ou obtiennent du travail à temps partiel après l'école dans une crèmerie ou quelque chose de semblable. Ou ils deviennent trafiquants de drogues, accroissant énormément les dangers que représente leur implication dans le milieu criminel.

C'est une mère divorcée de New York, dont le fils de treize ans fut suspendu de l'école après avoir été surpris à fumer de la marijuana avec un groupe de sa classe qui conclut : «Je pense qu'actuellement, les parents ne peuvent vraiment pas empêcher un élève de sixième année primaire ou de première année secondaire de fumer la marijuana ou d'avoir des relations sexuelles. Il est tellement facile de se procurer de la marijuana. Les enfants ont l'argent et ils ont tant de liberté, donc si peu de surveillance, puisque nous devons travailler simplement pour subsister. Peut-être que si nous avions agi différemment pendant toutes ces années où ils étaient petits, aurions-nous un meilleur contrôle aujourd'hui, peut-être feraient-ils seulement ce que nous leur disons. Peut-être que les parents tout neufs d'aujourd'hui décideront : «Mon bébé ne fumera pas de la marijuana à douze ans, » et ils pourront imaginer une méthode pour élever les enfants qui favorisera cette réalisation, des *trucs* qui déclencheront une sorte de crainte ou une discipline stricte. Mais étant donné la façon dont nous avons élevé nos enfants, je ne pense pas qu'il existe une façon quelconque de les contrôler une fois qu'ils ont atteint la puberté. »

L'ÉMANCIPATION PRÉCOCE

Examinez le dilemme suivant, dans lequel est prise la famille typique new-yorkaise - père, mère et deux enfants élevés dans la liberté et la facilité.

Alors que les enfants sont encore des bébés, les parents achètent un lopin de terre et un chalet à la campagne où la famille peut aller en fin de semaine et en vacances plus longtemps. Là, les parents initient les jeunes qui grandissent aux beautés de la nature. Ils surveillent les fourmis construisant leurs fourmilières. Ils nourrissent les canards et les oies. Ils cultivent un jardin, commencent un tas de compost. Les parents travaillent tous les deux et aiment le changement de train de vie que leur amènent les fins de semaine à la campagne. Ils trouvent agréable la sensation qui les anime d'être «une famille » quand ils arrivent dans leur maison de campagne. Ils n'y ont même pas installé de télé parce qu'«ils la regardent malheureusement trop pendant la semaine », à ce que dit la mère.

Les années passent, pas seulement les années d'ailleurs. Les enfants ont maintenant onze et douze ans, ils sont en sixième année et en première secondaire. Et tandis que l'amour des parents pour leur coin de campagne n'a pas diminué — au contraire, c'est à présent devenu un attachement passionné — les enfants sont devenus impatients. Les merveilles de la nature les laissent indifférents soudain, et l'enthousiasme se refroidit. Les lapins, les canards, les rats musqués et les herbiers, c'est pour les bébés ! Ils semblent n'avoir rien à faire à la campagne. Ils manquent leurs programmes de télé. Ils ont surtout un groupe d'amis avec lesquels ils ont développé *leur* attachement passionné. Soudain, ils refusent d'aller à la campagne avec leurs parents chaque vendredi soir. Les fins de semaine sont pour eux remplies de possibilités plus attrayantes : On fête l'anniversaire de Mary ; Bobby m'a invité à aller au cinéma... Même les travaux scolaires servent d'excuse : «Nous devons faire un travail pour le cours d'histoire. »

Les parents sont alors mis en face d'un réel dilemme, ou plutôt d'un «trilemme » : ils peuvent obliger les enfants à les accompagner à la campagne ; ils peuvent rester en ville avec eux ; ou bien, ils peuvent aller à la campagne et laisser les enfants en ville. La première possibilité — la marche forcée vers la campagne — leur paraît intolérable. Les enfants deviennent odieux. Ils manifestent de l'ennui, de l'insolence, prennent des airs de chien battu chaque fois qu'on leur demande le moindre coup de main, ils sont grossiers et ne manifestent aucune gratitude pour les efforts que font leurs parents pour les divertir. Bien plus, dans ces circonstances, la résistance que les enfants opposent envers la campagne devient rapidement une haine aveugle envers la nature et toutes les choses que l'homme n'a pas façonnées. Les joies simples des parents dans leur coin de campagne sont empoisonnées. Le vieux sentiment confortable de solidarité familiale n'est plus qu'une parodie.

La seconde possibilité, rester à la maison et sacrifier leurs fins de semaines pour garder un oeil sur les enfants ? Pourquoi ? Qui va arroser le jardin ? Qu'est-ce qui va advenir de leur propre vie ? Cette éventualité paraît un sacrifice terrible.

Laisser les enfants en ville, sans surveillance ? C'est impensable ! Ce ne sont que des enfants ! Ont-ils assez de jugement, à onze ou douze ans, pour être abandonnés à eux-mêmes ? Qu'en est-il de toutes ces histoires d'horreur au sujet d'enfants qui sont entraînés dans la drogue et le sexe, de nos jours ? Et déjà, les enfants *agissent* comme s'ils avaient l'âge, la connaissance. Il semble à peine y avoir encore une trace d'enfance en eux. Les parents ne peuvent plus utiliser la psychologie de l'enfant pour diriger leur comportement. De toute façon, les enfants semblent pratiquement autonomes, déjà...

Au début, certains arrangements ont abouti à une entente : «Nous resterons en ville une fin de semaine et vous viendrez avec nous à la campagne la semaine suivante. » Mais ça n'a pas marché longtemps. Les fins de semaine à la campagne avec des enfants qui sont là contre leur gré sont insupportables ; les fins de semaine passées en ville sont difficiles.

Finalement, l'impensable devient une réalité : les parents partent, les enfants restent. Sans surveillance. Ou invités à passer la fin de semaine chez un ami. On leur fait confiance jusqu'à ce qu'ils prouvent qu'ils en sont indignes, ce qui arrive fréquemment, quand un voisin révèle plusieurs mois plus tard, que les enfants organisent des sauteries. Quand les parents découvrent qu'il y a eu de la drogue. Quand l'enfant avec lequel ils étaient censés rester s'avère avoir des parents qui partent pour les fins de semaine.

Les enfants des générations passées avaient à s'affranchir eux-mêmes de leur famille, à un moment donné, pour rechercher leurs propres intérêts, et avoir leurs amis à eux. Mais le point de rupture venait beaucoup plus tard, et c'est là la grande différence. Les parents d'aujourd'hui se rappellent qu'ils se sont révoltés à quinze ou seize ans. Mais les enfants d'aujourd'hui sont souvent hors de tout contrôle avant d'atteindre la puberté.

Parmi les histoires les plus poignantes, il y a celles des parents qui ont lutté pour préserver une famille unie, intacte, qui ont essayé de maintenir des critères de protection dans l'éducation de leurs enfants, qui se sont donné beaucoup de mal pour les surveiller bien au-delà de la normale, et qui ont néanmoins perdu le contrôle. Toutefois, souvent, c'est la contradiction entre les critères de ces parents pleins d'attention et la plus grande liberté dont jouissent les amis de leurs enfants qui fait surgir le problème.

«Ce n'est pas seulement que nous ayons abandonné nos enfants et que nous les ayons laissé faire tout ce qu'ils voulaient, raconte le père de deux adolescentes qui ont expérimenté le LSD avec des camarades de classe dans une école progressiste de New York. Mais malgré l'attention que nous mettions à être toujours présents quand les enfants recevaient et en dépit du nombre de fins de semaine où nous sommes restés à la maison au lieu d'aller à la campagne pour les surveiller, il y avait toujours ces «retraites pour adolescents » qui leur permettaient de se rassembler — refuges de liberté où ils pouvaient faire tout ce qu'ils voulaient. C'était, bien entendu, les maisons des enfants dont les parents n'étaient pas aussi attentifs que nous, quelquefois des parents seuls qui s'occupaient de leur vie sociale personnelle, ou simplement très désinvoltes, ou encore des gens très fatalistes qui avaient vraiment démissionné devant l'inutilité de leurs efforts. À moins d'une complète défense de sortir ou d'un contrôle de leurs amis, à la manière d'un état policier, il n'y avait pas grand-chose à faire.

LA SAGA D'UNE FAMILLE MODERNE

Le fin fond de l'histoire est que d'une manière ou d'une autre, être parent est une tâche ardue, mais c'est également difficile d'être un enfant, aujourd'hui.

Dorothy Green et son mari Bill sont un exemple de parents qui ont élevé leurs enfants dans un style différent de celui de leurs parents. «Anciennement, déclare Dorothy Green, les parents faisaient leur travail ; ils subvenaient à nos besoins, mais ils n'espéraient pas être les amis de leurs enfants. Ils s'attendaient à être respectés. Nous attendons beaucoup plus de nos relations avec nos enfants. Nous sommes plus ouverts avec eux sur notre vie personnelle, nos problèmes, même sur nos problèmes conjugaux. Je n'ai jamais discuté de quoi que ce soit avec mes parents. »

Les problèmes de la famille Green commencèrent quand leur fille cadette Betsy eut treize ans. Pendant près de trois ans, ils s'aperçurent, sans rien pouvoir faire, que la relation avec leur fille se détériorait et que sa vie prenait un tournant dangereux. Dorothy Green raconte certains faits :

«Betsy avait treize ans, je pense, l'été où elle a commencé à fumer de la drogue avec nous. Nous fumions toujours ouvertement à la maison, mais nous ne laissions jamais Betsy ou ses amis fumer chez nous. Nous pensions que ce ne serait pas honnête envers les autres parents. Mais, cet été-là, nous fumions beaucoup : elle était là, assise avec nous, et nous savions qu'elle avait déjà fumé avec ses amis - tous ses amis ayant commencé en secondaire I — et alors, nous l'admettions simplement avec nous, quand nous «planions ».

«Cet été-là, nous étions plus proches d'elle que nous ne l'avions jamais été. Sa soeur était partie pour la première fois et c'était l'occasion pour elle de nous avoir à elle seule. Elle était encore une enfant, vraiment, mais l'attention était tellement relâchée à la campagne. »

«Je ne sais quand Betsy a commencé à fumer de la drogue. C'était certainement longtemps avant cet été-là. Elle voyageait avec un groupe de filles de l'école. Elles se ressemblaient toutes - les cheveux longs, des jeans dépenaillés - et devaient tout faire à l'unisson. Cela commença en sixième année et je sais qu'en secondaire II, elles fumaient toutes beaucoup de drogue. Maintenant, après coup, je pense que nous aurions probablement dû être beaucoup plus stricts sur ce sujet. Mais nous pensions, entre nous : Bon ! C'est ce que nous faisons ; pourquoi feindre avec elle ? Elle sait que nous fumons ! »

«En secondaire II, j'ai commencé à m'inquiéter sur le manque de centres d'intérêt dans sa vie. Elle et ses amies ne faisaient jamais rien. Elles ne semblaient jamais s'intéresser à quoi que ce soit, stimulées par rien - excepté le rock. Elles discutaient interminablement. En secondaire II, toutes les amies de ma fille allèrent voir «Rocky Horror » (Horreur rock)* et nous lui disions qu'elle ne pouvait aller voir un film qui commençait à minuit - c'était trop tard. Mais, elle y alla de toute façon, une fin de semaine qu'elle devait passer chez une amie. »

«En secondaire III, elle fut surprise à fumer à l'école. Elle nous avait dit qu'aucune d'elles ne fumait pendant les heures de classe, mais elle avait menti. Elle fut suspendue et l'école en fit toute une histoire. C'était bien ! Ils avaient raison de ne pas laisser passer ça. Cela facilite les choses pour les parents ! »

«Aux alentours du secondaire IV, Betsy ne voulut plus venir avec nous à la campagne, pendant les fins de semaine. Elle voulait rester avec ses amies, et cela nous sembla tout à fait normal. Elle semblait avoir l'âge de prendre soin d'elle pendant une fin de semaine. Mais un jour, au printemps, nous avons eu un appel d'une mère demandant si nous savions que les enfants organisaient une sauterie dans notre appartement lorsque nous étions partis à la campagne. Nous ne le savions pas. »

«Ce genre de réunions, de nos jours, n'est pas une occasion qui suppose l'envoi d'invitations comme dans notre temps. C'est simplement un lieu où la bande se rencontre ce soir-là. Cette bande utilisait l'appartement pour leurs réunions qui duraient toute la nuit, les drogues et le sexe y jouaient leur rôle, avec des garçons plus âgés qui avaient terminé le secondaire, mais n'avaient pas été au collège. Nous avons eu un terrible affrontement avec Betsy à ce sujet-là, sur les promesses qu'elle nous avait faites de ne pas en arriver là. »

«J'ai contacté tous les parents des autres filles et j'ai essayé d'obtenir d'eux qu'ils établissent les mêmes règles que nous avions maintenant établies à ce sujet quand les filles étaient chez eux. Tous les parents furent d'accord pour dire qu'elles étaient devenues exécrables avec eux. Et nous étions toujours en état de choc quant à la conduite de Betsy ; voilà une enfant qui n'avait jamais été désagréable, excepté avec sa soeur, et qui soudain était devenue un monstre. Simplement une affaire classique, c'est comme ça que les gens parlent au sujet des adolescents. Elle était tellement grossière, tellement désagréable, tellement inconsciente de nos sentiments.

---

* The Rocky Horror Show, un film à la gloire des travestis.

Elle ne nous laissait pas le numéro de téléphone de l'endroit où elle allait. Elle revenait à des heures impossibles et une nuit, elle ne rentra pas du tout. Un soir, nous avons essayé de ne pas la laisser sortir de la maison - barrant la porte de nos corps. Ce fut très dur. Elle nous provoqua constamment, et je pense qu'elle *voulait* que nous fassions quelque chose. Une fois, je l'ai frappée, je lui ai réellement donné une gifle ; elle était devenue si incroyablement agressive ! Je crois qu'elle a réalisé immédiatement qu'elle l'avait méritée. C'était comme si elle et ses amies étaient possédées par quelque chose, comme si elles n'étaient pas entièrement lucides et ne savaient pas pourquoi elles faisaient cela ».

«Elles consommaient de la marijuana et elles avaient de la cocaïne, et du sexe, évidemment. Et je sais qu'elles prenaient parfois du LSD. Elles utilisaient un appartement près de Columbia qu'un groupe de garçons avait loué, un genre de piaule où aller se coucher. Finalement, nous avons trouvé l'endroit et nous avons obtenu le numéro de téléphone ; à partir de ce moment-là, avec les parents des autres filles, nous avons commencé à les harceler - appelant à trois heures du matin. Nous voulions simplement retrouver nos enfants à la maison. »

«Mais je pense que les garçons commencèrent à être dégoûtés de cela, réalisant que cela devait arriver quand on avait des relations avec des filles aussi jeunes. Tout ce temps-là, nous avons continué à blâmer les garçons ; ils avaient conduit ces petites filles naïves à la débauche. Mais en réalité, ce n'était pas de cette façon que c'était arrivé. Les filles étaient à l'origine du problème. Elles étaient toutes comme hystériques. Je continuais à penser à *The Crucible* (L'Épreuve). Nous avions tendance à jeter le blâme sur n'importe qui, sauf sur elles. Nous avons trop blâmé les garçons et ses amies, parce que nous ne voulions pas croire que notre enfant pouvait être aussi mauvaise. C'est pourquoi le syndrome de *L'exorciste,* la notion d'être possédée, est tellement attirant. Nous avons continué de tempêter au sujet de tout cela, faisant des scènes, jusqu'à ce que, je pense, ce soit les garçons qui mettent fin à ces relations. »

«Voilà où nous en étions, jouant comme dans l'ancien temps le rôle de parents répressifs. C'est ce qui était si étrange. Parce que nous sommes justement aux antipodes de cette attitude. Mais n'importe comment, Betsy avait créé cette nouvelle image de nous, elle nous avait transformés en parents tyranniques. Je continuais à me dire : Je suis en train de jouer un rôle que je ne veux pas jouer ! Je déteste ce rôle ! Mais je me *devais* de le jouer. »

«Finalement, nous sommes tous allés voir un thérapeute familial. Il a fallu user de persuasion pour décider Betsy à venir, mais je crois qu'elle était prête à envisager une trêve et c'est pourquoi elle fut finalement d'accord. Nous avons bénéficié d'environ huit séances qui nous ont vraiment aidés. Betsy était mûre pour un changement. Elle était épuisée. C'est difficile de dire ce que la thérapeute a fait qui nous changea tous. Mais parmi d'autres choses, elle nous a dit, à mon mari et à moi, de cesser de fumer de la drogue. Et nous l'avons fait. »

DES CONTES MORALISATEURS

Au temps ou l'enfance était considérée comme une période privilégiée, quand les enfants étaient supposément différents des adultes de multiples façons, les parents n'hésitaient pas à employer les contes et poèmes moralisateurs pour tenter de contrôler la conduite de leurs enfants. Ils comptaient les influencer ainsi avec les effrayantes réalités de la vie et les terribles incertitudes de la mort et de la vie future.

Un historien contemporain, John Demos, a écrit un morceau de morale de ce genre-là dans un journal de Cotton Mather dans lequel le ministre presbytérien décrit à sa fille de quatre ans, en termes vivants, les détails de sa mort imminente. «J'ai emmené ma fille Katy dans mon bureau et alors je lui ai dit que j'allais mourir bientôt et qu'elle devait, quand je serais mort, se souvenir de chaque chose que j'allais lui dire. Et j'établis devant elle la condition de péché de sa nature... [9] Demos observe : «L'appel délibéré à la peur offense notre sentiment des nécessités et susceptibilités, faisant prévaloir ainsi l'attitude plus protectrice d'aujourd'hui. » Mais Demos parlait en un temps qui est maintenant dépassé, même si c'était il y a seulement dix ans. À partir du moment où la nouvelle conception de l'enfance comme période préparatoire vint pénétrer la conscience américaine, les parents durent s'ajuster au fait qu'ils n'avaient plus de contrôle sur maints aspects dangereux et difficiles de la vie de leurs enfants. Admettant qu'ils sont incapables de protéger plus longtemps leurs enfants des expériences qui mettront leur vie en péril avec les drogues ou l'alcool, ou qu'ils ne peuvent les empêcher de gâcher leur avenir par leur manque de responsabilité vis-à-vis de la sexualité, ils doivent en venir à adopter certaines de ces anciennes stratégies utilisées par les parents de l'ancien temps.

Les parents prêts à tout de notre époque précipitent fréquemment la perte de l'innocence des enfants dans l'espoir que le caractère sordide et effrayant d'une information pourra amener leurs enfants à exercer la plus adulte des vertus, c'est-à-dire la maîtrise de soi. Une mère dont le fils de douze ans avait été suspendu de l'école après avoir été surpris en train de fumer de la marijuana dans les toilettes des garçons, fit un effort désespéré pour persuader l'enfant de se tenir éloigné des drogues. Elle décida de lui faire une description colorée de ce qu'il devrait subir s'il était arrêté et amené dans un centre de jeunes délinquants : «J'ai expliqué à Philippe ce qui pourrait lui arriver s'il devait passer la nuit à Spofford, avec d'autres délinquants juvéniles. Je lui ai dit qu'il était possible qu'on lui arrache les yeux, et qu'il serait certainement violé par d'autres garçons parce qu'il est jeune et beau et qu'il a la peau blanche. Je crois qu'il m'a cru. »

Ironiquement, le même intermédiaire qui donne aux parents le sentiment qu'ils ont perdu tout contrôle - la télévision - est fréquemment utilisé pour essayer de garder la main haute sur les enfants. Beaucoup de parents encouragent leurs enfants pré-adolescents à regarder des documents télévisés horriblement explicites sur le sexe dans l'espoir de s'en servir comme contes moralisateurs qui préviendraient les écarts de comportement qu'ils sont désormais incapables de contrôler.

Une élève de sixième année racontait : «Mes parents voulaient que je regarde le programme *Diary of a Teenage Hitchhiker* (Journal d'une auto-stoppeuse adolescente). Je n'avais pas voulu le regarder, mais ils pensèrent que je devais le faire. Il y avait une fille qui frappait un garçon sur le point de la violer. Et il y avait une autre fille qui savait qu'elle pourrait se faire violer quand on fait de l'auto-stop, mais elle en a fait quand même et a été rouée de coups, puis s'est retrouvée à l'hôpital. Quand le film a été fini, maman m'a dit : «Tu vois ; tu ne doit pas faire d'auto-stop ! » Et elle a ajouté : «Quand tu auras des rendez-vous, tu feras mieux de regarder avec qui tu sors. » De fait, ajouta l'enfant pensivement, ce film n'était pas coté ''18 ans''. Il était coté ''pour tous'' parce qu'on ne voyait pas le viol de la fille - on ne voyait que l'auto qui s'arrêtait sur le bord de la route et ensuite son T-shirt déchiré. Je suppose qu'on voulait que des enfants de mon âge voient l'émission et en tirent une leçon. »

Une autre écolière de sixième année raconte un programme «qui donne des frissons » sur la pornographie enfantine et que ses parents encouragèrent à regarder. «Le but du film, dit-elle, c'est de montrer aux enfants ce qu'ils ne devaient pas faire; par exemple, ne pas se compromettre avec un garçon comme celui qu'on voyait faire des ''trucs'' à une petite fille. Si les enfants voient ce programme, ils seront préparés à des choses de ce genre qui peuvent leur arriver. »

After School Specials (Émission spéciales pour les jeunes aux États-Unis), est une série hautement recommandée qui passe, les jours d'école, à seize heures trente, et qui est destinée aux enfants ; elle choisit souvent des sujets de nature moralisatrice pour son jeune auditoire. Un programme typique était *Stoned* (Drogué), qui, comme le disait une revue, s'inspire d'une histoire caractéristique de marijuana et nous la raconte, avec de vagues intentions moralisatrices. Une petite fille de cinquième année a raconté récemment sa version d'un autre de ces programmes d'une voix singulièrement enfantine, zézayante : «J'ai vu ce programme, *After School Specials* (Émissions spéciales pour les jeunes) qui traitait de la façon dont certaines adolescentes se compromettent avec les garçons. Dans l'épisode que j'ai regardé, la fille se compromet *vraiment* avec un garçon, vous savez, et ils ont des relations ; elle a un bébé et elle ne sait pas comment s'occuper de lui. Le garçon, lui, est reparti ; elle ne peut venir à bout du bébé qui pleure tout le temps ; alors, elle commence à se droguer et elle n'arrive pas à croire qu'elle attend un autre bébé, ni que le bébé qu'elle tient est atteint de sclérose en plaques. Alors, elle laisse le bébé dans un sac à dos sur un pont, elle saute dans le vide et se tue. » La fillette pousse un léger soupir pendant qu'elle termine consciencieusement cette histoire racontée une nouvelle fois, histoire qui réunit sans doute la plus étonnante collection d'avertissements en un seul rouleau de pellicule ; le danger des relations sexuelles entre adolescents, l'absence de contraception, les risques inhérents aux drogues, à l'avortement, à l'éducation trop libre de l'enfant (elle ne sait pas s'occuper du bébé) et peut-être même à la sclérose en plaques. Certains parents ne moralisent que sur certains sujets dans l'éducation de leurs enfants. Un parent peut cacher par mesure protectrice certaines informations à ses enfants de huit et onze ans sur les problèmes d'argent, par exemple en disant : «Nous sentions réellement le besoin de retarder ce moment critique, car je ne pense pas que les enfants doivent partager cette anxiété, » mais il poursuit : «Si j'entends parler de problèmes relatifs à la drogue, quelque terribles qu'ils soient, je vais immédiatement en parler aux enfants. Parce que je veux qu'ils soient réellement effrayés par la drogue. Je pense que les drogues sont un fléau et je ne veux pas qu'il en prennent. Je leur montre de la documentation basée sur des faits relatés dans les journaux ou à la télé. »

Même les plus jeunes enfants aujourd'hui, ne sont pas épargnés des avertissements contre ces dangers qui nous effraient. Un article du

Washington Post du 13 septembre 1980 décrit les détails affreux d'une pièce de théâtre se prononçant contre la drogue, *The Death of O.D. Walker* (La mort de O.D. Walker), mise en scène par des adolescents de Washington D.C., et patronnée par une agence de publicité «dans le but de montrer aux enfants à la maison la gravité et parfois les conséquences tragiques de l'abus des drogues ». L'article était illustré par une photo montrant une rangée de très jeunes enfants âgés de trois à cinq ans, qui regardent ce sinistre spectacle avec des yeux écarquillés et la bouche ouverte.

Raconter des histoires moralisatrices peut sans doute contribuer à ce que les enfants ne prennent pas de risques fous, cela peut peut-être même les avertir des dangers qui les attendent éventuellement ; néanmoins, cette façon de faire a un effet déprimant sur l'idée que les enfants ont de leur avenir. Alors que jadis, les enfants attendaient avec impatience le moment de grandir, plusieurs d'entre eux montrent aujourd'hui une attitude prudente sinon carrément effrayée face à ce qui leur est réservé dans le futur. Ignorant la maturité dans son contexte, ils déforment ces histoires qui donnent le frisson et qu'ils voient à la télévision et dans les films ; en conséquence, ils les appliquent à leur propre vie. Ils commencent alors à ressentir leur impuissance à contrôler leur avenir. Ils perdent une partie de l'optimisme et de la confiance qui semblaient autrefois faire partie intégrante de l'enfance.

Une fille de onze ans dit : «Parfois, je pense 'Pouah' ! Je ne veux jamais grandir et devenir une adolescente ! Quand j'entends parler de drogues, de marijuana et de tout ce fourbi, je suis effrayée à l'idée de m'y laisser prendre. Bien sûr, à l'heure actuelle, je pense que c'est réellement mauvais pour nous, mais plus tard, si tout le monde en consomme, je pourrais m'y essayer et devenir par la suite une intoxiquée. J'ai vraiment peur. »

Une autre de sixième année admet : «Ca me fait un peu peur de vieillir parce que j'ai déjà vu un film sur les alcooliques. Il y avait une adolescente qui ne voulait pas prendre un verre lorsque son «ami » lui disait : «Qu'est-ce qui arrive, serais-tu une dégonflée ? » et elle dit : «Non, non ! » puis elle a bu le verre et devint par la suite une alcoolique. À la fin, on la voyait saoule et les garçons versaient à flot de la bière dans sa gorge ; elle fut alors impliquée dans un accident d'auto et trois personnes moururent par sa faute. Finalement, elle s'est jointe aux Alcooliques anonymes (AA), mais sa vie était détruite. »

L'HUMOUR GRINÇANT

Certains parents qui ont l'impression d'avoir perdu le contrôle préfèrent ne pas effrayer leurs enfants avec ces histoires qui font frémir. Ils adoptent plutôt une forme d'humour «grinçant », faisant délibérément des plaisanteries sur leurs peurs particulières, espérant ainsi contre tout espoir que cela peut, d'une manière ou d'une autre, peut-être par enchantement, transformer une situation critique en une simple farce. Une fille de quatorze ans découvrit la «ruse » de ses parents : «Quand je suis allée voir *Fantasia,* mon père a commencé à faire des plaisanteries et a dit : «À présent, ne deviens pas une intoxiquée ou quelque chose du genre ! » Je suis presque sûre que mon père est contre les drogues - il ne sait pas que j'ai fumé de la marijuana - mais en tous les cas, il faisait des blagues à ce sujet . »

Le fait que cette jeune fille n'était pas entièrement certaine que les commentaires sous forme de blagues de son père marquaient sa désapprobation et son appréhension (qu'une entrevue ultérieure a révélé être réelles) fait penser que la «ruse » que présente cet humour«grinçant » n'est pas spécialement efficace comme arme préventive. En effet, une mère décrivant les problèmes graves que son fils avait avec la drogue se rappelle lui avoir dit en plaisantant, quand son fils de treize ans se mit à aller à des concerts de musique-rock avec un groupe d'amis : « Ne vous faites pas prendre à fumer de la drogue, les gars ! » Aujourd'hui, elle y repense et elle se demande si l'effet de ces avertissements n'a pas été regrettable. «Je me demande souvent s'il n'a pas pris ces blagues comme un signe d'acceptation, un feu vert de ma part pour qu'il commence à fumer», admet-elle pensivement ; elle ajoute : «Il a probablement ressenti les sentiments contradictoires dont j'étais la proie. Il y a une partie de moi-même qui désire que mon enfant soit avec ses amis, qu'il soit dans le vent et accepté par les autres. En faisant des blagues sur ce sujet, je le désorientais. »

LE FATALISME DES PARENTS

Face à tous ces commentaires qui sont étalés au sujet de la précocité de l'enfant, beaucoup de parents, après avoir vu le n^{ième} documentaire sur les jeunes drogués, lu d'autres histoires soit sur la prostitution des mineurs, soit sur l'alcoolisme chez les jeunes, ou la pornographie enfantine, ou encore sur les orgies sexuelles et autres choses du même genre, en arrivent à devenir fatalistes face aux dangers qui menacent leurs enfants dans la société actuelle. Dans son roman *Something happened* (Quelque chose est arrivé), Joseph Heller décrit un portrait typique d'un tel parent, méditant au sujet de sa fille adolescente.

> C'est trop tard, je crois, pour la sauver ou même l'aider, et je ne pense réellement pas que je saurais faire quoi que ce soit pour essayer (sauf m'asseoir sans réaction et la regarder poursuivre son triste destin). Ça ne me réussirait pas plus maintenant de vouloir la changer que cela n'a réussi dans le passé, quand elle était plus confiante, plus influençable et plus désireuse de plaire. J'ai tout essayé : j'ai raillé, raisonné, grondé, gémi, puni, flatté et cajolé, sans résultats, et j'ai peut-être fait beaucoup de mal, jusqu'à ce que je m'avoue à moi-même qu'il s'agissait non seulement d'attitudes hypocrites de ma part, mais inutiles et par conséquent insensées. Alors, j'ai cessé, amais je n'ai plus aucun pouvoir sur elle, maintenant. Si j'apprenais qu'elle est sur le point de s'adonner à l'héroïne et de se prostituer par la suite, je ne saurais quoi faire pour l'en empêcher. Je me répandrais en injures et je maudirais mon sort ; pourtant, rien de tout cela ne l'aiderait. En fin de compte, je ne ferais rien du tout.[10]

Heller traduit bien le fatalisme du parent moderne qui a connu les diverses étapes de la peur, de la panique, du désir effréné de *faire quelque chose,* de la résignation, et finalement de l'acceptation. Ce n'est pas tellement différent des étapes par lesquelles passe un grand malade qui en est à la phase terminale et qui va mourir. Il me semble que la plupart des parents actuels passent par là, quand ils songent au fait que presque toute l'enfance de leurs enfants sera hors de leur contrôle.

Une fois cette acceptation des faits ancrée en eux, bien des parents se rappellent difficilement leur anxiété passée. «Les drogues n'ont pas tellement été un problèmes avec nos enfants, assure, à un enquêteur,un banlieusard, père de trois enfants de quatorze, douze et onze ans. Daniel, l'aîné, s'est amusé avec de la mari aux alentours de la sixième année, puis pendant le premier cycle du secondaire, et je soupçonne qu'au moins une des filles y a goûté ; elle me l'a presque avoué. Mais nous pensons que c'est inévitable par les temps qui courent. Ils ne semblent pas en pâtir. »

Un certain fatalisme des parents est encouragé par l'attitude plus matérialiste et moins puérile des enfants actuels, ce qui leur donne l'apparence de grandes personnes. «Quand j'ai su qu'on fumait la mari au premier cycle du secondaire, j'étais absolument horrifiée, dit une mère divorcée qui élève ses deux filles. Et quand Kathy avait six ans, je serais tout simplement morte à l'idée qu'elle prendrait de la drogue à treize ans. Mais maintenant qu'elle a ses treize ans, je peux considérer qu'elle est presque une adulte. Elle est suffisamment évoluée et assez intelligente, je pense, pour savoir quand elle doit faire attention. Ainsi, quand elle m'a demandé ce que je pensais du fait qu'elle fumait, je lui ai dit que je ne soulèverais aucune objection, tant qu'elle ne deviendrait pas une toxicomane. Après tout, tout le monde peut vouloir échapper à la réalité pour un moment - alors, pourquoi pas un enfant ? »

Il y a des moments où l'acceptation fataliste des parents de voir leurs enfants se droguer est nuancée d'une sorte d'encouragement que les enfants n'ont pas de peine à saisir. Ca se passe comme suit : les parents ne *veulent* vraiment pas que leur enfant de douze ans fume de la drogue. Mais comme l'enfant va le faire de toute façon, si tout le monde le fait (comme les reportages du *Times,* et du *Newsweek* et de la *CBS* le leur laissent croire), peut-être alors serait-il anormal d'essayer d'*empêcher* leur enfant de fumer et qu'il soit ainsi différent des autres ? *Bien* qu'appuyés par des experts qui écrivent des articles et se tuent à parler des conséquences néfastes du cannabis sur les jeunes adolescents, les parents qui essaient d'enrayer le mal ne peuvent rien tenter sans passer pour des êtres appartenant à la préhistoire. De plus, un sentiment absurde - bien que normal maintenant - les oblige à se dire : «Si tout le monde le fait, ça ne doit pas être mauvais ? Peut-être que les experts ont tort ? »

L'acceptation des parents de cette perte de contrôle est parfois même accompagnée d'un sentiment de soulagement. Comme le disait un père new-yorkais : «Il y a un côté étonnant à cette sensation d'avoir perdu le contrôle. Tout compte fait, ce n'est pas cet aspect du monde qui lève les bras en l'air en criant : «Je ne sais pas quoi faire ! » qui compte, uniquement. L'autre facette, c'est un sentiment de soulagement : «Je ne suis plus responsable ! Ce n'est plus mon problème. C'est *leur* problème. »

Les experts eux-mêmes offrent peu de conseils aux parents impuissants ; souvent, ils nourrissent le fatalisme des parents en y ajoutant le leur. Dans un article sans équivoque sur les effets de la marijuana sur les enfants, où il est démontré que cette dernière cause des dommages aux chromosomes, diminue la quantité de sperme, atrophie les cellules du cerveau, fait baisser le niveau de motivation à l'école et transforme les bons étudiants en ratés, l'auteur n'offre aucun plan d'action concret. À la place, il écrit :

> «Nous savons qu'il est inutile de faire irruption dans le décor comme des flics furieux et déçus. Ce que nous pouvons faire, c'est de changer les conditions dans lesquelles la marijuana et les autres drogues sont utilisées. Nous faisons cela en mettant à jour notre information sur les drogues et en étudiant les faits, spécialement les faits flagrants inévitables que nous percevons chez nos enfants. Nous devons aussi, sans leur retirer notre affection et notre appui, les mettre en présence de leurs propres appuis négatifs. Et nous devons par tous les moyens cesser d'apporter du renfort à ces appuis en devenant d'une manière théâtrale, désolé ou hypocrite sur toute la ligne. » [11]

Voilà pour le conseil, mise à part la suggestion que les parents ne soient pas «trop timorés ou trop préoccupés pour s'asseoir avec leurs enfants afin de discuter au sujet des drogues et établir des règles déterminant leur usage. » C'est tout ? Mais que feront les parents si les enfants violent ces règles ? Est-ce suffisant de ne pas être timoré ou hypocrite ? Quand les cellules cervicales de leurs enfants peuvent s'atrophier, quand la quantité de leur sperme peut diminuer, quand leur avenir génétique est fichu en même temps que leurs notes à l'école, est-ce que les parents peuvent résoudre quelque chose en «apprenant les faits » ? Pas étonnant que les parents soient fatalistes ; même les experts savent qu'il y a peu de choses à faire.

A la lumière de cette attitude fataliste, la plupart des organismes s'occupant de l'usage des drogues par les enfants, dirigent maintenant leurs efforts vers *la santé mentale des parents* plutôt que vers le contrôle des activités peu souhaitables des enfants. Le but principal des «Families Anonymous » (les familles anonymes), un organisme modelé sur les «Alcooliques anonymes » pour les parents d'enfants qui prennent de la drogue, c'est de les aider à accepter leur impuissance fondamentale. Le premier des douze préceptes du credo des «Families Anonymous » se lit comme suit : «Nous avons admis que nous n'avons aucun pouvoir sur les drogues et la vie des autres - que *nos* vies étaient devenues difficiles à mener ». Un autre exhorte les parents à accepter «de ne pas *faire* les choses pour la personne qu'il essaie d'aider mais d'*être* ces choses ; de ne pas essayer de les contrôler et de changer ses actes, mais par la compréhension, de changer nos réactions. »[12]

Et ainsi, les parents dirigent leurs efforts vers leur propre survie plutôt que vers celle de leurs enfants. Exactement comme les parents des temps passés ont été forcés d'accepter le fait que les chances de survie de la petite enfance étaient minces et qu'ils ont été obligés d'accepter la nécessité du travail de l'enfant, son exploitation, ses souffrances et son abandon, de la même façon, les parents actuels sont obligés de reconnaître qu'après quelques brèves années, ils doivent aussi perdre le contrôle de la vie de leurs enfants.

À LA RECHERCHE D'UN REFUGE

Un petit nombre de parents luttent encore contre les tendances actuelles vers la précocité en recherchant des moyens de maintenir une enfance protégée à leurs enfants. La mère d'une fille de onze ans, bouleversée par une récente réunion de parents de cinquième année primaire à l'école privée progressiste de sa fille à New York, raconte :

«La réunion commença avec une mère qui se leva et dit : «La seule chose qui préoccupe ma fille, c'est le sexe. Elle agit comme si elle avait seize ans, elle ne s'intéresse qu'aux vêtements et à son apparence, et elle nous traite comme si nous étions des insectes répugnants.» Tout le monde rit, mais ensuite, ils ont admis qu'ils sentaient qu'ils perdaient le contrôle de leurs enfants et ne savaient quoi faire pour y remédier. L'un après l'autre, ils se sont plaints de la précocité de leurs enfants, de leur insolence et de leur insubordination. » Et elle poursuit :

«Le mal n'a pas encore frappé Émilie. C'est encore une petite fille, grâce au ciel. Mais je pense que ce phénomène est contagieux et que les enfants sont contaminés les uns par les autres. C'est pourquoi j'ai décidé de la retirer de cette école et de la mettre dans un milieu plus protégé. Je ne veux courir aucun risque. J'ai trouvé une école «à l'ancienne » dans notre voisinage. C'est une école semi-religieuse, mais le programme est rigoureusenent académique. J'espère que là, les autres familles seront plus semblables à la mienne, plus «traditionnelles » en quelque sorte. »

La directrice en charge des admissions d'une école paroissiale juive de New York confirme qu'au cours de ces dernières années, il y a eu un accroissement significatif d'inscriptions de la part de parents non pratiquants qui admettaient faire ce choix dans l'espoir que le milieu religieux protégerait leurs enfants de certains des dangers qui les menacent actuellement. «D'autres parents, dit-elle, pensent qu'il y a une chance pour que leurs enfants ne subissent pas le changement de personnalité qu'ils redoutent - le syndrome de l'adolescent loup-garou » - s'ils passent leurs années d'études dans une institution religieuse où règne encore la discipline.

Pour les mêmes raisons, les parents abandonnent l'école mixte pour les enfants. Ils espèrent ainsi retarder légèrement la précocité sociale et sexuelle qu'ils remarquent chez d'autres enfants et qu'ils aimeraient prévenir chez les leurs*. » Une mère qui a envoyé ses deux fils à l'une des rares écoles de garçons qui reste à New York raconte : «J'ai fréquenté une école mixte et je crois sincèrement dans cette éducation. Mais j'ai décidé d'envoyer mes fils dans une école de garçons plutôt «à l'ancienne » parce que j'espérais que certaines des choses délirantes qui se passent dans les autres écoles, - les drogues, le sexe et ainsi de suite - pourraient ne pas arriver en cet endroit. Et je pense que j'avais raison. Mes garçons ont grandi un peu «retardés », socialement parlant, et je me sens un peu coupable, parce qu'ils n'ont pas eu autant de plaisir que moi à l'école secondaire. Mais ils ont réussi, ils ont développé certains grands centres d'intérêts, se sont fait des amis, et n'ont pas eu le genre de problèmes dans lesquels beaucoup d'enfants de mes amis ont été impliqués. Et croyez-moi, le «retard social », ils l'ont bien rattrapé ! Et maintenant, c'est à eux de jouer ! »

UNE TÉLÉVISION HORS DE CONTRÔLE

Aujourd'hui, même les parents les plus enclins à la protection à l'«ancienne » reconnaissent que quelle que soit l'ingéniosité dont ils font preuve pour planifier la vie de leurs enfants, quel que soit le choix de la plus rigide des écoles, quel que soit le soin avec lequel ils dissimulent leurs problèmes et l'esprit de sacrifice qui mène leur vie, ils ont peu de chances de contrôler tout ce à quoi peuvent être exposés leurs enfants. Que peuvent-ils faire contre chacun des aspects d'une sexualité adulte, chaque échange et mélange de brutalité et de violence humaine ; contre chaque aspect de la maladie, du dérèglement de l'esprit et de la souffrance, contre

* Il est significatif que depuis la révolution sociale et sexuelle des années soixante, la plupart des écoles de garçons *ou* de filles, jadis une chose courante, soient devenues mixtes.

chaque risque effrayant de désastre naturel ou provoqué par l'homme, tous ces facteurs qui peuvent affecter une enfance innocente et insouciante ? La télévision est toujours là pour déjouer tous les plans soigneusement tracés. Même le petit pourcentage d'originaux (moins de un pour cent) de la population américaine qui a choisi de vivre sans télévision, ne peut espérer préserver tout à fait les enfants de cet impact. Souvent, des programmes que des parents attentifs trouvent inconvenants ont été visionnés par des enfants pendant les heures d'études - pour les classes d'études sociales, par exemple. Et pendant que des parents réactionnaires essaient d'avoir une vie familiale saine, à l'ancienne, sans le magnétisme de la télévision, il y a toujours un appareil (ou deux, ou trois) dans la maison de la plupart des amis de leurs enfants. Indubitablement, la présence de la télévision dans la maison a contribué à ce sentiment de perte de contrôle, si répandu parmi les parents actuels. Sans doute les parents de jadis n'avaient pas davantage le plein contrôle sur l'exploitation par les media de leurs enfants, soit par les livres qu'ils lisaient ou les programmes radiophoniques qu'ils écoutaient. Mais tout ce qui est maintenant à la disposition des enfants à la télévision, surtout par l'intermédiaire des réseaux du câble, à un degré moindre dans les livres et les magazines, est beaucoup plus inconvenant ; et bien lointaine est la comparaison avec ce qu'ils pouvaient trouver d'«excitant » jadis, dans leurs lectures, leurs spectacles ou la musique, qu'ils écoutaient.

Une mère de New York raconte : «Un soir où j'étais sortie,mes enfants de treize et neuf ans ne se couchèrent pas et regardèrent *Midnight Blue* (La porno de minuit) (programme très explicite sur le sexe, qui passe sur le câble à minuit dans plusieurs états américains). Le lendemain, ils se firent fort de me raconter exactement ce qu'ils avaient vu à l'émission, un certain objet «grossier » qui était utilisé pour se masturber. Je pense que si j'avais raconté une telle chose à ma mère, elle en serait morte. De toute façon, dans ma jeunesse, on n'aurait simplement pas vu un tel programme à la télévision. » La mère, qui est divorcée, ajoute, un peu sur la défensive : «Je ne peux tout de meme pas rester à la maison et les surveiller sans cesse. J'ai ma propre vie à mener ! » confirmant une fois encore le rapport entre la surveillance relâchée et l'expérience précoce.

Un père de New York parle de son fils de dix ans : «Cet automne, nous ne pouvions comprendre pourquoi tous les amis de mon fils tenaient toujours à passer la nuit avec lui, le vendredi. Nous sortons presque toujours, ce jour-là, mais ça semblait normal. Nous n'imaginions pas que les enfants pouvaient faire du mal ensemble et ce pour leur plaisir. Nous avons finalement découvert qu'ils regardaient cette émission pornographique sur le câble. Nous l'avons regardée et nous avons été horrifiés. Notre fils a admis qu'il trouvait cela joliment dégoûtant. Mais lui et ses copains avaient tenu à la regarder. Nous lui avons demandé de ne plus le faire, et je pense que nous l'en avons dissuadé, bien que nous ne vérifions pas chaque vendredi - nous ne refusons d'ailleurs aucune invitation à cause de cela, je le crains. »

Les enfants eux-mêmes confirment le fait à un enquêteur ; leurs parents ne peuvent pas contrôler les programmes de télévision ou les films (souvent sur le câble) qu'ils regardent. «Ma mère ne le sait pas, dit une fillette de dix ans à l'allure enfantine, mais ma petite soeur et moi avons regardé *Pretty Baby* (Joli bébé), *Ten* (Dix), *The Exorcist* (L'Exorciste) et *Lipstick* (Rouge à lèvres) (tous des films cotés pour «adultes ») au programme «Home Box Office » (HBO).

«Ma mère serait choquée si elle savait tout ce que je connais, admet de bon coeur un garçon de onze ans. Je ne voudrais pas qu'elle me croit atteint de perversion sexuelle ou autre chose du genre ; c'est pour ça que je suis heureux qu'elle n'en sache rien. »

«Mes parents ne me permettront jamais de regarder le «HBO », dit un enfant de douze ans à un enquêteur, qui vit dans une famille stable et attentive, mais je le regarde tout le temps chez mon ami. »

CE N'EST PAS CE QU'ILS REGARDENT

Il est entendu que la télévision est profondément responsable de la transformation de l'image de l'enfant d'aujourd'hui et il est sûr qu'elle a joué un rôle crucial en hâtant la fin de cette époque privilégiée qui autrefois était l'enfance. Mais pas nécessairement comme la plupart des gens le pensent. Le fait de considérer que l'effet de la télévision sur la vie des enfants se réalise d'abord en fonction de son contenu - des programmes que les enfants regardent - c'est ignorer l'impact réel qu'elle peut avoir. Si nous croyons qu'une nation de jeunes citoyens de huit, neuf ou même dix ans perdraient leur statut d'enfants et réaliseraient une nouvelle intégration dans la vie adulte principalement parce qu'ils ont regardé *General Hospital* (Hôpital général) ou *Dallas*, ou des publicités «sexy » ou même «*Midnight Blue* », nous ne voyons que l'aspect extérieur, qu'une part minime de l'action de ce puissant agent de transformation.

Bien sûr ! Les programmes que les enfants regardent font aussi la différence. Par la télévision, ils entrent dans un monde adulte qui les désoriente, qui loin de les aider, ébranle leur confiance en ces aînés qui ont toujours semblé si savants, puissants et bons. Mais leur confiance n'en est pas tellement amoindrie pour autant - du moins, la télévision n'y est pratiquement pour rien. Les spécialistes de l'enfance sont d'accord sur le fait que même les programmes qui donnent des frissons ou les films de sexe n'affectent pas profondément les enfants qui vivent dans une famille stable et normalement heureuse. C'est quand d'autres événements ont perturbé la vie de l'enfant - quand ses parents divorcent, par exemple - que la télévision peut avoir une influence plus profonde et plus négative.

Il est vrai que les programmes de télévision apprennent aux enfants des expressions sophistiquées et les poussent à imiter chez des adultes des façons de bouger, de gesticuler, de danser et de se comporter qui n'ont rien à voir avec eux et qui créent une maturité illusoire, qui n'est basée sur aucune réalité affective. C'est aussi un élément dans la transformation de l'enfance, mais très superficiel. Si un enfant actuel devait être élevé de la même manière que ceux qui ont vécu avant l'arrivée de la télévision, il y a peu de chance pour que le nombre d'imbécillités sur le sexe qu'il pourrait faire, en paroles ou en gestes, puisse masquer le fait qu'il s'agit d'un enfant imitant un programme de télé.

Mais la présence même de la télévision dans la maison a contribué à transformer la vie des enfants dans des domaines qui n'ont rien à voir avec *ce* qu'ils peuvent regarder. Son utilisation pour aider les parents dans l'éducation de l'enfant est un de ces domaines. Toujours disponible pour divertir les enfants, les garder et trouver une solution aux problèmes, elle a changé le style d'éducation établi depuis longtemps. Elle permet aux parents la coexistence avec leurs enfants, sans les règles et les restrictions que l'on imposait autrefois simplement «pour leur bien ». Avant la télévision, les parents devaient être sûrs qu'on pouvait leur faire confiance pour «réfléchir » quand ce serait nécessaire, les enfants ne devaient pas interrompre la conversation des adultes, ni attirer l'attention des parents occupés afin qu'ils exécutent immédiatement leurs quatre volontés. Si ces règles n'étaient pas respectées la maison était laissée à l'abandon et les parents devenaient comme fous. Il était essentiel pour les parents qui devaient vivre à proximité de leurs enfants de manger avec eux à la même table, de s'asseoir avec eux dans la même salle de séjour afin que les enfants aient très tôt un comportement acceptable et des manières disciplinées. La télévision, toutefois, a trouvé une solution de rechange facile à la discipline des parents. Au lieu d'avoir à établir des règles et des restrictions - un travail difficile et souvent frustrant - au lieu de travailler à rendre les enfants sociables pour qu'il soit plus agréable de vivre avec eux, les parents ont pu résoudre tous ces problèmes en ayant recours à l'appareil de télévision. «Va regarder la télé ! » ce sont les mots magiques. À présent, les mères peuvent faire cuire le dîner en paix, ou préparer leurs dossiers pour la plaidoierie du lendemain, ou toute autre chose. Plus besoin de se donner du mal pour que les enfants jouent calmement, pendant que papa et maman discutent d'un problème familial et qu'il ne veulent pas être interrompus.

La télévision a amené la paix - mais à quel prix ! Sans règles définies, ni frontières déterminées, les parents n'ont jamais dit aux enfants quel devrait être exactement le rôle des adultes et celui des enfants dans la famille. Et lorsqu'ils n'ont pas fait preuve d'autorité dès le départ, les parents d'aujourd'hui n'ont jamais eu sur leurs enfants le contrôle que ceux de jadis avaient par la force des choses et par absolue nécessité. Une nouvelle égalité entre les adultes et les enfants est devenue possible.[13].

CHAPITRE 1. DES PARENTS QUI ONT PERDU LE CONTRÔLE

1. Alison Lurie, *The War Between the Tates* (New York : Random House, 1974), pp. 6-7.
2. Betty Wason, *Ellen : A Mother's Story of Her Runaway Daughter* (New York : Reader's Digest Press, 1976), p. 162.
3. Michael Satchell, «Head Shops : Gateway to the Drug Scene », *Parade,* June 15, 1980.
4. Frank J. Furstenberg et al., eds., *Teenage Sexuality, Pregnancy and Childbearing* (Philadelphia : University of Pennsylvania Press, 1980).
5. Melvin Zelnick and John F. Kantner, "Sexual Activity, Contraceptive Use, and Pregnancy Among Metropolitan Area Teenagers, 1971-1979", *Family Planning Perspectives 12* (September-October 1980).
6. John Bowlby, *Child Care and the Growth of Love, 2nd ed. (New York : Penguin Books, 1965).*
7. *Joseph McVicker Hunt, Intelligence and Experience* (New York: Ronald Press, 1961). Benjamin S. Bloom, *Stability and Change in Human Characteristics* (New York : John Wiley, 1964). Harry F. Harlow and Margaret K. Harlow, "Social Deprivation in Monkeys", *Scientific American 207* (1962). Christopher Jencks et al., *Inequality : A reassessment of the Effect of Family and Schooling in America* (New York : Basic Books, 1972).
8. Elizabeth Brynner, "The New Parental Push Against Marijuana", *New York Times Magazine,* February 10, 1980.
9. John Demos, "The American Family in Past Times" in Arlene Skolnick and Jerome Skolnick, eds., *Family in transition,* 2nd ed. (Boston : Little Brown, 1977), pp. 63-64.
10. Joseph Heller, *Something Happened* (New York : Alfred A. Knopf, 1974), pp. 178-79.
11. Richard A Hawley, *Some Unsetting Thoughts About Settling In with Pot,* University School Press Occasional Paper, 1978, p. 18.
12. *Families Anonymous Credo,* distribué par Families Anonymous Inc., P.O. Box 344, Torrance, California 90501.
13. Voir Marie Winn, *The Plug- In Drug : Television, Children and the Family* (New York : Viking Press, 1977).

CHAPITRE 2

LA NOUVELLE ÉGALITÉ

PRISE DE DÉCISION PRÉCOCE

Il n'y a pas si longtemps, pendant cette très longue période - entre le jeune âge et l'adolescence - qui était l'enfance, une des caractéristiques reconnues des «vrais » enfants, c'était l'acceptation plus ou moins docile de leur rôle de dépendants qui n'avaient aucune liberté de choisir leur vie ou même leur comportement quotidien.

Il est entendu que les enfants américains ont toujours été moins dépendants, dotés davantage d'une mentalité nord-américaine «d'égal à égal » avec les adultes que leurs homologues européens. Ce fait a été noté par les observateurs européens, pour la première fois par De Tocqueville, depuis au moins deux siècles. Mais le plus grand esprit d'indépendance et l'assurance dont font preuve les enfants américains, quand on les compare aux enfants européens, confirment simplement que les parents américains ont toujours accepté le compromis entre le désir de protéger et la nécessité d'encourager l'esprit d'indépendance des enfants. En réalité, c'était souvent une petite partie de ce qui devait prévaloir «pour le bien de l'enfant » qui les encourageait à prendre des décisions en leur imposant un choix au lieu de leur imposer ce qu'ils avaient à faire. Même par certains détours, les parents d'autrefois agissaient en général avec autorité et confiance, en gardant les rênes en mains, au moins jusqu'à ce que l'enfant en arrive au milieu de son adolescence et commence à vouloir se guider lui-même. Et en dépit d'une certaine tolérance qui a caractérisé l'éducation de l'enfant américain dès l'époque des pionniers, jusqu'à tout récemment, l'image générale évoquait des positions strictement définies, maintenues à la fois par les adultes et les enfants.

Cela ne veut pas dire que les enfants d'autrefois se comportaient toujours de la façon qu'on attendait d'eux - c'était plutôt le contraire : en tant qu'enfants, ils essayaient d'échapper aux règles, de les briser, de mal se conduire. Mais des règles de base existaient, qu'ils arrivaient à comprendre et qui leur apportaient une certaine protection. Un exemple de cette relation paradoxale entre la mauvaise conduite des enfants d'hier et le concept rassurant qu'on avait d'eux, peut être retrouvé dans le livre de *Penrod* de Booth Tarkington. Penrod, un personnage autrefois populaire et toujours valable au niveau de l'étude psychologique, était un garçon dont les escapades et la mauvaise conduite réjouirent toutes les générations depuis la publication du livre, en 1914, jusqu'à ces dernières années. Dans un des épisodes, Penrod, démoralisé, dégoûté par le rôle qu'on lui a donné dans une pièce à l'école, celui de «Lancelot », utilise toutes ses ressources de gamin pour saboter l'événement. Mais il n'aurait pas imaginé une rébellion ouverte en déclarant : «Non ! je refuse de jouer Lancelot enfant. C'est un rôle ridicule, humiliant pour les enfants », comme un enfant actuel le déclarerait tout net, parce qu'il a été habitué à exprimer sa pensée et à choisir librement à un âge très précoce. Penrod, lui, accepte comme une chose inévitable le fait d'obéir aux adultes qui ont sa vie en charge. Le choix était pratiquement absent pour un enfant élevé comme lui. Les enfants n'avaient nul besoin de s'impliquer en prenant des décisions pour eux.

Peut-on démontrer que les enfants sont vraiment obligés de prendre plus de décisions aujourd'hui, comme cela semble être le cas ? Est-ce que ce ne pourrait pas être un exemple de cette métamorphose qui a l'air de se manifester quand les parents observent la génération montante qui se fait une place au soleil et se dit qu'il y a quelque chose de changé ?

On peut trouver des informations au sujet du changement dans l'esprit de décision des enfants auprès des vendeurs qui ont travaillé plusieurs années dans les magasins d'articles pour enfants. Avec leur expérience dans les rapports avec les enfants, ces vétérans peuvent évaluer les transformations dans le comportement des parents et des enfants, tout au long des années. Plusieurs déclarent en effet que les enfants actuels prennent une part beaucoup plus importante dans les décisions les concernant au sujet de l'achat de vêtements ou de chaussures beaucoup plus tôt que les enfants d'autrefois.

Le vendeur d'un magasin de souliers d'enfants, situé dans «Upper West Side » à New York, insiste sur ce changement. «Les enfants imposent à leur maman le genre de souliers ou d'espadrilles qu'ils veulent», affirme-t-il. «Nous voyons des femmes entrer avec leur enfant de deux ans et qui disent : «Il doit aimer ses souliers, autrement il ne les mettra pas. » Dans le passé - il y a dix ans, par exemple - cela n'arrivait jamais, pas avec des enfants aussi jeunes. Et les enfants plus âgés imposent ce qu'ils veulent porter. S'il y a une discussion, l'avis des enfants l'emporte. »

Le vendeur explique la nouvelle assurance des enfants : «La mère veut apprendre à l'enfant à se faire des idées personnelles. De cette manière, les parents encouragent les enfants à prendre des décisions. C'est pourquoi l'enfant obtient tout ce qu'il veut, alors que la mère aurait voulu autre chose. »

Pendant que le vendeur répond à l'enquêteur, un autre vendeur à proximité fait affaire avec une maman et son enfant de trois ans ; ce qui nous apporte un exemple du changement en cause, sur le lieu même de notre enquête. «Non, je n'en veux pas ! » dit l'enfant énergiquement (assez fort pour que les mots soient immortalisés sur le ruban du magnétophone de l'enquêteur). «Bien, mon chéri, quels souliers veux-*tu* ? » demande la mère à bout d'argument. Dis-nous seulement ceux que tu veux ; tu n'as pas à porter des souliers que tu n'aimes pas. »

AUCUN HÉROS

L'une des plus grandes différences entre les adultes et les enfants vient du fait que les enfants ont longtemps été considérés comme des êtres faibles et dépendants, alors que les adultes étaient reconnus comme puissants et indépendants. C'était sur cette certitude que les adultes basaient l'autorité qu'ils exerçaient sur les enfants. Sans avoir peur de nous tromper, nous pouvons dire que la distance entre les enfants et les adultes en ce qui concerne leur autorité et leur contrôle respectifs a diminué de façon significative, au cours des derniers vingt ans. Pourquoi ce changement est-il arrivé à *ce* moment ?

Un coup important a été porté à l'autorité des adultes aux yeux des enfants, quand les événements politiques et sociaux de ces quinze dernières années ont causé une certaine dégradation de la confiance du public dans l'intégrité des élus des gouvernements. Cette baisse de confiance, qui a grandi et s'est répandue en Amérique avec la guerre du Vietnam a atteint un sommet avec la crise du Watergate, s'est infiltrée dans le monde des enfants par le truchement des journaux et de la télévision. Etant donné que les enfants se sont rendus compte que les adultes ne sont pas toujours scrupuleux, qu'ils utilisent un langage douteux (comme le président des États-Unis, - un homme qui devrait tenir la place des héros mythiques à l'instar de Georges Washington et Thomas Jefferson - , l'a démontré dans les rapports sur le Watergate), qu'ils mentent, trichent et se comportent en fait beaucoup à la manière des enfants enclins à braver les règles des adultes, à moins d'en être empêchés par ceux-ci. Leur attitude envers le monde des adultes et plus spécialement envers leurs parents, subit alors des changements subtils qui formentent le soupçon et l'irrespect.

Mais plutôt que leur effet direct sur le comportement des enfants, l'impact d'événements tels que «Watergate » et «Abscam » provoqua les changements les plus importants dans les relations adulte-enfant. Les adultes furent à vrai dire plus profondément choqués par les séries successives de désillusions provoquées par les personnes en place que les enfants ne pouvaient l'être - les enfants, après tout, ont peu d'illusions au premier abord. Comme les adultes se sentaient trahis par leurs représentants déloyaux (qui étaient, dans un sens, des «parents » pour eux, comme tout gouvernement l'est pour ses citoyens), leur aptitude à agir avec autorité, conviction et confiance envers leurs propres enfants fut affaiblie. Une mère de New York, qui avait grandi dans les périodes plus faciles des années 1940 et 1950, décrit un événement qui lui fit comprendre à quel point une certaine transformation dans la manière de concevoir l'autorité a affecté sa vie de parent :

«J'essayais de comprendre pourquoi mon enfance m'avait paru si facile, alors que mes enfants vivent des périodes tellement difficiles. Pourtant, ils assument beaucoup de choses qui semblent identiques à celles que j'ai vécues. Mon mari et moi, nous nous entendons bien, la famille est unie ; nous nous en tirons bien, cependant pas assez pour gâter les enfants. Alors, l'autre jour, j'ai tiré de ma bibliothèque une vieille copie de *Alice au pays des merveilles* que mon père m'avait donnée quand j'avais été à l'hôpital pour me faire enlever les amygdales. En ouvrant le livre, j'ai découvert une inscription de l'écriture de mon père, datée du 12 avril

1945. J'avais alors dix ans. «Ce livre fut acheté quelques heures avant la mort de notre grand président, Franklin Delano Roosevelt. » En lisant ces mots, j'ai ressenti une sensation des plus étrange. Le fait que mon père avait écrit ces mots «notre grand président » m'étonna. Ça me semblait terriblement enfantin d'avoir une telle admiration pour un politicien, à peu près comme de croire au Père Noël. Plus personne n'a de tels sentiments au sujet des présidents, de nos jours. »

«En effet, cette admiration que mon père avait pour Roosevelt était précisément similaire à celle que nous, enfants, avions envers nos parents quand nous grandissions. Nous pensions qu'ils étaient au-dessus de nous, qu'ils savaient ce qu'ils faisaient et qu'ils agissaient pour notre bien, et qu'ils *feraient toujours tout correctement*. Je sais que mes deux enfants ne ressentent pas ce genre de sentiment pour nous, pas plus que pour le maire, le gouverneur ou le président des États-Unis. Je ne pense pas qu'ils aient *jamais* eu un tel sentiment, au moins pas depuis leur plus jeune âge. Et en regardant cette inscription de mon père, il me vint à l'esprit que si les enfants n'ont plus cette foi et cette confiance en nous, c'est parce que nous, les adultes, nous ne les éprouvons plus envers aucune autorité. Nous n'avons plus connu ces sentiments depuis longtemps, disons probablement pas depuis Eisenhower ou depuis l'assassinat de Kennedy. Et ainsi, nous sommes incapables d'agir avec nos enfants avec la conviction et l'autorité qui pourraient les inciter à une vie qui leur semblerait aussi facile que la nôtre autrefois. »

LA FIN DU RESPECT

Dans *War Between the Tates* (La guerre chez les Tates), Alison Lurie décrit le chagrin d'une mère quand elle entend parler son fils de ses «putains de devoirs » et de son professeur comme d'un «idiot lèche-cul ». Encore que ce ne soit pas ce langage grossier seul qui plonge dans la détresse la mère dans ce livre, ainsi que d'innombrables parents dans la vie réelle de l'Amérique actuelle. Les relations des enfants avec leurs aînés ont subi un véritable raz-de-marée au cours des deux dernières décades. Alors que les adultes du passé pouvaient toujours dire ce qu'ils voulaient, les enfants étaient préparés à rester en arrière. Aujourd'hui, c'est la liberté totale pour les jeunes comme pour les vieux.

Un enseignant de cinquième année qui a grandi dans les années 1950 dit : «Notre attitude envers les adultes, en général, était différente quand nous étions des enfants, et c'est cela qui m'inquiète tant, aujourd'hui, en tant que parent et éducateur. Ce n'est pas parce que nous sommes un adulte, un parent, ou un enseignant, que les enfants vous respectent, comme nous le faisions, nous. Je veux dire que le respect était réel qu'il s'y mêlait presque de la crainte. Peut-être était-ce exagéré, mais je pense qu'on doit le souligner. Nous respections les adultes, nous avions confiance en eux, même en ceux que nous n'aimions pas. »

Un autre enseignant qui était chargé de classes de sixième année déclare : «Quand j'allais à l'école, les enfants acceptaient l'autorité. Nous n'aurions jamais imaginé pouvoir contredire nos éducateurs ! Maintenant, je m'aperçois qu'il faut toujours apporter la preuve de chaque chose que l'on affirme. Les enfants mettent toujours en doute tout ce que je dis. Parfois, j'ai la sensation qu'ils essaient de marquer des points, qu'ils veulent assurer leur position, simplement pour que nous nous souvenions qu'ils ont le droit de dire ce qu'ils veulent. Mais quand j'étais un élève, nous n'avions pas l'impression d'avoir ce droit. »

Il est évident que le déclin du respect chez les enfants, «qui était dû » à l'autorité des adultes, a fait de l'enseignement un défi quotidien pour l'éducateur. La «psychologie de l'enfant », que plusieurs pédagogues avaient l'habitude d'employer, implique d'abord et avant tout qu'il y ait un *enfant* avec lequel il soit possible de l'utiliser. Mais beaucoup d'enseignants trouvent que les enfants sont de moins en moins portés à «marcher » dans les vieilles «ruses » - de même qu'il est peu vraisemblable de les faire entrer dans le monde des adultes.

À ce sujet, un enseignant de cinquième année note : «Il est impossible de vouloir donner le change avec les enfants d'aujourd'hui. Il y a dix ans, vous aviez l'habitude de pouvoir dire : «Si tu fais encore ça, je vais appeler ta mère ! » et il y avait des chances de n'avoir jamais à faire cet appel. Maintenant, quoi que je dise, je sais que je devrai en arriver là, qu'ils me défieront ; aussi, je dois être prudent. Les enfants actuels se laissent beaucoup moins facilement intimider. Peut-être parce qu'ils savent que maman n'est pas à la maison et qu'elle ne se tracasse pas de ce qu'ils font à l'école. »

Une enseignante de quatrième raconte : «Je me souviens qu'il y a cinq ou six ans, un enfant traita son institutrice de «garce » et ça a fait toute une histoire. Il fut suspendu pendant une semaine - tout le monde en parlait. Aujourd'hui, nous avons rectifié nos critères. Nous nous sommes simplement adaptés au nouveau langage des enfants, à la manière désinvolte, qu'ils ont de dire tout ce qu'ils veulent. Je suppose que si un élève me traitait de «garce », j'appellerais ses parents. Mais ça ne ferait plus «toute une affaire ! »

«Voici ce que moi, je considère comme un manque de respect, dit une enseignante d'une école publique de New York. Nous n'aurions jamais eu l'idée d'appeler les adultes par leur prénom. Mais les enfants de cette école ne manquent jamais de chercher le prénom de chaque professeur. Il y a quelques semaines, ma classe m'a suggéré : «Aujourd'hui, *nous* t'appellerons Norma et *tu* nous appelleras Mademoiselle Une telle et Monsieur Untel. » Ils ont été choqués que je ne sois pas d'accord. C'était très important pour eux ! Autre détail : quand j'allais à l'école, c'était tout un événement quand le directeur entrait dans la classe. Tout le monde se tenait quasiment au «garde à vous ». Aujourd'hui, quand il vient dans la classe, les enfants n'arrêtent même pas de bavarder. »

Même les enfants, donneront sans aucune gêne des exemples de ces sentiments dénués de respect et presque méprisants qu'ils ont pour les adultes. Daniel, un enfant de dix ans, aimable, aux manières douces, demeurant à Brewster, New York, décrit une rencontre qu'il a eue ce matin avec le directeur de l'école. «Je ne peux pas supporter monsieur Riley, dit Daniel calmement, parce qu'il oblige tout le monde à dire «Bonjour, Monsieur Riley ! » quand vous le rencontrez dans le couloir. Aussi, quand je l'ai rencontré, ce matin, j'ai prononcé cette phrase d'une voix vraiment moqueuse, sur un ton chantant exagéré, clairement sarcastique. »

Il n'y a pas si longtemps, les enfants partageaient évidemment le mépris de Daniel au sujet de certains adultes, mais ils dissimulaient ces sentiments. Le monde des adultes était un monde à part, un monde envers lequel ils devaient avoir une attitude respectueuse, un monde qu'ils considéraient, au moins à ce moment-là, comme leur étant supérieur. Les enfants qui grandissaient dans le vieux système ne se sentaient pas opprimés parce qu'ils étaient obligés de se considérer comme des êtres ne pouvant pas se prendre totalement en mains ; ils avaient la certitude que cela ne durerait pas, qu'un jour, ils deviendraient eux aussi des adultes. Pour Daniel, toutefois, la distance entre les deux mondes est beaucoup plus réduite. À la façon dont les adultes l'ont traité dès son plus jeune âge - étant donné que de passer dans le monde adulte est facile grâce à la télévision qui est présente dans la salle de séjour, la cuisine et même dans sa chambre - Daniel se sent presque égal aux adultes, bien plus que les enfants d'il y a seulement quinze ans. Le fait de ne pas cacher ce qu'il pensait au sujet de son directeur est simplement une conséquence naturelle de son expérience du monde adulte. Il ne se rend pas compte qu'on puisse juger sa conduite «immorale » ou «mauvaise ».

Certaines nouvelles attitudes traduisant ce manque de respect envers leurs éducateurs reflètent la transformation du comportement de ceux-ci vis-à-vis de l'autorité. Comme l'écrivain et éducateur Phillip Lopate explique : «Il fut un temps où une réaction contre l'autorité parmi les éducateurs était excusable en regard d'un système éducationnel trop rigide. Mais aujourd'hui, tout cela est dépassé. Les enseignants semblent avoir perdu la foi en une certaine autorité innée qu'ils possèdent, une autorité dont ils se croient dignes, simplement parce qu'ils en savent davantage et ont quelque chose à enseigner. »[1]

Comme les éducateurs cessent d'avoir confiance en leur autorité et traitent leurs élèves à peu près d'égal à égal, il est vraisemblable que les enfants se tiennent toujours sur la défensive, qu'ils soient méfiants et moins respectueux envers eux. L'idée que l'enseignant puisse se tromper est délibérément transmise aux enfants d'aujourd'hui par des éducateurs pleins de scrupules : l'enfant n'en aime pas plus l'éducateur à cause de son honnêteté et de son amabilité ; en outre, il peut arriver que l'enfant considère le professeur «exactement comme un autre enfant » - soit quelqu'un à qui on ne peut se fier, indigne de confiance et qui, comme lui, traverse une période de développement.

La disposition du respect a des racines plus profondes qu'un simple changement dans les relations adulte-enfant. Un rapport peut exister entre le déclin du respect pour l'autorité des adultes et le rôle amoindri de la religion dans la vie américaine contemporaine. Un enseignant d'une école paroissiale de New York, parlant des nouvelles réactions des enfants à l'égard de l'autorité des éducateurs, note :

«Le plus grand problème, avec les enfants qui défient l'autorité et se montrent sans aucun respect pour elle, c'est que leur vie spirituelle sera plus difficile dans l'avenir. Car, pour chacun, il arrive un moment où il y a certaines questions auxquelles il est impossible de répondre. Si vous êtes adepte d'une religion qui croit à un être supérieur, vous devez en principe accepter la doctrine, sans tout remettre sans cesse en question. C'est d'abord ce qui devrait être établi dans les rapports parent-enfant. S'il n'y a pas de rapports suffisamment respectueux entre parent et enfant, l'enfant aura des conflits avec l'autorité en général, ce qui l'amènera à soulever d'autres problèmes au niveau de ses convictions religieuses. »

LES INSULTES

L'analogie entre le manque de respect des enfants envers les adultes et la renonciation à l'autorité de ceux-ci a pris naissance dans un phénomène assez commun aujourd'hui et a été jugée assez importante pour devenir le sujet d'une étude dans le *American Journal of Psychiatry* (Journal américain de psychiatrie) Il s'agit du «syndrome du parent martyr ».[2] Autrefois, c'était les éducateurs qui «malmenaient » les enfants, disait-on. On note un revirement total : ce sont maintenant les enfants qui deviennent les agresseurs physiques dans la famille, brutalisant et terrorisant leurs parents. Au sujet de telles familles, les auteurs de l'étude écrivent : «Il répugne à la majorité des parents de déclarer fermement que ce sont eux et non les enfants qui devraient établir les règles, de plus, certains d'entre eux n'hésitent pas à dire que *chacun* devrait être sur le même pied d'égalité. Citons un dernier exemple au sujet de la renonciation de l'autorité parentale : un garçon de onze ans brise le coccyx de sa mère en la poussant sur une porte, en lui donnant des coups de pied dans le visage alors qu'elle est étendue sur le plancher et lui lacère la joue. Les parents répondirent à la question de l'enquêteur qui leur demandait s'ils croyaient qu'il était bon ou mauvais pour l'enfant d'être aussi violent avec sa mère : «Ce n'est ni bon ni mauvais. »

Alors que, d'après les statistiques, peu d'enfants se livrent à des voies de faits sur leurs parents (le nombre de parents maltraitant les enfants est de beaucoup supérieur), le nombre de familles où les enfants ont toute liberté d'injurier leurs parents *verbalement* est par contre important actuellement. La liberté d'exprimer sa haine en paroles est devenue l'un des droits sacrés des enfants nord-américains, un exutoire qui favorise le développement malsain d'un complexe, une frustration déformant la personnalité. Depuis les paroles de l'enfant qui n'est pas encore entré à l'école et qui, tapant du pied, crie : «Tu es une méchante, une mauvaise maman, et je te déteste ! » jusqu'à la désapprobation apitoyée de l'adolescent - «Ne sois pas niaiseux, Papa ! » - l'injure verbale est régulièrement tolérée dans un grand nombre de familles.

Jusqu'à tout récemment, la libre expression d'une agressivité avouée, physique ou verbale, de la part d'un enfant envers un parent, était impensable dans le contexte d'une famille normale. Le fait d'accepter aujourd'hui ce qu'on appelait jadis «le manque de respect » - des mots grossiers et colériques proférés par des enfants aux adultes - peut avoir favorisé la création d'une nouvelle attitude de désillusion face à l'enfance, de plus en plus présente dans la société. Les signes de ce comportement «anti-enfants » peuvent être vus non seulement dans la prolifération d'écrits sur les droits des parents », mais aussi dans l'accroissement de cas de divorce où aucun des deux ne veut la garde des enfants. On note également une augmentation indubitable de cas d'enfants maltraités, négligés et abandonnés de différentes façons, ce qui est aussi traité d'une manière symbolique dans des manifestations culturelles : longs métrages mettant en vedette des enfants diaboliques, livres et films sur des sujets tels que la torture, l'enlèvement et le viol des enfants, ainsi que d'autre choses du genre. L'étude sur le syndrome du «parent-martyr » conclut : «Des changements rapides dans la société ont rendu les valeurs et l'autorité parentales moins sûres. Beaucoup de parents à ce jour ont tendance de plus en plus à s'adresser aux professionnels de la santé afin de recevoir des conseils pratiques pour l'éducation fondamentale exacte des enfants. L'accent mis sur les valeurs de la jeunesse et la négligence des aînés conduisent à miner l'autorité parentale. Tous ces éléments peuvent contribuer au renversement de la hiérarchie des valeurs, des devoirs et des droits que nous avons décrits dans le syndrome des parents martyrs. »

Non seulement le renversement, mais la suppression de cette hiérarchie, tendance qui est enracinée profondément dans l'histoire nord-américaine et qui a évolué ces dernières années, ne présage en définitive rien de bon, ni pour les enfants, ni pour les parents. Alors que les enfants actuels grandissent moins soumis et moins aimables, aussi simplement que les enfants d'autrefois grandissaient dans un contexte de respect et en réprimant leurs colères, les parents deviennent plus brutaux, plus négligents, et ont plus tendance à abandonner leurs enfants plutôt qu'à les élever.

LES PARTISANS DE L'INTÉGRATION

Une façon de prendre du recul face aux frontières qui se resserrent entre l'enfant et l'adulte, lesquelles sont reliées à la nouvelle intégration des enfants dans la société des adultes, consiste à se rappeler que cette situation se dessina au centre du mouvement des droits civiques des années soixante ; cela représente donc une remise en question des façons traditionnelles de penser et de se comporter. La nouvelle prise de conscience au sujet de l'injustice et de l'oppression lors des grèves de Birmingham, les campagnes de recensement, les affrontements de Selma, pénétrèrent graduellement dans la conscience des Nord-Américains et transformèrent leur pensée, sauf en ce qui concerne les racistes et les ségrégationnistes les plus ardents. Lentement, le mouvement des droits civiques élargit son champ d'action. Pour la première fois, les femmes furent considérées comme une minorité opprimée (encore qu'elles n'en soient pas une, selon les chiffres actuels). Les homosexuels et finalement les enfants devinrent des prétextes. Étant donné que les premières manifestations de chacun de ces mouvements choquaient le public en général et semblaient représenter les idées d'un groupe d'extrémistes - notez, par exemple, la réaction négative de plusieurs femmes envers les premiers soulèvements de libération de la femme - , graduellement, les changements les plus profonds que chaque mouvement essayait d'amener parurent raisonnables, et ceux qui leur avaient résisté le plus longtemps en arrivaient souvent à les juger inévitables. Alors qu'autrefois, la seule idée de «droits des enfants » semblait absurde à tous, sauf à une petite minorité d'étudiants radicaux ayant abandonné les études dans les années 1960. Il est bon de noter que l'idée de base de la philosophie sur les droits des enfants est largement acceptée aujourd'hui : *les enfants sont* «des personnes », une notion qui était assez vague il y a vingt ans et qui est pourtant devenue le signe distinctif du mouvement des droits des enfants. Pourtant aujourd'hui, il est presque superflu d'en faire mention devant la puissance sans précédent de l'enfant.

Bien que les enfants n'aient pas gagné le droit de vote ou obtenu le pouvoir politique que les anarchistes des années 1960 demandaient, ils ont atteint une singulière égalité avec les adultes, à l'intérieur de la famille et dans la société en général. Une égalité qui aurait été aussi choquante en 1960 que ne l'est aujourd'hui la notion de laisser les enfants prendre part à la course à la présidence. Là où les enfants, en règle générale, étaient autrefois un peu réticents dans leurs échanges avec les adultes, timides, réservés - «gêné comme un enfant », disait le proverbe - aujourd'hui, cette gêne semble avoir disparu sans laisser de traces.

La confirmation que les enfants ont changé dans leurs échanges avec les adultes, nous fut donnée dans presque toutes les entrevues avec des élèves de quatrième, cinquième, sixième années et de première secondaire qui eurent lieu pour la préparation de ce livre. La façon directe, l'aisance, la confiance et l'aplomb dont ces enfants firent preuve de façon soutenue dans leurs conversations avec l'enquêteur qu'ils n'avaient pourtant jamais rencontré auparavant étaient presque aussi surprenantes et significatives du changement comme tel, que l'énoncé de leurs théories. Ni les garçons ni les filles n'étaient gênés de discuter de leurs rapports sociaux avec le sexe opposé, que ça ait «marché » ou non ; aucun complexe non plus à exprimer leurs sentiments à ce sujet. Quand les enfants de deuxième ou troisième secondaire étaient interrogés, il devint vite évident qu'il n'y avait nul besoin de mettre des gants blancs pour poser la question qui jadis, n'aurait pu être posée : «Es-tu vierge ? » Pas de petits rires bêtes ou de rouge aux joues, mais un «non» désinvolte ou un «oui » souvent plein de regret. De la même façon, les enfants de tous les âges parlaient de leurs expériences au niveau des drogues et de l'alcool, des sujets que les enfants d'autrefois, aussi impliqués qu'ils aient été dans des affaires louches, auraient passés sous silence. En fait, il a semblé souvent que les enfants qui paraissaient *moins* désinvoltes et moins ouverts, plus réservés donc, venaient de familles plus «protectrices » que la norme actuelle. Car la protection fait aussi partie de la façon d'aborder la séparation plutôt que l'intégration à travers l'éducation de l'enfant. Si vous protégez les enfants des expériences adultes, votre comportement suppose au préalable que les enfants sont des êtres à part, ce qui entraîne la séparation. Mais à l'intérieur des théories avancées par le mouvement des droits des années 1960, il y avait la crainte de la séparation, de la distinction de tout groupe, que ce soient les Noirs, les femmes, les homosexuels, les Amérindiens - ou les enfants. Un solgan du genre «séparés mais égaux » devint synonyme d'injustice au dernier degré et de préjugé, au même titre que la distinction des enfants comme des êtres à part qu'il faut traiter différemment, à qui il faut parler différemment, que l'on doit habiller différemment, etc. Donc considérer les enfants comme fondamentalement différents, cela finit par sembler contraire aux façons modernes de se comporter. La séparation des enfants du monde des adultes parut rapidement vieux jeu, même insupportable.

CHAPITRE 2 - LA NOUVELLE ÉGALITÉ

1. Phillip Lopate, dans une entrevue personnelle avec l'auteur.
2. Henry T. Harbin, M.D., et Dennis J. Madden, Ph. D., "Battered Parents : A New Syndrome", *American Journal of Psychiatry 136* (October 1979).

CHAPITRE 3

LA FIN DU MYSTÈRE

TROUVER TOUT NORMAL

Il fut un temps, à l'époque de la protection, où la triste réalité du monde adulte était tenue cachée aux enfants. Aujourd'hui, la porte auparavant hermétiquement close entre l'enfance et l'âge adulte a été entrebaîllée, parfois complètement arrachée de ses gonds.

Le fait que les enfants paraissent plus mûrs aujourd'hui a permis aux grandes personnes de faire pousser leurs cheveux et de se laisser aller avec eux à des façons qui leur étaient interdites à eux-mêmes il y a la moitié d'une génération. Cet avertissement : «pas en face des enfants » tombe dans un passé qui s'estompe déjà pour rejoindre l'injonction disparue depuis longtemps : «Les enfants devraient être vus et non écoutés. » Après tout, il n'y a pas un mot, une expression ou un juron lancé par inadvertance par un adulte qui pourraient surpasser le langage entendu aujourd'hui sur les terrains de jeux des écoles élémentaires. Il n'y a aucun aspect de la vie des adultes, que ce soit la promiscuité, la perversité, le déshonneur, la misère ou le désordre, qui soit hors de la portée des enfants d'aujourd'hui, surtout chez ceux qui ont plus de huit ou neuf ans.

Le changement du caractère de l'adulte - la modération remplacée par une totale ouverture d'esprit fut si rapide et se fit sentir tellement un peu partout, que cela a presque fait oublier ce qui existait avant. Est-ce que les choses n'ont pas toujours été comme ça ? Les gens en arrivent à le croire. Seulement, quand les adultes prennent le temps de se rappeler les rapports entre adultes et enfants de leur enfance personnelle, ils reconnaissent tout de suite que les choses étaient autrefois très différentes, c'est sûr, et qu'en grande partie cette différence réside dans l'absence de réserve des adultes en présence de leurs enfants. En fait, on ne cache plus rien aux enfants.

En partie, cette nouvelle ouverture d'esprit envers les enfants peut simplement refléter l'image de préférence marquée au niveau de toute la société, de «tout dire » ; par conséquent, il existe une nouvelle volonté de dire la vérité aux enfants, spécialement au sujet de ces choses que les parents faisaient autrefois sans mot dire «pour le bien de l'enfant ». Comme une mère de Denver le dit : «Quand j'étais enfant, tout était fait supposément pour *mon* bien. Mais aujourd'hui, nous sommes plus honnêtes avec nos enfants. Je dis à mon enfant : «Je ne t'envoie pas te coucher à huit heures pour *ton* bien. Je fais ça pour *moi* ! Tu dois être au lit à vingt heures parce que j'ai besoin d'espace. J'ai besoin de solitude ! » De la même façon, dans une époque axée sur la psychologie, les parents n'ont pas été contre le fait d'expliquer le pourquoi de certaines choses à leurs enfants. En conséquence, l'ancienne attitude confiante et convaincue que les adultes maintenaient soigneusement devant les enfants n'est plus qu'un souvenir. Pourtant, une partie de la nouvelle ouverture d'esprit de l'adulte vis-à-vis des enfants démontre un changement délibéré dans l'attitude : elle était *protectrice,* elle devient *préparatoire*.

L'auteur Judy Blume, dans ses livres pour les enfants, exprime elle-même un exemple fondamental de cette transition entre la méthode «réservée » à celle qui est «plus ouverte ». Elle a exprimé nettement le changement à un enquêteur : «Je déteste l'idée que l'on doive toujours protéger les enfants. Ils vivent dans le même monde que nous. Ils voient et entendent les mêmes choses. Le pire, c'est que nous en faisons des «secrets »... Le sexe et la mort, voilà ce que nous essayons de cacher aux enfants, pour une bonne raison : parce que nous nous sentons mal à l'aise nous-mêmes devant ces choses. »[1]

Les livres de Blume illustrent sa détermination de mettre fin à l'habitude de protéger les enfants et de dissimuler les réalités de la vie et de la mort. Ils ont été parmi les premiers à parler ouvertement de certains aspects de la vie sexuelle, tels que la masturbation et les menstruations. Pourtant la découverte des problèmes concernaient les adultes dans les livres, les articles de journaux ou les programmes destinés aux enfants n'étaient en aucune façon la raison primordiale qui a motivé le déclin de l'attitude «réservée » des parents ; on s'est plutôt servi de ces media pour affirmer que, de toutes façons, ce n'était plus possible de dissimuler ces choses aux enfants, surtout en ce qui a trait aux obscures et profondes «réserves » sur la sexualité.

Dans une société qui interdit toute exhibition en public de la sexualité des adultes, il est facile de veiller à ce que les enfants ne soient pas exposés à l'aspect sexuel de la vie des adultes et qu'ils soient maintenus dans un certain degré d'innocence. Il était probablement inévitable que cette plus grande ouverture d'esprit et la libération sexuelle qui surgirent chez les adultes au cours des années 1960 - des tabous sur lesquels on levait enfin le voile entraînant une baisse rapide de contrôle qu'on appela la révolution sexuelle - furent simultanément accompagnées du déclin de la réserve au sujet du sexe, envers les enfants. Etant donné que les adultes, sous la baguette de la «génération Woodstock » commençaient à donner publiquement une grande place à la sexualité, plus qu'il n'y en avait eu depuis des siècles, en s'exhibant de façon à se faire remarquer partout, en permettant que des problèmes sexuels explicites soient traités dans des livres, des films et, éventuellement, à la télévision, il devint difficile de limiter ce sujet aux yeux et aux oreilles des adultes seuls. Bientôt, les gens en vinrent à considérer que peut-être cette levée du secret était une bonne chose - «si vous ne pouvez les combattre, joignez-vous à eux. » La réserve d'autrefois commença à paraître inutile, sinon positivement malavisée.

UN GRAND PAS FRANCHI À CAUSE DES LIVRES

Au temps où l'enfance était un âge privilégié, les enfants lisaient des contes de fées et des histoires d'animaux où ils s'amusaient des plaisirs insouciants de l'enfance. Aujourd'hui, ils lisent une tout autre catégorie de livres. Voici le résumé d'un livre pour enfants publié il y a plusieurs années par un grand éditeur.

> Une belle jeune fille de quatorze ans vit dans une petite ville où son père est barbier et sa mère, humble blanchisseuse. La jeune

> fille rêve de romance et de gloire, mais elle est obligée de passer ses journées à accomplir des besognes fastidieuses, comme nettoyer la maison et s'occuper des enfants. Elle décide alors de fuir la maison pour chercher fortune dans une grande ville.

Jusqu'ici, l'histoire ressemble aux contes d'autrefois. Mais elle se poursuit ainsi :

> Dès sa première journée, elle rencontre un homme généreux qui lui vient en aide alors qu'elle est en difficulté. Elle tombe amoureuse de lui. Malheureusemnt pour elle, c'est un souteneur. Il l'oblige à se prostituer. Elle est d'abord épouvantée de ce qui lui arrive. Elle n'arrive pas à croire qu'elle va devoir agir de cette façon avec toutes sortes d'inconnus. Mais bientôt, par amour pour son protecteur, elle devient l'une de ses putains les plus en demande. Elle devient la favorite du souteneur, ce qui éveille la jalousie de ses collègues. Pour se venger, l'une des autres filles met du LSD dans le verre de limonade de notre héroïne qui fait «un mauvais voyage ». Finalement, après beaucoup de mésaventures, elle entre dans un centre de réhabilitation pour les enfants qui ont fait des fugues. Là, elle suit une «thérapie » et se prépare à retourner dans sa petite ville, non sans être devenue plus triste, mais plus sage.[2]

Lu par un grand nombre d'enfants de dix, onze et douze ans, il y a quelques années, ce livre n'est qu'un exemple - et pas du tout un cas extrême - d'un genre de nouvelles littéraires pour les enfants, publiées en nombre croissant pendant les derniers quinze ans. Il y a aussi ces livres qui traitent de sujets autrefois considérés comme «inconvenants » pour les enfants : - ceux par exemple qui brisent les «tabous » et qu'on appelle des ouvrages «néo-réalistes ».

Le premier du genre fut probablement un petit volume destiné aux jeunes enfants, émit par John Donovan et publié dans les dernières années de 1960[3] *I'll Get There, It Better Be Worth the Trip* (J'y arriverai : il vaut mieux que ça vaille le voyage) est la simple histoire d'un garçon, de son meilleur ami et de son chien. La polémique que souleva ce livre provient d'une brève scène dans laquelle deux garçons de neuf ans qui passent la nuit chez l'un d'eux, se rapprochent dans leur sommeil et s'aperçoivent à leur grande surprise qu'ils sont en train de s'embrasser. Cette scène épisodique dans un livre d'enfants qui, même si elle était présentée avec tant de soin et de subtilité que maints lecteurs n'y ont vu que du feu, représente beaucoup plus qu'une plus large ouverture d'esprit au sujet du sexe. Le livre de Donovan amena un changement dans l'attitude des adultes envers les enfants, c'était le signe qu'une décision avait été prise par des mouvements culturels pour mettre fin aux vestiges d'un passé victorien qui avait longtemps servi à protéger les enfants contre certaines réalités de la vie. En effet, dans les années à venir, les livres devaient avoir une nouvelle fonction : préparer les enfants dès le jeune âge aux complications et dangers de la vie.

LE MAGAZINE *MAD*

Il fut un temps où les enfants pensaient que les adultes étaient obligatoirement bons, que tous les chefs d'État étaient aussi loyaux que Lincoln, que le monde de leurs parents était plus sage et meilleur que leur propre monde. C'était une époque où les enfants étaient censés céder leur siège aux adultes dans les transports en commun, où les jurons étaient réservés à leurs petits camarades et où ils traitaient les adultes avec «respect » en toute occasion. C'est alors que parut le magazine *Mad*. S'il reste une seule influence culturelle de ces dernières vingt-cinq années qui résume le bouleversement qui s'est abattu sur l'enfance, elle se trouve dans cette remarquable publication.

Mad parut dans les premières années de 1950, il s'agissait d'une annexe au principal médium de la culture enfantine populaire du temps, en l'occurrence les bandes dessinées. Ce magazine avait le même format, contenait des histoires racontées au moyen de personnages caricaturés qui parlaient à l'aide de mots insérés dans une bulle au-dessus de leur tête. Les bandes dessinées des années précédentes passaient par toute la gamme allant des mignons personnages à la Walt Disney jusqu'à l'horreur de *Tale of the Crypt* (La légende de la crypte) ; ils appartenaient d'ailleurs tous à la catégorie *fantasy* («fantaisie »), acceptée depuis longtemps comme auxiliaire de l'enfance. Mais *Mad* introduisit alors un nouvel élément : la satire. Avant *Mad*, la satire traditionnelle entrait dans la vie des jeunes gens à la fin de leur adolescence, souvent par l'intermédiaire des magazines humoristiques du collège. *Mad* fut le premier magazine satirique destiné aux enfants, une sorte de Swift pour enfants, traitant des réalités de la vie des enfants - leurs parents, leur école et leur culture - d'une façon moqueuse et insolente. L'âge des lecteurs baissa de plus en plus : il passa de l'âge du secondaire en 1960, à celui de neuf ou dix ans aujourd'hui.

Dans les premières années, le dard acéré de la satire dans *Mad* visait surtout les media culturels auxquels les enfants étaient exposés - vieux classiques, bandes dessinées, radio, films et, avec une fréquence croissante, la télévision. Les bandes dessinées d'action du genre *Superman* (Le Surhomme) furent ridiculisées dans une chronique appelée *Superduper Man* (l'homme super trompeur). *Prince Violent* (Le Prince Violent) se moquait du genre pseudo-historique de certaines bandes dessinées. *Dragge Net* (Le filet dragué) se moquait des drames policiers «réalistes », populaires à la radio dans les années 1950. Comme la télévision commençait à occuper de plus en plus le temps libre des enfants, un défilé de parodies des programmes de télévision et surtout des commerciaux firent leur apparition. «De la calandre voyante Ca-dil-lac jusqu'aux ailettes de la Che-vro-let. Nous harcèlerons les nouveaux modèles de ''General Motors'' et ferons payer leur désuétude ! » disait une parodie des années 1950. En 1960 la position prépondérante de la télévision dans la vie des enfants fut illustrée par *Mad* dans *A Checklist for Baby-Sitters* (Une liste de contrôle pour les gardiennes d'enfants), la plus importante préoccupation dans le choix d'un travail étant transmise par la télévision. La nourriture, le salaire pour la garde des enfants et le tourne-disques venaient après. En dernière position, en dixième place, il y avait le genre et le nombre d'enfants dont il faudrait prendre soin.

Pendant les dix dernières années, les gens qui écrivaient pour *Mad* , choisirent surtout des sujets culturels pour en faire la satire. Vers le milieu des années soixante, leur attention se concentra de plus en plus vers le milieu social de l'enfant : les parents et la famille en tant qu'institution. Les parents furent consternés par l'attitude narquoise, irrespectueuse, que le magazine semblait vouloir communiquer aux adultes, en guise d'encouragement. Naturellement les enfants l'adorèrent, l'absorbant comme une éponge. Dans une chronique intitulée : *If Babies Could Take Parent Pictures* (Si les bébés pouvaient photographier leurs parents) par exemple, une des illustrations portait la légende : «Voici mon idiot de père qui essaie de conduire et de prendre une photo en même temps. J'ai eu la chance de revenir vivant à la maison. » L'expression «Mon idiot de père » est à peine choquante dans les années 1980, car bien des choses dites par les enfants aux adultes ne peuvent en aucun cas être imprimées, mais en 1960, ces mots avaient une répercussion pire qu'un juron actuel. À un certain moment, au cours de ces deux décades, une convention établie depuis longtemps prit fin, celle qui avait obligé les enfants à réprimer leur colère et leur impatience, les forçant à grommeler dans leurs dents peut-être, mais leur permettant rarement d'être ouvertement injurieux avec les adultes. Le magazine *Mad* a probablement eu plus d'influence dans le mouvement vers la libre expression des enfants qu'on ne l'a jusqu'ici reconnu.

Voici comment Al Feldstein, éditeur en chef de *Mad* pour les vingt-cinq dernières années (parfois appelé «Chief Madman » (Chef fou), décrit le changement :

«Ce que nous avons fait, ça été de prendre les choses absurdes du monde des adultes et de démontrer aux enfants que ceux-ci ne sont pas tout-puissants. Que leurs parents étaient hypocrites dans leurs critères - leur demandant d'être loyaux, de ne pas mentir et pourtant, trichant dans leurs déclarations d'impôt sur le revenu. Nous leur avons démontré que le monde autour d'eux est déloyal, que beaucoup de gens leur mentent, trichent avec eux. Nous leur avons dit qu'il y a beaucoup d'ordures dans le monde et qu'ils doivent en être conscients. Que tout ce qu'ils lisent dans les journaux n'est pas toujours vrai. Que ce qu'ils voient à la télévision est souvent un tissu de mensonges. Qu'ils devaient apprendre à penser eux-mêmes.» [4]

Un défilé de chroniques impitoyables exposant les hypocrisies des parents provoqua une vague d'admiration-choc qui s'est répercutée parmi les jeunes lecteurs de *Mad* (qui n'étaient pas sans ignorer les batailles rangées de leurs frères et soeurs aînés qui protestaient contre la duplicité plus profonde des «grands » de la société alors qu'ils engageaient leur pays dans le «conflit » du Vietnam). Par exemple, une chronique régulière du milieu des années soixante titrée : «Ce qu'ils disent et ce que cela signifie vraiment» décrit des parents s'adressant à leur fille adolescente et à son petit ami à l'aspect minable : «Nous n'avons rien contre lui, chérie, disent-ils. Mais vous êtes tous les deux terriblement jeunes. » Ensuite, les chroniqueurs mettent les points sur les «i » et révèlent ce que cela signifie vraiment selon eux : «Attends jusqu'à ce que tu trouves un garçon de la même religion que toi et qui a de l'argent. » Le fanatisme, l'amour de l'argent et l'hypocrisie des parents sont ainsi mis à jour d'un seul coup.

Alors que les années soixante laissaient la place aux années soixante-dix, la culture des adultes se développait de plus en plus et se libérait face à la sexualité. Les parodies *Mad* devinrent donc plus «adultes », traitant de plus en plus souvent de la sexualité des adultes, de la libération des femmes, du rôle des drogues et de l'alcool, ainsi que d'autres sujets n'ayant rien à voir avec les enfants. Les satires de films abandonnèrent

Walt Disney et prirent des titres tels que : *Bood and Carnal and Alas and Alfred*. Un pastiche sur la chanson *Matchmaker* (La marieuse) de la comédie musicale *Fiddler on the Roof* (Un violon sur le toit) fut appelé *Headshrinker* (Psy.). Elle contenait des textes comme «Je suis Sheila, une fana de liberté sexuelle ; je suis Nancy, une habituée des amphétamines ; je suis Joy, qui fait des bombes dans le grenier et qui répond au téléphone par des citations de Mao », le tout se terminant comme une prophétie : «Psy, psy, voilà notre avenir, enfants, nous ne pouvons lui faire face : parents, nous le détestons. »

Les jeunes lecteurs des années 1975 étaient maintenant entraînés dans les préoccupations sexuelles croissantes de la société des adultes. «Ta mère et moi sommes fiers de vous, dit un père à sa fille adolescente, dans une bande dessinée des années 1970. Nous avons entendu dire que toi et Étienne étiez les seuls étudiants au collège dont le premier rendez-vous ne s'est pas terminé au lit. » La fille répond dans une bulle au-dessus de sa tête : «C'est vrai, papa, nous, on s'est contentés d'un matelas sur le plancher... »

Lorsque le divorce commença à atteindre des proportions épidémiques dans la seconde moitié des années 1970, *Mad* ne manqua pas d'en faire la critique. Une parodie de 1975 appelée *Broken Homes and Gardens* (Foyers et jardins brisés) montrait des parents qui déclaraient ne pas vouloir divorcer «à cause des enfants, expliquaient-ils. Aucun de nous ne veut d'eux. » En 1976 parut *Unweddings of the Future* (Les divorces de l'avenir), article dans lequel des invitations étaient envoyées par les parents de celle qui serait bientôt une ex-mariée.

La comparaison d'un numéro de *Mad* paru en 1980 avec un autre de 1950 nous donne une vue presque choquante des changements par lesquels le milieu de l'enfance a été modifié au cours de ces années. Le magazine de décembre 1980, par exemple, représente une parodie du film *Little Darlings* (Les petites chéries), un film sur deux fillettes de treize ans dans un camp d'été qui font la course pour voir laquelle perdra sa virginité la première. La version de *Mad* met en scène un colporteur qui propose un nouveau genre d'article : «Obtenez vos diaphragmes ici ! » crie-t-il. «Elle commence maintenant les travaux d'approche », déclare une petite fille qui épie le couple de futurs mini-amants. Quand l'une des héroïnes pubères devient soudain réticente pendant la scène finale de séduction, son soupirant proteste : «Je suis frustré ! Tu sais, il y a des noms pour les filles comme toi ! » Sa partenaire demande : «Est-ce que celui de JEUNE

CINGLÉE en est un ? » Il répond : «Non… c'est pire ! ! ! » Est-ce que les lecteurs de *Mad* comprennent ? Une enquête officieuse auprès de plusieurs élèves de première secondaire insinue que l'épithète est bien connue de ce groupe d'âge aujourd'hui.

Un post-scriptum ironique : le film *Little Darlings* (Les petites chéries) reçut une cote d'interdiction officielle face aux adolescents non accompagnés de moins de dix-sept ans - c'est-à-dire à presque tous les lecteurs de *Mad*. Néanmoins un grand nombre de jeunes purent voir le film *Little Darlings*, comme cela arrive pour la plupart des films «pour adultes ».

Il est presque impossible d'imaginer les enfants de 1955 lisant sans se cacher des articles au sujet de diaphragmes et de stimulation érotique. C'était encore la période privilégiée de l'innocence. L'une des raisons qui facilitait tellement le maintien des enfants dans un monde à part, il y a vingt-cinq ans, c'est qu'à ce moment-là, il n'y avait pas de film comme *Little Darlings*. On ne peut retourner à cette époque car on ne peut revenir en arrière.

LES FILMS SONT «POUR LES ADULTES »

Quand les enfants commencèrent à aller au cinéma, il n'y a pas si longtemps, leurs parents ne pensaient pas qu'on y verrait un jour des scènes de nu, de viol collectif, d'homosexualité ou de sadisme. Les parents n'étaient pas plus inconscients à ce moment-là, mais par contre presque tous les films nord-américains tournés avant 1955 pouvaient être vus par les enfants. La situation était presque à l'inverse de celle d'aujourd'hui. La grande majorité des films que les enfants voient maintenant sont plutôt destinés aux adultes : en 1955, la naïveté des situations était imposée à la clientèle adulte. Jusqu'aux premières années soixante un code à haute teneur morale ne permettait que la production de films d'où l'on supprimait tout ce qui évoquait la sexualité, tout langage osé ou blasphématoire et où toute scène de violence était bannie.

Quand la vague de libéralisation des années soixante amena une plus large acceptation des questions sexuelles dans le grand public, les producteurs et metteurs en scène de cinéma profitèrent promptement de l'occasion pour abandonner les règles strictes du passé et traitèrent plus de sujets concernant les adultes dans leurs films. Même si ce code rigide continua d'exister pendant plusieurs années, les films commencèrent à circuler plus librement et purent encore atteindre une large audience, y compris les enfants. Soudain, les vannes furent ouvertes et le sexe fut présent partout. Les parents furent consternés en s'apercevant que leurs «innocents » allaient perdre rapidement leur innocence.

Les livres, qui eux aussi, avaient été soumis à une censure terriblement rigoureuse dans les années précédant 1960, commencèrent à y inclure des scènes érotiques, en employant le vocabulaire adéquat longtemps censuré dans leurs pages. Mais leur impact n'était pas aussi direct sur les enfants que le nouveau cinéma. Ce qui est carrément visuel a toùjours été plus accessible aux enfants, à tous les niveaux du développement de leurs connaissances, que les écrits. Alors qu'une description verbale d'une relation - disons une relation sexuelle explicite - pourrait trop demander à l'intelligence d'un enfant de huit ou neuf ans, une représentation visuelle sera plus apte à retenir l'attention d'un enfant et l'impressionnera plus profondément.

Il faut dire que même à l'époque privilégiée de l'innocence, de 1930 à 1940, les enfants n'étaient pas complètement à l'abri de mauvais exemples quand ils allaient au cinéma. L'anxiété des parents au sujet de la candeur propre à l'enfance en Amérique, se concentrait surtout sur la sexualité : ils ne virent donc pas la forte tendance à la violence qui, justement, envahissait les films pour enfants. Et à ce moment, les films pour adultes étaient exempts de violence. Nora Sayre, critique de cinéma, se souvient de sa frayeur, pendant la projection de *Snow White* (Blanche Neige) et *The Wizard of Oz* (Le magicien d'Oz), deux des plus fameux spectacles pour enfants, autrefois. Beaucoup d'adultes se souviennent de la forêt en flammes de *Bambi* de Walt Disney, comme de l'une des scènes qui les a choqués émotionnellement, dans leur enfance. Pas étonnant que la plupart de ces scènes alarmantes représentaient la perte d'un parent. En même temps, les drames en costumes d'époque, les comédies musicales avec June Allyson ou Esther Williams, les comédies de Jerry Lewis et de Dan Martin, de la fin des années 1940 et des années 50, étaient pourtant considérés comme les films les plus parfaitement «naïfs » jamais faits jusqu'ici.

Il y avait aussi les films d'épouvante et de gangsters des années trente, quarante et cinquante, amenant leur part de terreur insoutenable pour n'importe quel enfant dans la salle. Mais le niveau de violence, même dans le plus ignoble des films «pour adultes, avec réserve ne rejoint jamais les successions de morts et de dégradations de toutes sortes qui sont devenues les thèmes habituels utilisés dans les films de ces dix dernières années. La *gamme* des mutilations du corps humain était moindre dans le passé. La censure interdisait à la caméra de s'attarder sur l'instant précis de l'ultime violence et le sang n'était jamais en «couleur naturelle » comme cela devait se produire dans les nouvelles télévisées sur la brutalité pendant la guerre du Vietnam, quelques années plus tard : et sans compter l'utilisation de ces sévices dans tant de films à succès tels que Le Parrain ou Apocalypse Now (Maintenant, l'apocalypse) pour ne nommer que ceux-là. De toute façon, si on n'empêchait pas les enfants de voir les films destinés aux adultes dans le passé, ils étaient quand même en général plus attirés par les comédies musicales et les comédies à gros budget d'Hollywood qui étaient disponibles ces années-là. Aujourd'hui, toutefois, les films de violence sollicitent souvent l'attention des enfants à cause de la présence d'éléments hautement attrayants pour les jeunes adolescents, par exemple, la danse et la musique que l'on retrouve dans *Saturday Night Fever* (La Fièvre du samedi soir), ou la présence tout à fait attirante d'une jeune vedette dans *L'Exorciste* ou *The Shinning* (L'Éclat).

Quand tous les films étaient «blancs comme neige », les enfants étaient libres de voir n'importe lequel. Il n'y avait aucune raison sérieuse pour que les parents exercent une quelconque répression culturelle. Mais, quand les films devinrent ouvertement des films de sexe et de violence, à la fin des années soixante et au début de celles de soixante-dix, des groupes de parents, d'éducateurs et de chefs religieux protestèrent contre de tels sujets, jugeant qu'ils ne convenaient pas aux jeunes enfants. L'industrie cinématographique dût faire face à deux alternatives ; soit couper les séquences de film jugées inconvenantes pour les enfants ou établir un système de classification afin de séparer les films pour adultes et ceux pour enfants. Il n'est pas étonnant que l'industrie ait opté pour la seconde alternative et qu'on mit sur pied un système qui évolua et devint celui que nous connaissons actuellement c'est-à-dire qu'on interdit aux moins de 18 ans de voir certains films et aux moins de 14 ans, certains autres. Les enfants sont admis à d'autres projections, avec avertissement que celles-ci peuvent ne pas convenir aux jeunes enfants.

L'industrie cinématographique respira de soulagement lorsque l'on procéda avec succès à cette solution de compromis : classer les films par catégorie. Cela a permis aux producteurs une plus grande latitude artistique, au niveau de la «marchandise » nombreuse et variée qu'ils avaient à offrir. Avec ce système, on croyait que les parents seraient guidés par les cotes officiellement annoncées et pourraient ainsi protéger leurs enfants à leur convenance. De cette manière, sans aucune nouvelle restriction des parents, les enfants étaient supposément protégés par les propriétaires de salles de cinema contre les films qu'ils ne devaient pas voir, ceux traitant du sexe et de la violence, ceux convenant aux 18 ans et plus et d'autres qui s'adressaient aux 14 ans et moins.

Mais le système n'a pas apporté l'assistance à laquelle on s'attendait quand il fut adopté. En dehors du grand nombre de parents qui, n'ayant pas de gardienne ou, pour de multiples autres raisons, emmenèrent leurs enfants pour voir des films «pour adultes », qu'*eux voulaient* absolument voir, il devint rapidement évident que des enfants «seuls » entraient facilement pour voir ces mêmes films, soit en entrant derrière des adultes pris au hasard, et souvent parce que les propriétaires de salles de cinéma faisaient passer leur intérêt avant le système établi. En 1974, quand *L'exorciste* fut projeté à Washington D.C., par exemple, un article dans un quotidien fit des commentaires sur le nombre d'enfants âgés de six ou huit ans qui avaient vu le film avec leurs parents ou qui s'étaient faufilés derrière un adulte quelconque pour rentrer avec lui. Même la mention «Pour adultes seulement » est souvent transgressée. Un groupe de jeunes de quatorze et quinze ans avouèrent à un enquêteur qu'il était facile d'assister au film *Caligula* interdit aux moins de 18 ans.

Le Bureau de surveillance du cinéma n'est pas une agence vouée à sauvegarder la santé mentale des enfants. Sa fonction est de «refléter les critères, non de les imposer », et on peut faire ainsi un parallèle avec le magazine *Mad* dont le but est de refléter plutôt qu'établir des codes moraux. Le mandat consiste plutôt à coter chaque film selon ses critères personnels et a en laisser aux parents le soin de juger en dernier ressort selon le degré d'évolution de leurs enfants. Et comment le Bureau de surveillance peut-il découvrir avec précision les critères qui reflètent le plus exactement l'opinion de la majorité ? En observant la réaction des parents après la projection du film, dans les cinémas locaux. Si les propriétaires de salles de cinéma reçoivent des protestations de parents mécontents, le bureau révise alors sa décision : «Nous essayons de prendre le pouls de l'opinion des parents, dit un responsable. Si nous nous trompons, nous le savons rapidement. »[5]

Le pouls des parents, toutefois, semble être beaucoup plus difficile à saisir depuis quelques années. En fait, l'intérêt à ce niveau a beaucoup diminué. Reflétant au départ les critères des adultes dans une période d'interdictions au sujet de la sexualité qui s'est beaucoup relâchée depuis, le Bureau devient de plus en plus indulgent en regard du contenu des films. «Un bout de sein n'influence pas automatiquement la cote d'un film, comme par le passé, dit un responsable. Pas plus que quelques jurons, interdits pendant longtemps, ne justifieront une cote restrictive.

Si le système reflète simplement les réactions des parents, il semble que ceux d'aujourd'hui, dont plusieurs étaient autrefois des «objecteurs de conscience » - la paix et non la guerre prônaient-il - excusent maintenant une violence considérable. En 1981, le films *Raiders of the Lost Ark* (Les aventuriers de l'arche perdue) pouvait être vu par les enfants (avec légères réserves) et il y avait soixante morts par armes à feu, flèches empoisonnées, pales d'hélices, couteaux et divers autres moyens. Il y avait même une fosse qui grouillait de serpents venimeux et l'on voulait marquer au fer rouge la belle héroïne ! Il y a eu beaucoup de problèmes avec ce film admet le Bureau de surveillance, mais nous n'avons pas à imposer nos critères moraux au public. Nous ne sommes pas des censeurs. Nous essayons de parvenir à «deviner ce que pensent la plupart des parents ». Nous posons seulement une question : «Est-ce ce que la plupart des parents en Amérique désirent que l'on empêche leurs enfants de voir un film en particulier, à moins qu'ils ne soient accompagnés d'un adulte ? »

Probablement non, et peu importe le film. Il y a gros à parier que la plupart des parents d'aujourd'hui ne se sentent pas obligés d'accompagner leurs enfants de dix ou onze ans au cinéma, de façon à alléger une expérience qui pourrait les bouleverser ou les embarrasser. L'instinct de protection que les parents possédaient autrefois à un si haut niveau, le sentiment qu'ils avaient du tort qu'un étalage d'horreur, de violence ou de sexe ferait à leurs enfants, tout ça n'existe plus. L'attitude des parents d'aujourd'hui pourrait s'expliquer ainsi : «Nous vivons dans une société violente. Que les enfants voient beaucoup de violence à la télé, ainsi que des tas de choses sur la sexualité, c'est un fait. Il n'y a aucune façon de les en protéger. En outre, ils ont *onze ans !* Ce ne sont plus des bambins vulnérables ! »

Et ils envoient les enfants voir les *Raiders* (Les aventuriers) où l'on assiste à des morts atroces. *All That jazz* (tout ce jazz) avec sa séquence descriptive de fantaisie érotique, ou *Little Darlings* (Les petites chéries) qui montre une défloration obligatoire, ou encore *Kramer contre Kramer* avec son thème sur l'abandon maternel et la stupidité des parents. Après tout, expliquent des parents, c'est peu réaliste de s'inquiéter de ce que les enfants voient au cinéma quand la *vie* est tellement plus *dangereuse* - les drogues, la grossesse accidentelle, le viol et le meurtre - sans parler de la guerre et d'une possible destruction de l'espèce par une quelconque bombe nucléaire.

En moins de vingt ans, nous avons assisté à un important changement culturel dans l'industrie cinématographique. Aujourd'hui, la plupart des nouveaux films traitent d'un sujet 'adulte' qui aurait paru inconvenant aux enfants d'il y a seulement une génération. Et pourtant, nos enfants les voient régulièrement. Maintenant comme ils semblent avoir été influencés par ces films «pour adultes qu'ils regardent régulièrement, la société est obligée de faire face aux implications de ce changement culturel : certaines des frontières entre l'enfance et l'âge adulte ont disparu, quand les enfants ont perdu de plus en plus tôt leur comportement *d'enfant*. Car, lorsque tous les films avaient un contenu inoffensif et que les enfants gardaient leur candeur, les adultes connaissaient néanmoins certaines choses que les films ne devaient pas se permettre d'exploiter, ils se comportaient donc à bien des égards de manière à ce que le 7ième Art ne soit pas représentatif de leur attitude équivoque. Aujourd'hui, les enfants aussi savent ce qui se passe dans le monde adulte. Et leur comportement reflète souvent cette connaissance.

CONFRONTATION AVEC L'INQUIÉTUDE DES ADULTES

Ce «mystère » entourant les adultes n'existant plus, cela reflète incontestablement un profond changement au sujet de ce que nous pensons de l'enfant et de l'enfance. Aujourd'hui, les enfants sont souvent délibérément exposés à l'inquiétude et à la faiblesse des adultes ; ceux-ci espèrent que leur prise de conscience précoce les aidera à surmonter les problèmes inévitables qui les attendent dans leur vie d'adulte.

Motivé essentiellement par une telle conviction, l'écrivain et enseignant Phillip Lopate entreprit en juin 1979 la mise en scène du drame de Tchekhov, *L'oncle Vania,* avec un groupe d'élèves de dix, onze et douze ans, dans un studio de l'île de Manhattan[6]. «Je voulais voir ce qui arriverait quand les enfants seraient obligés de faire face à l'inquiétude des adultes, explique Lopate. «Je crois que cela leur arrive souvent dans la vie, et je pense qu'une expérience comme celle de monter la pièce *L'oncle Vania* peut les aider à comprendre le plus tôt possible que les adultes *peuvent* manquer leur vie. Comment les enfants peuvent-ils savoir qu'ils ne doivent pas gâcher leur vie, qu'ils ont la responsabilité d'en disposer plus efficacement ? » Mais en dehors de cette révélation de la complexité de la vie des adultes, Lopate croit que ce drame de Techkhov peut aussi avoir permis aux enfants de prendre conscience que sous plusieurs aspects, la vie des adultes ressemblent à la leur : «La pièce parle de la futilité et de l'ennui de la vie adulte, observe-t-il. Et j'ai été surpris de voir à quel point les enfants s'y sont bien intégrés. Parce que, dans un sens, ils attendent que leur vie commence. Donc, l'expérience m'a révélé qu'il s'agissait beaucoup plus d'un rapport entre Tchekhov et l'enfance que je ne l'aurais pensé. »

Cette manière d'initier les enfants aux mystères de la vie adulte aidera les enfants à penser différemment, en ce qui les concerne directement de même qu'au sujet des adultes. En grandissant moins confiants et plus indépendants, ils se sentiront plus à égalité avec les adultes. En résultat à ce changement d'attitude manifeste, les enfants paraissent plus «mûrs » que ceux d'autrefois. L'auteur d'un livre sur des enfants élevés dans des communautés observe une réaction semblable parmi des enfants qui ont participé à des sessions hebdomadaires où le groupe s'efforçait de résoudre les problèmes de leur âge. Exprimant son admiration pour l'aplomb d'une petite fille de neuf ans, écoutant sa mère qui discutait publiquement de ses problèmes, y compris ceux de ses rapports avec sa fille, l'auteur remarque : «Elle était consciente de l'influence de sa mère sur elle et de ses intentions à son sujet d'une telle façon qu'elle paraissait beaucoup plus «mûre » que ses neuf ans. Ce n'était pas sa façon de parler librement qui impressionnait, c'était une sorte d'éloignement émotionnel qui permettait à Karen (la fillette de neuf ans) de voir sa mère en tant qu'être humain au même titre qu'elle. Ainsi, elle a éclairci le mystère qui entourait ses parents plutôt que la majorité d'entre nous, qui n'ont fait cette découverte qu'en allant au collège.[7]

Comme les enfants élevés dans des communautés de la contre-culture, les enfants du divorce se trouvent propulsés dans le monde des adultes avec une plus grande violence que ceux d'une famille ordinaire. Encore que les enfants des foyers unis soient beaucoup plus au courant des problèmes des adultes que les enfants de la génération passée, grâce à la télévision et au penchant des parents à se mettre à leur niveau. L'impact de la connaissance de ce malaise qui frappe le monde adulte peut toutefois varier chez les enfants, selon les diverses circonstances familiales. En réalité, la détresse actuelle des adultes touche surtout les enfants du divorce.

DES «INSTINCTS» TROP VITE ÉVEILLÉS

La plupart des enfants apprennent des faits sur la sexualité adulte à un âge précoce dans une période de relâchement telle que la nôtre. Mais il y a une énorme différence entre connaître le sexe par le cinéma et la télévision, et accepter de transposer cette connaissance à *ses parents*. Dans les familles unies, qui sont en baisse aujourd'hui, les enfants refusent d'associer leur bagage assez complet de connaissances au sujet de la sexualité à celui des adultes qui ont le plus d'importance pour eux : leur parents. Ainsi, un garçon de neuf ans, assez loquace sur les rapports sexuels, l'homosexualité, l'avortement et le viol, révéla à un enquêteur qu'il s'accroche encore à l'espoir que ses parents n'ont pas eu vraiment de relations sexuelles - il a utilisé un terme plus cru - en dehors du nombre requis pour mettre au monde sa soeur et lui. Malgé l'abondance de scènes de déchaînement sexuel, de lubricité et d'adultère qu'il a vues à la télévision et dans les films, il préfère croire que rien de tout cela ne s'applique à ses parents.

Il se peut que les sujets sexuels sordides ou violents auxquels les enfants sont exposés affectent moins leur esprit que les observateurs le croient, tant que rien ne relie le sujet traité au cercle fermé de ses parents, de ses frères et soeurs et de lui-même. Mais pour l'enfant du divorce, il est difficile de préserver l'ancien mystère sur la sexualité des parents. Maintenant, il doit faire un lien entre des choses qui le troublent et souvent l'effraient, qu'il a vues à la télévision depuis de nombreuses années, et ses parents.

Une fois que les enfants ont rattaché les problèmes sexuels à leur famille, ils deviennent beaucoup plus vulnérables et influençables. Comme Anna Freud le dit, parlant d'un garçon qui supportait mal l'agressivité de ses parents qui sont en procédure de divorce : «Il a perdu toute confiance, parce que son instinct 'critique' a été éveillé trop tôt. » Elle considère ensuite les conséquences d'un tel éveil précoce :«Il agit comme un employé dans une banque en faillite qui a perdu toute confiance en ses patrons et n'a plus aucun plaisir à travailler. Ainsi, dans ce cas, l'enfant cesse de travailler - c'est-à-dire que son développement normal s'arrête, et il réagit à des conditions anormales d'une façon anormale quelconque. » [8]

Aujourd'hui, les spécialistes de l'enfance observent souvent que les «instincts critiques de l'enfant trop précocement éveillés » et la vulnérabilité qui en découle, dans le cas de divorce, sont reliés à l'importance exagérée donnée par les media culturels. Katherine Rees, une psychanalyste pour enfants, note que «plus la vie au foyer d'un enfant est stable, plus les exemples donnés d'une vie équilibrée sont satisfaisants, moins l'enfant semble affecté par le sexe et la violence à la télévision et au cinéma. » Le docteur Paulina F. Kernberg, directrice du département de psychiatrie pour enfants et adolescents de l'unité de Westchester du«Cornell Medical Center à New York, est d'accord : «Les difficultés des enfants d'aujourd'hui sont moins une affaire de stimulation exacerbée à cause de ce qu'ils voient à la télévision que le résultat d'une faille dans la structure familiale. Les enfants sentent la différence entre une chose exacte ou erronée dans une image à la télévision et savent si celle-ci est conforme ou non à une certaine réalité qu'ils ont observée. Le fait de voir certains programmes à la télévision n'explique pas la précocité des enfants et leur comportement d'adulte autant que le manque de structuration des liens conjugaux et du rôle des parents clairement établis. » [9] Un psychologue dans une école de Denver rapporte : «Les enfants que je rencontre et qui sont le plus souvent affectés par la télé ont tous des problèmes familiaux. S'ils sont d'avance vulnérables, ils paraissent alors incapables de se contrôler au niveau du sexe et de la violence à la télé. Ils n'arrivent plus à faire une différence entre ces images et le monde réel. »

Depuis longtemps, les parents se sont consolés en se disant que les enfants ne subiraient pas nécessairement un préjudice en voyant une information ou même une expérience à brûle-pourpoint, parce qu'ils ne prendront que ce qu'ils sont prêts à prendre. » Cette certitude pouvait être exacte pour les enfants d'autrefois qui ont grandi dans une ambiance de stabilité, de sécurité et de protection. Mais les enfants actuels, dont tous les «instincts » sont éveillés prématurément, sont peut-être prêts pour toutes les horreurs auxquelles ils peuvent être exposés. Mais c'est regrettable ; tout cela se rattache pas mal à leur propre vie.

CHAPITRE 3 - LA FIN DU MYSTÈRE

1. Joyce Maynard, "Coming of Age with Judy Blume", *New York Times Magazine,* December 3, 1978.
2. Résumé de Fran Arrick, *Steffie Can't Come Out to Play* (Scarsdale, N.Y.: Bradbury Press, 1978)
3. John Donovan, *I'll Get There, It Better Be Worth the Trip* (New York : Harper & Row, 1969)
4. Al Feldstein, dans une entrevue personnelle avec l'auteur, 1981.
5. Richard Heffner, dans une entrevue personnelle avec l'auteur..
6. Pour une description complète de cette expérience, voir Phillip Lopate, "Chekhov for Children", *Teachers and Writers Magazine II* (Winter 1979).
7. John Rotchild, *The Children of the Counterculture* (New York : Doubleday, 1976).
8. Anna Freud, *Psychoanalysis for Teachers and Parents* (New York : W.W. Norton, 1979), p. 37.
9. Katharine Rees et Dr. Paulina F. Kernberg, dans une entrevue personnelle avec l'auteur.

CHAPITRE 4

LA FIN DES JEUX

LA TÉLÉVISION ET LES JEUX

De tous les changements profonds qui ont modifié le déroulement de l'enfance, le plus spectaculaire a été la disparition des jeux chez l'enfant. Alors qu'il y a dix ou vingt ans on reconnaissait les «enfants» à la nature de leurs jeux, les occupations des nôtres ne diffèrent pas tellement des divertissements des adultes.

Il est certain que les bébés et les tout jeunes enfants continuent à suivre certaines formes éternelles de manipulations et d'exploration. Les adolescents n'ont pas beaucoup changé non plus leurs habitudes de distraction dans leurs temps libres, se tournant comme toujours vers des passe-temps et des amusements d'adultes dans leur course vers l'autonomie, la maîtrise de soi et les découvertes au sujet de la sexualité. C'est chez les écoliers, ceux de six à douze ans, qui passaient avec avidité leur temps libre avec des jeux de leur âge, que le plus grand changement s'est produit. Au lieu des jeux traditionnels, parfois très anciens, mais toujours populaires il y a une génération, à la place de fantaisies et de jeux où l'on jouait «au papa et à la maman», où l'on s'amusait avec les poupées ou les soldats de plomb, où le saut à la corde et la course derrière une balle rebondissante étaient à l'honneur, ce sont la télé et, tout récemment les jeux vidéo qui ont plein pouvoir sur les enfants d'aujourd'hui.

Beaucoup de parents s'inquiètent quant à l'influence de la télévision. Ils pensent que c'est un passe-temps qui les assujettit et qui pourrait faire du tort à leur aptitude aux jeux d'imagination et de débrouillardise, et même empêcher leur développement. Une mère de deux enfants d'âge scolaire se souvient : «Quand j'étais jeune, nous avions l'habitude d'aller dans les terrains vagues pour représenter des drames et des sagas qui duraient toute une semaine. C'était pendant mes troisième, quatrième et cinquième années. Mais mes enfants n'ont jamais fait ça, et ça me tracasse un peu. Nous aurions dû être restreint face à la télévision il y a des années, peut-être qu'alors les enfants auraient appris à *jouer*. »

Le témoignage de parents qui suppriment la télévision, à certains moments, confirme le rapport existant entre la télévision que les enfants regardent trop et la transformation qui s'est opérée au niveau des «jeux». Beaucoup de parents découvrent que si les enfants n'ont pas de télé pour passer le temps, ils reviennent aux jeux traditionnels et aux jeux d'imagination. Ils observent souvent qu'alors, «ils commencent à ressembler à des enfants » ou bien «ils agissent comme des enfants». Il est clair qu'une partie de la définition de l'enfance, dans l'esprit des adultes, se trouve dans la nature de leurs jeux.

Même les enfants reconnaissent cette analogie entre le jeu et leur propre définition de l'enfance. Dans une entrevue qui traitait des livres pour enfants en compagnie de quatre fillettes de dix ans, l'une d'elles dit : «Je lis cette histoire d'une fille de mon âge d'il y a vingt ans - vous savez, aux environs de 1960 - et elle paraît tellement plus jeune que moi dans tout ce qu'elle fait. Par exemple, elle pouvait jouer à la poupée ou à d'autres jeux d'enfants, ou sauter à la corde ou n'importe quoi d'autre. » Les autres fillettes étaient d'accord pour dire qu'elles aussi avaient remarqué la contradiction entre elles et les personnages des livres d'autrefois. Conclusion : ces enfants avaient plus l'air «enfant ». «Alors, que faites-vous dans vos temps libres, si vous ne jouez pas avec des poupées, si vous ne sautez pas à la corde ou si vous ne vous adonnez pas à toutes ces choses qui faisaient la joie des enfants d'il y a vingt ans ? » leur demanda-t-on. Elles se mirent à rire et répondirent : «Nous regardons la télévision. »

Mais peut-être que d'autres éléments sociaux ont causé l'abandon des jeux par les enfants. Les enfants sont davantage exposés aux réalités des adultes. Leur connaissance de la sexualité adulte par exemple, pourrait les rendre plus blasés, moins portés à jouer comme des enfants. Cependant, le témoignage venant des communautés de contre-culture, pendant les années soixante et soixante-dix, ont ajouté du poids à la controverse qui prétend que c'est la télévision avant tout qui a éliminé les jeux chez les enfants. Des études effectuées sur des enfants élevés dans différentes communautés ayant proscrit la télévision, démontrèrent que leurs enfants continuaient de s'amuser avec ces jeux qui ont tous disparu de la vie des enfants nord-américains élevés de façon «conventionnelle ». Et pourtant, ces enfants de la contre-culture étaient exposés avec insouciance à toutes les variétés de choses dites «adultes » comme la drogue et la sexualité libérée. En effet, ils faisaient parfois de ces «choses » un jeu : «Nous nous accouplons », dit un couple de six ans à un reporter pour expliquer leurs secousses et leurs grognements curieux. Néanmoins, pour tous les observateurs, les enfants des communautés conservèrent un comportement d'enfant et même d'innocence, cette impression était produite par le fait qu'ils passaient la plus grande partie de leur temps à jouer. Leurs jeux les plaçaient dans ce monde à part qu'est l'enfance.

Ce ne sont pas tous les enfants qui ont perdu le désir de jouer comme ils le faisaient autrefois. Mais aussi longtemps que ceux qui sont les plus populaires, ceux qui mènent leur groupe et qui sont souvent les plus précoces «domineront» les jeux, ces autres voudront faire comme eux, et il sera plus difficle pour ceux qui veulent jouer comme autrefois, de le faire. Les parents observent souvent que leurs enfants sont gênés de s'adonner à ces jeux si courants auparavant et n'en parlent jamais aux autres. «Ma fille, en cinquième année, joue encore avec des poupées, dit une mère, mais elle les cache au sous-sol, là où personne ne les verra. » Cette «contrainte » sociale sur l'instinct du jeu contribue à hâter la fin du processus de l'enfance, même chez les enfants moins précoces.

Ce qui semble maintenant avoir remplacé le jeu dans la vie d'un grand nombre de jeunes adolescents dès la quatrième année, c'est un intérêt qui se développe pour le sexe opposé : «sortir » ou «être ensemble », tels sont les leitmotivs. Ces activités n'impliquent pas nécessairement d'aller quelque part ou de se prêter à des activités sexuelles quelconques, mais néanmoins, elles constituent la première étape d'un processus dans la sexualité qui commençait habituellement à la puberté ou même plus tard. Ces enfants plus blasés, déjà impliqués dans de telles attitudes manifestement «peu enfantines », expliquent sans équivoque la mauvaise opinion qu'ils ont des enfants qui *jouent* encore. «Certains des élèves en classe sont vraiment étranges, dit un garçon de cinquième année. Ils n'ont pas envie de sortir ; ils s'intéressent aux camions ou à des trucs du même genre, ou encore ils s'amusent à prétendre qu'ils sont des monstres. Certains *n'essaient même pas* d'être dans le vent. »

LES JEUX VIDÉO CONTRE LES BILLES

Y a-t-il vraiment une grande différence, entre cette bande d'enfants qui s'amusent avec des jeux vidéo pendant des heures, et cette marmaille qui avait l'habitude de passer d'aussi longs moments à jouer aux billes ? C'est facile de trouver une similitude entre les deux activités : chacune demande une certaine somme de dextérité manuelle, chacune est aussi amusante à regarder qu'à jouer, chacune est simple et offre une stimulation suffisante pour ce groupe d'âge de jeunes adolescents, pour qui le temps peut être tellement accablant, s'il n'est pas bien rempli.

La différence significative entre la marotte des jeunes adolescents modernes pour les jeux vidéo et ce passe-temps des billes autrefois populaire mais maintenant disparu, est de nature économique : s'amuser aux jeux vidéo coûte vingt-cinq cents pour environ trois minutes de jeu ; les billes, après un léger investissement initial, c'est gratuit. Les enfants qui hantent les machines de jeux vidéo font une dépense considérable de pièces de vingt-cinq cents pour subventionner leur plaisir ; deux, trois ou quatre dollars s'avère être une mise de fonds normale pour un enfant de huit ou neuf ans qui passe une heure ou deux avec ses amis à jouer aux *Astéroïdes*, à *Pac-Man* ou avec *Les envahisseurs de l'espace*. Pour la plupart des enfants, l'argent provient de leur allocation hebdomadaire. Certains augmentent le montant fixé en mettant sur pied des«entreprises» commerciales : achat et vente de bandes dessinées ou travaux domestiques pour faire un surplus d'argent.

Mais quelle différence peut entraîner l'*origine* de l'argent ? Pourquoi cela devrait-il rendre les jeux vidéo moins acceptables comme amusement pour les enfants ? Ils doivent payer pour s'amuser, et comme la durée du divertissement est limitée par les ressources financières de chacun, la nature du jeu est transformée, diminuant les satisfactions qu'il offre. Temps et argent sont étroitement liés, comme ils le sont si souvent dans le monde des adultes; dans le passé, cette corrélation était à peu près inexistante dans le monde de l'enfant. Pour l'enfant qui joue aux billes, le temps est exempt de soucis ; il s'amuse. Il doit seulement penser à rentrer à la maison pour le souper ou avant la nuit.

Mais l'enfant qui s'amuse avec les jeux vidéo doit supporter un fardeau additionnel. Il doit faire un choix, à savoir que l'argent utilisé pour jouer à *Pac-Man* pourrait être mis de côté pour Noël,pourrait être utilisé pour acheter quelque chose de «matériel», peut-être quelque chose «qui vaut la peine», comme diraient ses parents, plutôt que de le «gaspiller» dans les jeux vidéo. Il y a une certaine sensation d'être un adulte dans le fait de dépenser de l'argent, on note donc un sentiment d'accomplissement qui fait la distinction entre le prix d'une partie et son équivalent parmi les jeux traditionnels de l'enfance autrefois joués pour rien.

Il y a aussi d'autres nuances à considérer. À l'inverse des parties engagées et organisées par l'enfant comme la partie de billes, les jeux vidéo sont des machines créées par les adultes, qui ne sont pas entièrement contrôlées par l'enfant et qui ont alors moins de chance de leur donner un sentiment de domination et d'accomplissement : la pièce de monnaie peut se bloquer, la machine peut s'affoler, les petits *monstres* peuvent cesser de manger les drôles de petits légumes. Alors, l'enfant doit aller trouver le responsable pour se plaindre, pour se faire rembourser son argent. Il peut être volé ou perdre simplement sa pièce de monnaie, comme ses parents quand ils achètent un appareil qui ne fonctionne pas. Ce «désastre » toujours possible donne au jeu des enfants une certaine «responsabilité » que les billes n'ont jamais imposée aux joueurs, qui s'amusaient d'un coeur léger.

Même si un enfant possède un jeu vidéo à la maison qui ne nécessite donc pas de mise de fonds, l'amusement qu'il procure est moins satisfaisant. Le bruit de la machine est infernal, habituellement trop fort pour soutenir une conversation facilement avec un autre enfant. Cependant, selon les plus enthousiastes, ce bruit même est une partie de l'attrait du jeu. Les sifflements sonores, le fracas et les vrombissements des machines de jeux vidéo «cassent la tête » et créent une excitation assez différente de celle que l'on ressent simplement en essayant de gagner la partie. Une partie traditionnelle de billes produit peu d'excitation en elle-même ; elle en amène, mais elle vient entièrement des hautes performances des joueurs. Alors que le rythme d'une partie de billes est proche du rythme physiologique naturel des enfants, les activités délirantes des jeux vidéo servent à «survolter » l'enfant de façon artificielle, sensiblement comme le ferait un stimulant ou des amphétamines. En attendant, l'impact d'un jeu vidéo est semblable à celui de la télévision, car l'action, après tout, se passe sur un écran de télévision ; il amène une légère défocalisation de l'oeil et crée ainsi une certaine altération dans l'esprit de l'enfant.

La réaction instinctive des parents, quant à l'implication de leurs enfants dans les jeux vidéo, apporte un autre indice sur la distinction entre cette forme actuelle de jeux et les passe-temps traditionnels tels que les billes. Alors que les adultes, parents ou non, prenaient un franc plaisir à regarder jouer les enfants, la plupart des parents d'aujourd'hui n'ont aucun plaisir à regarder leurs enfants s'«exciter » avec «Pac Man ». Cela ne leur semble pas être un vrai jeu. Comme la mère de deux enfants d'âge scolaire l'explique avec inquiétude : «Quand j'étais enfant, nous faisions des «choses d'enfants ». Nous bâtissions des forts, nous montions des pièces de théâtre emballantes et nous inventions de nouveaux langages : en général nous jouions tout simplement. Mais aujourd'hui, mes enfants ne jouent pas du tout comme ça. Ils aiment les jeux vidéo et bien sûr, ils sortent pour pratiquer des sports dans les salles réservées à cet effet. Ils font du patin à roulettes, du patin à glace, du ski et un peu de tout. Mais on n'a jamais l'impression qu'ils *jouent* réellement. »

Une partie de ce sentiment résulte probablement d'une certaine nostalgie pour le passé et d'une opposition de la génération précédente envers les procédés différents de la nouvelle. Mais, probablement que la plupart des adultes ont une compréhension instinctive de l'importance du jeu dans leur enfance. Ce sentiment entretient la crainte que leurs enfants soient privés de quelque chose d'irremplaçable, parce qu'ils n'ont qu'à donner une chiquenaude sur les leviers des machines vidéo pour manipuler les images électroniques, au lieu de donner une pichenette pour envoyer une bille vers une autre.

LA PERTE DES JEUX

Outre l'influence de la télévision, certains parents et enseignants attribuent le manque d'enthousiasme décroissant des enfants pour les jeux, aux changements récents dans les programmes scolaires, spécialement aux premiers niveaux.

«Le jardin d'enfants, par tradition un port d'entrée pour les jeux en groupe, devient plus académique avec l'enseignement aux enfants d'apprentissages spécifiques : ils passent des tests et, à l'occasion, ils ont des devoirs à faire à la maison ; c'est par là que débute un rapport sur les nouvelles directives pour la première éducation de l'enfance. [1] Selon le recensement des États-Unis, la proportion des enfants de trois et quatre ans inscrits à l'école a augmenté de façon spectaculaire, de 20,5% à 36.7% en 1980, et ces maternelles ont largement suivi le mouvement vers l'accélération académique dans les premiers niveaux. Bien plus, les maternelles «bourgeoises» ont introduit au cours des dernières années une partie importante de matériel académique dans leurs programmes quotidiens, utilisant souvent ces formules particulières destinées à l'origine à aider les enfants d'âge pré-scolaire dépourvus de culture : c'est-à-dire des programmes de compensation, tels que «Headstart», permettant de rejoindre le niveau des enfants des classes moyennes. Bien sûr, une partie de l'accroissement de ces apprentissages académiques dans les maternelles et jardins d'enfants est reliée à la grande popularité parmi les jeunes enfants et leurs parents de *Sesame Street,* un programme qui était destiné aux enfants qui ne pouvaient profiter des apprentissages académiques, mais qui était regardé par presque tous les jeunes enfants.

Les parents de la génération *Sesame Street* demandent souvent un programme «sérieux» pour leurs enfants d'âge pré-scolaire, craignant que l'ancien programme concentré sur le jeu ennuie leur bambin de quatre et cinq ans qui débitent sans respirer l'alphabet et scandent leurs chiffres. Quelques parents, surtout ceux dont les enfants n'ont pas vu ces programmes ou n'ont pas été à la maternelle, se plaignent du rythme trop rapide d'éducation que l'on donne actuellement dans les jardins d'enfants. Un père dont la fille de cinq ans fréquente un jardin d'enfants déclare : «Il y a beaucoup plus de tension chez les petits enfants maintenant, que nous en avions lorsque nous étions nous-mêmes enfants, c'est certain. Ma fille n'est jamais allée à la maternelle et n'a jamais regardé *Sesame Street,* et elle a eu beaucoup d'ennuis quand elle est entrée au jardin d'enfants, cet automne. En octobre, au bout d'un mois et demi de programme, elle a presque dû abandonner. L'institutrice nous a dit qu'elle ne pouvait pas suivre. Et croyez-moi, c'est une enfant brillante ! Tous les autres enfants obtenaient des étoiles d'or et des sourires pour leur travail, et, chaque jour, Émilie revenait à la maison en pleurs parce qu'elle n'avait pas eu d'étoile. Vous vous souvenez, quand nous étions au jardin d'enfants ? Nous étions des *enfants*. Nous avions seulement le droit de *jouer*. »

Une institutrice dans un jardin d'enfants confirme cette tendance qui prône un apprentissage académique précoce. «Nous sommes obligés d'obéir aux lois importées par le système scolaire, par conséquent, il nous faut appuyer le programme, » explique-t-elle. Les enfants ne peuvent plus s'asseoir et jouer avec des blocs. Nous n'avons réussi qu'à obtenir une heure de jeu par semaine, le vendredi. »

L'importance qu'on donnait à la fantaisie, au jeu et aux activités d'imagination dans la première éducation de l'enfant n'existe plus. La concentration croissante au niveau de l'acquisition précoce des apprentissages académiques a favorisé une modification de la vie de l'enfant, qui n'était jadis qu'un «jeu » mais qui est devenue un simulacre du style de vie des adultes : le tout restauré sur la détermination, la concentration, la réussite,l'esprit de compétition. De la même façon que les adultes, ces «travailleurs » trop précoces ne redeviendront pas «joueurs» quand ils entreront à l'école primaire. Cet abandon des jeux est sûrement l'une des raisons pour lesquelles tant d'instituteurs disent, aujourd'hui, que leurs élèves de troisième et de quatrième années agissent comme des hommes d'affaires épuisés, plutôt que comme des enfants.

Quelles pourraient être les conséquences de cette transformation dans les jeux des enfants ? La propension de ceux-ci à s'engager dans cette série bizarre de comportements décrits comme «jeux » est peut-être la seule grande ligne de démarcation entre l'enfance et la vie adulte, et il en a probablement été ainsi depuis toujours. Les jeux de pure fantaisie (jeux d'imitation) que les anthropologues ont enregistrés chez les enfants dans les sociétés primitives démontrent l'universalité du jeu, son caractère unique chez les jeunes de chaque société. Mais dans ces sociétés, et probablement dans la société occidentale avant le milieu ou la fin du dix-huitième siècle, il y avait toujours une certaine similitude entre les jeux d'enfants et le travail des adultes. Les jeux d'imagination de l'enfant prirent les divers aspects de la vie adulte pour les imiter, ce qui s'est terminé par la transformation graduelle du jeu, depuis l'imitation jusqu'au travail *réel*. À ce moment-là, aussi bien dans les sociétés primitives que dans notre société d'autrefois, l'enfant a pris sa place dans le monde du travail très tôt : la distinction entre le monde des adultes et celui de l'enfance disparut alors presque complètement. Mais dans notre société de technologie avancée, il n'y a même plus de place pour l'adolescent dans le monde du travail. Il n'y a pas assez de travail pour employer les adultes, même dans les tâches les plus serviles, donc, pas question d'employer des adolescents. L'adolescent doit continuer à dépendre des adultes pendant plusieurs années, tandis qu'il acquiert les connaissances et l'habileté nécessaires pour devenir un travailleur à part entière.

Ce phénomène n'est pas nouveau pour les enfants. Pendant des siècles, ils ont supporté une période prolongée de dépendance, bien au-delà de leur incapacité à voler de leurs propres ailes. Mais jusqu'à récemment, les adolescents restèrent «des enfants » joyeux beaucoup plus longtemps que maintenant. Tenus isolés du monde des adultes à cause du maintien de la «discrétion » sur certains sujets et d'une surprotection évidente, les enfants continuèrent à trouver du plaisir dans des activités puériles jusqu'à ce que les impératifs de l'adolescence les amènent à se débattre pour obtenir leur indépendance et leur autonomie.

Aujourd'hui toutefois, avec l'entrée des enfants dans le monde adulte par le truchement de la télévision et son style d'éducation qui se veut préparatoire et intégrationniste, les anciens jeux ne semblent plus procurer aux enfants suffisamment d'encouragement et de stimulation. Qu'est-ce que ces pseudo-enfants vont faire pour parvenir à un accomplissement d'eux-mêmes, si leur désir de jouer a été corrompu et que déjà leur entrée dans le monde du travail doit être retardée pendant plusieurs années ? En réponse, il faut précisément s'impliquer dans ces domaines qui alarment tellement les parents d'aujourd'hui : trop de télévision pendant les années scolaires, puis au cours de l'adolescence et même avant, la quête de l'oubli grâce à l'alcool et aux drogues ; l'exploration de la sensualité et de la sexualité avant d'avoir atteint la maturité émotionnelle nécessaire pour entreprendre des relations dépourvues d'égoïsme.

Au cours des dernières années, les psychiatres ont observé parmi les enfants une augmentation croissante de la naissance de dépressions nerveuses, un état longtemps considéré comme étant contradictoire à la nature de l'enfance. Peut-être ce phénomène est-il en quelque sorte relié à l'impression courante d'inutilité et de désaffection que les enfants ressentent, une impression que les jeux ont pu autrefois avoir maintenu en rémission pendant un temps.

CHAPITRE 4 - LA FIN DU JEU

1. *Current Population Reports* (Washington, D.C. : Bureau of the Census, 1980).

DEUXIÈME PARTIE

LES RACINES DU CHANGEMENT

CHAPITRE 5

L'ENFANCE D'AUTREFOIS

AVANT L'ENFANCE

Quand nous nous attristons au sujet de la disparition de l'enfance, il est important de se souvenir que l'enfant véritablement «enfant » n'a pas toujours existé. La nouvelle intégration des enfants dans la société des adultes marque un retour à une certaine conception de l'enfance qui existait déjà il y a des siècles. Comme l'historien Philippe Ariès l'a signalé dans son étude qui fait autorité, *Centuries of Childhood* (Des siècles d'enfance)[1], la notion d'enfance en tant que période à part ne fut universellement acceptée que pendant les deux derniers siècles. Avant ça, depuis le Moyen Âge jusqu'au début du dix-septième siècle, dans les pays sous-développés jusqu'au dix-huitième siècle et même au dix-neuvième siècles, les enfants n'étaient pas considérés comme des êtres spécialement différents des adultes. Ils étaient plutôt traités partout comme des semi-adultes, quelque peu inférieurs à ceux-ci.

Il est entendu qu'il y a toujours eu une période de la vie reconnue comme étant le jeune âge ou la petite enfance, quand l'organisme humain réclame une nourriture capable de le protéger. Bien sûr, on ne laissait pas les petits enfants du Moyen Âge se débrouiller tout seuls (bien que beaucoup d'entre eux moururent à la suite d'accidents, de maladies ou de malnutrition). Les nourrissons étaient considérés comme des êtres à part du reste de la population, et cette distinction se manifestait non seulement par des soins particuliers et de la nourriture spéciale, mais par des vêtements particuliers, des berceaux et des lits d'enfant personnels, et même quelques jouets rudimentaires expressément dessinés pour eux. Mais après l'âge de six ou sept ans, l'ère de la dépendance était terminée. On croyait alors que les enfants avaient atteint «l'âge de raison », et à partir de ce moment, on s'attendait à ce qu'ils prennent leur place dans le tourbillon de la société médiévale, pour travailler et «jouer » aux côtés des adultes. Dès cette époque, il n'y avait plus de séparations «réelles » pour distinguer les enfants des adultes - pas de vêtements, de livres ou de jouets caractéristiques, pas de comportement adapté aux enfants, pas d'écoles spéciales, avec des niveaux différents où les enfants auraient été séparés toute la journée.

Il est difficile de penser à des enfants de sept ou huit ans qui travaillent pour gagner leur vie dans le cadre des fonctions adultes, et qui se mettent en route le matin avec leur petit porte-documents, pour leur bureau ou leur atelier. Nous pouvons comprendre plus facilement l'intégration des enfants dans le monde du travail des siècles passés, quand nous nous rappelons que le travail, en ces jours de pré-industrialisation, se trouvait le plus souvent dans les arts et métiers que les écoles et les camps de l'âge du progrès offrent aujourd'hui aux enfants en guise de distraction. Citons des activités telles que le filage, le tissage, la vannerie, la fabrication des bougies, etc., qui étaient autrefois effectuées à la maison par les enfants. Tout cela est maintenant disponible dans des trousses d'équipement spécial vendues par *Childcraft, Creative Playthings,* etc. L'agriculture aussi - plantation, travail du sol ou récolte - , une autre occupation importante au Moyen Âge, semble attirer aussi les enfants d'aujourd'hui, au moins aussi longtemps qu'elle n'est pas obligatoire et est appelée «expérience scientifique » plutôt que «travail commandé ».

Les passe-temps qui occupaient les temps libres au Moyen Âge étaient adaptés de manière à ce que les adultes puissent les partager avec les enfants. On en trouve la preuve à travers d'anciens tableaux et de vieux écrits qui montrent que plusieurs des jeux traditionnels d'aujourd'hui réservés aux enfants - chat perché, cache-cache ou colin-maillard - amusaient autrefois un grand nombre d'adultes. Les adultes chantaient et racontaient des histoires en guise d'agrément. Certains de ces mêmes contes recueillis plus tard par les frères Grimm étaient alors considérés comme convenant parfaitement à un groupe composé à la fois d'enfants et d'adultes. Nous avons grandi avec l'habitude de considérer les contes de Grimm comme des histoires pour les enfants, mais nous nous sommes rarement demandés à quel point le sujet de la plupart d'entre eux pouvait être «adulte ». Ce sont en fait, des contes d'amour sexuel, de mariage, de jalousie et de puissance politique ; ce sont en grande partie les éléments d'imagination et de métamorphose qui les rendent intéressants pour les enfants.

Il est probable que les adultes de ce temps-là étaient plus «enfants » dans le sens moderne du mot - c'est-à-dire plus simples dans leurs pensées et leurs agissements qu'ils ne le devinrent plus tard à l'intérieur de sociétés plus complexes. Ils étaient sans doute plus «enfants » c'est-à-dire plus spontanés, moins embarrassés, dans leur façon d'être. Comme nous l'apprenons dans le livre *Montaillou*[2] de Le Roy Ladurie, au cours d'une description détaillée de la vie quotidienne au quatorzième siècle, les hommes et les femmes qui vivaient il y a six siècles avaient des conceptions beaucoup plus simples du temps, de l'espace et du passé que celles que nous trouvons aujourd'hui chez les adultes. Ils semblent avoir manifesté une plus grande simplicité d'émotion aussi, comme le démontre leur empressement à rire ou à pleurer au cours des événements de chaque jour. Nous retrouvons la preuve de cette qualité d'«enfant » parmi les adultes de l'Antiquité que nous rencontrons dans une oeuvre telle que l'*Odyssée* d'Homère, où des guerriers endurcis fondent souvent en larmes - de joie ou de souffrance - sans la moindre gêne. Dans des études anthropologiques sur les sociétés primitives, nous découvrons fréquemment des traits d'«enfant » similaires (Ceux-ci ne sont pas des traits de caractère «infantiles » ; ils ne sont puérils que par leur comportement qui ressemble à celui que, récemment, nous en sommes venus à associer spécialement aux enfants.) »

Exactement comme nous trouvons que les adultes avaient l'air plus «enfant » au Moyen Âge, nous considérons aussi que les enfants étaient *moins* «enfants » à ce moment-là qu'ils semblaient l'être à des périodes plus récentes, du moins au niveau de leur innocence envolée quant à la vie des adultes et particulièrement à leur sexualité. Jusqu'à récemment, cette innocence a été presque toujours synonyme d'enfance. Mais il y a longtemps, alors que les enfants étaient tout à fait intégrés à la vie adulte, on ne pouvait pas faire de mystère sur la sexualité ou les sujets qui, plus tard, furent considérés comme inconvenants pour ceux qui appartenaient à l'«âge tendre » : la souffrance, l'injustice, la fourberie, la peine, la mort, par exemple. Comment les enfants auraient-ils pu garder leur naïveté, quand il fallait souvent qu'une famille entière partage un grand lit, ou du moins une seule chambre à coucher ? L'intimité, dans le sens que nous lui donnons aujourd'hui, pouvait difficilement exister dans la société médiévale ; les réalités de la vie et de la mort ne pouvaient être dissimulées à aucun membre de la maisonnée. Bien plus, il n'est jamais venu à l'esprit de qui que ce soit que de telles choses *devraient* être cachées aux enfants.

LE COMPORTEMENT ET LE SEXE

Quand nous considérons les différences caractéristiques de comportement entre les enfants et les adultes des temps modernes, nous réalisons qu'à un degré élevé, c'est le comportement même des adultes qui a été la cause de cette distinction entre eux et les enfants. En société, les enfants de six, sept ou huit ans qui n'ont pas reçu de formation ne peuvent avoir la même délicatesse que les adultes les plus désinvoltes possèdent facilement en public. Il est naturel pour les enfants de manger sans manières et de faire sans la moindre restriction des observations inconvenantes, telles que : «Pourquoi es-tu si gras? » «Qu'est-ce que c'est, cette grosse chose sur ton nez? » ou encore, de parler en public de leurs besoins naturels («Maman, je dois absolument aller faire pipi, » etc.) et ainsi de suite.

Comme Norbert Elias l'a remarqué dans son histoire des comportements, *The Civilizing Process* (Les bonnes manières), ce n'est que depuis les siècles derniers que les critères des adultes sont devenus plus contraignants et ont demandé plus de contrôle de soi, choses que les enfants ne peuvent maîtriser sans qu'on le leur apprenne. Au cours du Moyen Âge, il va sans dire qu'on insistait beaucoup moins sur le comportement et la répression des instincts naturels en public que durant les siècles suivants. On vivait au temps où les adultes mangeaient avec leurs doigts, s'essuyaient le nez sur leur manche, rotaient et pétaient n'importe où, urinaient en public et, en général, se comportaient comme les jeunes enfants le feraient aujourd'hui, si on ne les éduquait pas. Si la civilisation réside dans le comportement, la répression et la maîtrise de soi comme certains le suggèrent, il va de soi qu'il y en avait vraiment moins aux douzième et treizième siècles, chez les adultes comme chez les enfants, d'ailleurs.

La preuve de l'absence du comportement dit «civilisé » au Moyen Âge peut se vérifier dans les livres rédigés expressément sur la manière de se comporter, qui commencèrent à paraître aux quinzième, seizième et dix-septième siècles. Ceux-ci contenaient des avertissements comme : «Ne vous touchez pas sous vos vêtements, avec vos mains nues », «Il est grossier de saluer quelqu'un qui est en train d'uriner ou de déféquer », «Ne laissez personne, pendant ou après un repas, tôt ou tard, souiller les escaliers, les corridors ou les armoires avec leur urine ou autre ordure », «Ne laissez pas vos parties intimes être exposées à la vue. » De telles instructions nous sembleraient appropriées, sous une certaine forme, pour éduquer nos jeunes enfants. Mais ces livres étaient destinés aux *adultes,* mettant en évidence le fait que jusque là, la société avait admis pour tous de «faire ce qui vient naturellement ». Le besoin de changer ce comportement naturel et «sans façon » des enfants en un comportement toujours plus raffiné et contraignant d'adulte provoqua rapidement l'établissement d'un programme d'éducation très rigoureux pendant la période de l'enfance. Avant que les enfants n'acquièrent ces bonnes manières, leur comportement était bien entendu sensiblement différent de celui des adultes, et cette dissemblance nous aide à les définir en tant qu'enfants. Comme Elias le faisait remarquer, les enfants «doivent atteindre en l'espace de quelques années un niveau élevé de progrès alors que cette amélioration a mis plusieurs siècles à se développer. D'où violentes réactions de répugnance et d'humiliation chez les enfants. Les instincts innés doivent être rapidement assujettis à un contrôle strict et à une formation spécifique qui font la marque de nos sociétés et qui se sont affirmés lentement au cours des siècles. »[3]

Pour cette raison, au Moyen Âge, avant qu'un code rigoureux n'existât pour les adultes, la disparité entre l'adulte et l'enfant était notablement plus réduite qu'elle ne le fut plus tard, lorsque les enfants passèrent leur prime jeunesse à apprendre comment adopter un comportement «correct ».

C'est peut-être l'absence de courtoisie qui permit aux gens du Moyen Âge d'être plus ouverts et moins refoulés au sujet des choses sexuelles que dans les périodes qui suivirent. L'idée de dissimuler absolument les instincts ou les relations sexuelles n'est pas plus venue à l'idée des gens du Moyen Âge que le besoin de réprimer un rot. Mais quand la sexualité devint «tabou » et que la dissimulation prit une part importante dans le comportement quotidien, il fut nécessaire d'isoler complètement les enfants de tout ce qui concernait la sexualité. C'est seulement ainsi que les parents pouvaient être certains que les enfants, dans leur impétuosité ou leur imprudence, ne violeraient pas les codes de plus en plus rigoureux de la société sur le «mystère » de la sexualité. À force d'être tenus dans un état d'ignorance totale au sujet du sexe, les enfants devinrent vraiment complètement différents des adultes dans ce domaine important. Ils n'avaient jamais eu, bien sûr, la capacité de reproduction des adultes. Il y avait maintenant une nouvelle séparation entre ces deux périodes de la vie : les adultes *savaient* (plus ou moins) ce qu'était le sexe et avaient des besoins sexuels ; les enfants ne connaissaient rien sur la sexualité et étaient censés n'avoir aucune poussée sexuelle.

Ça demande beaucoup d'imagination, aujourd'hui, pour concevoir une société qui ne fait pas «vraiment voir » les enfants comme étant fondamentalement différents des adultes. Sinon, comment pouvons -nous expliquer autrement l'étrange déformation dans les peintures et dessins médiévaux ? Nous nous retrouvons toujours devant ce phénomène : les artistes de cette période, traduisent parfaitement les proportions physiques des adultes, alors qu'ils négligent d'observer les proportions caractéristiques qu'ont les enfants dans la vie réelle, des dimensions non seulement réduites, mais essentiellement *différentes* de celles des adultes : la tête est disproportionnée par rapport au corps, les yeux sont trop grands, les membres courts et ronds. Nous discuterons encore, dans la dernière partie de ce livre de ces caractéristiques physiologiques qui distinguent les enfants et qui ont été appelés les traits néoténiques (retard du développement du corps) avec l'ethnologue Konrad Lorenz, ce dernier suggérant qu'ils servent une fonction évolutive particulière, dans laquelle ils déclenchent un comportement protecteur des adultes envers les enfants. Il est alors significatif de noter une omission apparemment délibérée, peut-être même une suppression de la conscience des gens du Moyen Âge, pendant une période où les enfants étaient intégrés au monde adulte plutôt que d'être protégés par lui.

UNE TRANSFORMATION RADICALE

Vers la fin du dix-huitième siècle, une transformation radicale des relations humaines se produisit, une transformation que l'on pourrait appeler une révolution à la façon de celle de Copernic au niveau de ce que l'on pensait jusque là au sujet de l'enfant et de l'enfance. Après des siècles d'indifférence à l'égard de ces exigences qui distinguent les enfants des adultes - même de l'ignorance que les enfants *avaient* de tels besoins - la société commença à manifester un nouvel intérêt vis-à-vis de la nature particulière inhérente à l'enfance. «Aimez l'enfance, écrivait Jean-Jacques Rousseau en 1762, dans «l'Émile », son traité sur l'éducation.

Laissez libre cours à ses jeux, à ses plaisirs et à sa nature aimable. Qui n'a pas regretté cet âge où le rire est toujours symbole de paix. Pourquoi enlever à ces jeunes innocents le plaisir de ce temps si court qui leur échappera à jamais? » Quel contraste que cette attitude avec ce que l'on pensait au siècle précédent, quand les enfants partageaient les jeux et les plaisirs des adultes, quand ceux-ci pouvaient vraisemblablement pousser un soupir de soulagement en quittant l'enfance, cette période de la vie où ils avaient été les membres modestes et inférieurs d'une société orientée vers l'âge adulte. Lorsque l'enfance était enfin terminée, ils étaient au moins beaucoup plus à l'aise à l'intérieur de leur travail quotidien et dans leurs divertissements. Alors que les idées classiques des dix septième et dix-huitième siècles, qui insistaient sur la raison, étaient remplacées par une importante vague de romantisme, les enfants furent considérés d'une nouvelle façon. Comme on ne les voyait plus comme des êtres inférieurs, on en vint à les «idéaliser » pour ce qui était maintenant reconnu comme leur apanage : imagination, pureté, innocence, confiance, inconscience, sans compter une intimité avec la nature que les adultes ne pouvaient atteindre. Au dix-neuvième siècle, la nostalgie de Rousseau pour l'enfance a engendré un véritable culte pour l'enfant et on a eu la conviction que l'enfance est supérieure à n'importe quelle période de la vie, une ode bien connue de Wordsworth, *Intimations* (Suggestions), résume la nouvelle idée romantique de l'enfance qui présente les autres cycles de la vie comme des étapes décroissantes. «Le ciel est en nous, dans notre enfance! » dit le poète, mais «l'ombre de la captivité se rapproche du garçon qui grandit. » Observant justement la tendance universelle des enfants à vouloir grandir aussi vite qu'ils peuvent, Wordsworth s'exclame : «Toi, petit enfant, déjà glorieux en puissance/ D'une liberté née du ciel sur ta grandeur d'être,/ Pourquoi te précipites-tu vers des peines tellement sincères/ Les années qui vont t'apporter l'inévitable joug, / Comme un aveugle, avec ta félicité en conflit?» Aucun poète médiéval n'aurait exhorté les enfants à retarder l'instant des conflits qu'ils menaient pour atteindre le monde des adultes. La société de ce temps-là aurait considéré cette idée comme stupide.

Observez l'image de l'enfance qui ressort du passage suivant de Lewis Carroll, cet idolâtre notoire de l'innocence de l'enfance lorsqu'il parle de l'inspiration originale de son conte, *Alice au pays des merveilles :* «Comment étais-tu, amour d'Alice, aux yeux de ton père adoptif ? Quelle idée se fera-t-il de toi ? Aimable d'abord, aimable et douce... ensuite confiante, prête à accepter les plus folles extravagances avec la confiance la plus absolue que seuls les rêveurs connaissent ; enfin, curieuse, follement curieuse, jouissant du plaisir avide de la vie qui naît seulement dans le refrain heureux de l'enfance, quand tout est nouveau, tout beau, et quand le péché et le chagrin ne sont que des mots - des mots vides ne signifiant rien ! »

À quel point l'enfant décrit ici est différent du petit homme solide que nous trouvons dans les gravures et les écrits médiévaux ! Et pourtant, d'après des mémoires, des évocations et même des photos, nous pouvons croire que les enfants de l'ère victorienne et edwardienne étaient vraiment confiants, aimables, doux et curieux de tout ; ils semblaient réellement aimer sincèrement la vie. Les changements dans le comportement de l'enfant entre ces deux périodes furent les conséquences directes d'une nouvelle attitude de protection et d'éducation attentives ; ils avaient introduit un nouveau courant dans la façon d'élever les enfants, à cette époque. Car avec le concept romantique de l'enfance qui maintient cette période de la vie dans un contexte de pureté de de bonté fondamentales, préservée, les enfants sont isolés des influences perverses du monde adulte, qui pourrait ternir l'éclat naturel des enfants. En conséquence, comme l'enfant était isolé du monde et protégé de toutes mauvaises influences, il grandit vraiment en accord avec cette image idéalisée et en faisant appel aux sentiments. C'est seulement dans cette ambiance trop raffinée qui entourait les enfants après le dix-huitième siècle, qu'ils se transformèrent. De «petits » adultes blasphématoires produits par le Moyen Âge, ils devinrent ces petites créatures bénies dont Carroll fit l'apothéose. Ainsi, comme les enfants présentèrent aux adultes une image d'êtres à part, confiants et tendres, ces derniers les traitèrent avec plus d'attention, plus de protection que jamais auparavant.

Qu'est-ce qui a amené ce grand changement d'attitude envers les enfants et l'enfance ? Une façon de le comprendre est de reconnaître que l'ancienne manière de traiter les enfants, sans faire de différence, en les intégrant au monde adulte, les préparait mieux pour la vie qu'ils devaient mener dans le système féodal, alors que l'attitude protectrice, séparatiste, qui apparut au cours du dix-huitième siècle et atteint son apogée pendant le dix-neuvième, forma les enfants selon un modèle de comportement qu'une économie pré-industrielle, puis industrielle demandait. Dans une économie de plus en plus complexe, il n'était plus possible pour les enfants de s'intégrer simplement au monde adulte et de jouer le rôle d'adultes quelque peu inférieurs, mais néanmoins utiles. Cela avait marché dans les siècles passés, quand les enfants servaient comme assistants chez les agriculteurs ou comme ouvriers dans la construction, ou encore comme apprentis dans les métiers. Dans un tel système, les qualités requises pour exécuter les tâches qu'on leur demandait étaient l'obstination, la persévérance, le courage et l'esprit d'indépendance, des vertus plus rapidement acquises si un enfant se libère précocement des liens de ceux qui l'ont élevé. Bien plus, ce sont des caractères qui, en quelque sorte, ne semblent pas étrangers à la nature de l'enfance. Nous pouvons observer des enfants encore jeunes et inexpérimentés qui s'obstinent et persévèrent naturellement dans leurs recherches - dans leurs jeux, dans leurs efforts pour réaliser leurs désirs aussi vite que possible. Nous voyons, souvent la mort dans l'âme, des enfants qui agissent avec un courage et une indépendance impressionnants, se suspendant parfois à la fenêtre d'un cinquième étage par «défi du danger », même si nous attribuons un tel comportement à l'inexpérience et si nous considérons que de tels enfants sont téméraires plutôt que braves. Dans le monde du travail de l'agriculture et des petits métiers du temps passé, les enfants pouvaient aider sans avoir à apprendre et ils étaient récompensés pour leur courage et leur esprit d'indépendance naturels. Mais les rôles que les enfants devaient jouer éventuellement dans une société de plus en plus urbanisée et bureaucratisée demandaient de nouveaux styles d'apprentissage qui pouvaient se faire seulement à travers la recherche constante d'une longue éducation. Non seulement les enfants avaient-ils besoin d'acquérir des connaissances dans des sphères intellectuelles, lecture et calcul mathématique, entre autres choses, mais ils avaient aussi à apprendre de nouveaux modèles de comportement. Ces derniers n'étaient pas innés chez l'enfant. Lentement et difficilement, on aidait les enfants à acquérir de telles qualités : la collaboration, le tact et la délicatesse en société, des formes d'enseignement dont ils auraient besoin un jour dans les nouveaux travaux disponibles pour les adultes dans les villages et les villes.

Bien plus, le travail des enfants dans un système complexe n'étant plus requis, ceux-ci ne devaient plus travailler dès leur jeune âge, (au niveau des classes bourgeoises). Au lieu de cela, ils passaient de plus en plus de temps dans des écoles compartimentées selon leur âge, éloignés des adultes et en compagnie d'enfants de leur génération. Protégés maintenant de la réalité des adultes, à la fois parce qu'ils en étaient séparés pendant la plus grande partie de la journée et à cause de la décision prise délibérément de préserver leur innocence, les enfants commencèrent à ressembler à des «enfants » dans leur comportement - même si c'était seulement par contraste avec leurs aînés, plus raffinés et plus complexes. (Les adultes du Moyen Âge peuvent sembler assez puérils si on les compare à ceux de siècles plus récents.)

La nouvelle sollicitude qui naquit envers les enfants et qui remplaça le comportement désinvolte du passé peut aussi s'expliquer par l'apparition et l'acceptation graduelle du concept de la psychologie de l'évolution. Cette doctrine avait pris racine dans les écrits de Locke au dix-septième siècle et dans ceux de Rousseau au dix-huitième, elle prit de l'importance au dix-neuvième siècle avec le travail de John Dewey. Pour la première fois, les enfants étaient étudiés, observés et comparés avec les adultes ; ceux-ci commencèrent à considérer l'enfance comme une étape importante de la vie, étroitement reliée à l'âge adulte. Ils comprirent enfin que la période de l'enfance a un impact direct sur la vie adulte. Maintenant, les parents savaient que la façon dont ils élevaient leurs enfants, les choix de leurs méthodes d'éducation (les nourrir au sein ou au biberon, leur donner la fessée ou non, être sévères ou indulgents), avaient des conséquences précises et peut-être irréversibles.

CHAPITRE 5 - L'ENFANCE D'AUTREFOIS

1. Philippe Ariès, *Centuries of Childhood : A Social History of Family Life,* traduction Robert Baldick (New York : Alfred A Knopf, 1962).
2. Emmanuel Le Roy Ladurie, *Montaillou : The Promised Land of Error,* traduction Barbara Bray (New York : Vintage Books, 1979).
3. Norbert Elias, The Civilizing Process, vol. 1, *The History of Manners,* traduction Edmund Jephcott (New York : Pantheon Books, 1982), pp. 129-31, 140.

CHAPITRE 6

LA NOUVELLE ÉDUCATION

L'INFLUENCE DE FREUD

Un jalon important sur le chemin du retour à l'intégration des enfants dans la société adulte a été posé par Freud, avec sa théorie sur la sexualité de l'enfance, à l'intérieur de laquelle on retient spécialement le complexe d'Oedipe. Aujourd'hui, l'hypothèse d'un amour entre un tout petit enfant et son parent du sexe opposé est rarement contestée ; c'est presque accepté comme un fait scientifique. Mais lorsque Freud formula d'abord l'idée qu'un petit garçon de trois ans pourrait avoir de vrais désirs sexuels pour sa mère, l'hypothèse fut accueillie avec incrédulité. Une société qui idéalisait et «romantisait » les enfants en qualité de petits êtres naïfs pouvait facilement être étonnée par une idée si complètement différente de celle que l'on se faisait de l'enfance.

Comme cette nouvelle idée sur le développement de l'enfant démontrait que les petits enfants n'étaient pas ces joyeux chérubins glorifiés dans les chansons et les histoires du dix-neuvième siècle, les parents commencèrent à admettre que les enfants pouvaient ressentir de la jalousie et de la colère, et pas uniquement de l'amour et une gaieté angélique. Mais en acceptant l'enfant tel que le voyait Freud, la société reçut beaucoup plus que cette nouvelle image d'un enfant à problèmes. Sans qu'on s'en rendit compte, cette conception établit les bases initiales selon lesquelles l'enfance était intégrée à la vie à part entière. Car dans l'idée de Freud, enfants et adultes sont assujettis à des passions semblables. Tout comme Oedipe, selon le psychanalyste, l'enfant, dans ses désirs, diffère énormément de l'adulte dans son aptitude à les réaliser : la nature de sa sexualité est semblable à celle de l'adulte. Dans les colères et les jalousies de l'enfant, la différence suggérée est quantitative, non qualitative.

La plus fidèle interprète de Freud, sa fille Anna, avait prévu le choc qu'allait avoir son auditoire de professeurs face à ce nouvel archétype sur l'enfance quand elle leur dit : «Vous savez, j'ai partout interprété les émotions et les actes des petits enfants en les comparant aux manifestations correspondantes des adultes, et je décris le comportement de l'enfant dans une langue généralement utilisée seulement pour celui des adultes. Ainsi, j'ai transformé le désaccord ordinaire de l'enfant avec ses frères et soeurs en désir sérieux de mort ; et les rapports tout à fait innocents et tendres du garçon envers sa mère en ceux d'un homme qui désire une femme. »[1] En effet, continuait-elle, c'*est* ce qui est à la base du comportement de l'enfant.

Les idées de Freud, au sujet de l'enfant, ont une influence tellement profonde sur toute la pensée contemporaine qu'on a cru qu'il était inévitable que les mêmes critères émotionnels soient appliqués aux enfants et aux adultes. Et pourtant, cette perspective de l'enfance n'est peut-être pas une vérité indéniable.

On ne remet pas pour autant en question ici les découvertes de Freud sur les mécanismes du coeur et de l'esprit humain, surtout ceux qui révèlent l'influence puissante de l'inconscient sur le comportement de l'être humain - ce qui est certainement un apport sensationnel au niveau de la connaissance scientifique. Personne ne peut nier le rapport important qu'il découvrit entre les expériences de l'enfant en bas âge et celles propres à l'enfance comme telle, avec les déformations de la personnalité qui s'ensuivent plus tard dans la vie. Mais à la base de cette perspicacité, il y a l'hypothèse, à laquelle on ne peut s'opposer, d'une identité fondamentale existant entre les enfants et les adultes, ce qui permet d'interpréter leurs comportements selon les mêmes critères. On peut différer d'opinion sur l'existence d'une telle identité. D'abord, les différences physiologiques qu'on retrouve surtout dans la chimie du cerveau, entre enfants et adultes, supposent au préalable que certains comportements similaires peuvent avoir à l'origine des raisons différentes : il faut donc leur attribuer également un sens différent.

Comme Erich Fromm[2] l'a remarqué lorsqu'il fit une critique déférente des théories de Freud, il y a une autre façon de voir les soi-disant passions éodipiennes de l'enfant qui supposerait au préalable une plus grande distinction entre la façon d'agir des enfants et celle des adultes.«L'attachement désespéré de l'enfant à sa mère est loin d'être forcément basé sur un réel désir sexuel, suggère Fromm, même si c'est ce qu'un tel attachement signifie souvent pour un adulte. Bien plus, le désir de l'enfant pour retenir l'attention exclusive de sa mère peut révéler non pas le désir d'un rapprochement sexuel, mais plutôt un élan de tendresse juvénile causé par cet état merveilleux de sécurité totale qu'elle lui a procuré pendant les premières périodes de la vie. En outre, cette déclaration habituelle que Freud cite comme preuve du conflit d'Oedipe, à savoir «Quand papa va mourir, je vais me marier avec toi, Maman » peut être interprétée uniquement comme une rage meurtrière et une forme de lubricité, affirme Fromm, si on ignore les vraies différences qui existent entre les enfants et un adulte. En fait, le petit garçon de quatre ans ne sait pas ce qu'est la mort ; il veut seulement que son père s'en aille afin que sa mère soit à lui seul. » Du point de vue raisonnable de Fromm, cette théorie d'une relation sexuelle, ou même du désir d'un enfant de quatre ans à l'égard d'une femme adulte semble assez tirée par les cheveux.

Pour séparer les enfants des adultes, rien n'avait été plus efficace que d'établir le concept de l'innocence propre à l'enfance et de l'absence supposée de besoins sexuels chez l'enfant. Avec le complexe d'Oedipe, Freud fit voler cette image en éclats ; il rapprocha l'enfant de l'adulte, plus près qu'ils ne l'avaient été pendant des siècles. Dans un certain sens, sa théorie replaça l'enfant une nouvelle fois dans le contexte où il se trouvait au Moyen Âge, c'est-à-dire en qualité d'une miniature de l'adulte.

LE PARENT PSYCHANALYSTE

Il fut un temps où les parents croyaient qu'aussi longtemps qu'ils nourriraient leurs enfants, qu'ils les garderaient en sûreté, qu'ils leur donneraient tous les avantages, ils grandiraient correctement. À ce moment-là, la tâche principale des parents était de former et de socialiser, d'enseigner à leurs enfants à se conformer à ce qu'attendait d'eux la société dans laquelle ils étaient nés.

Quand l'idée freudienne de l'enfance admise dans des petits groupes de spécialistes et de patients des années 1920 et 30, commença à s'infiltrer dans la conscience universelle des parents de toutes les classes de la société, la confiance des parents s'envola. Soudain, les parents furent conscients d'une chose effrayante : eux seuls portaient la responsabilité d'une croissance «normale » pour leur enfant ou d'une croissance qui en ferait un adulte névrosé, cinglé. Un coup d'oeil furtif sur un spectacle qui ne leur est pas destiné pourrait causer l'insomnie, l'impuissance, la peur absurde des chevaux, ainsi de suite, plusieurs années plus tard. De plus, entre le traumatisme initial et la névrose qui en résulte, il semblerait bénéficier en apparence d'une enfance normale, ce qui rendit la situation encore plus déconcertante. Comme ces virus à longue incubation qui provoquent des symptômes mineurs quand ils se déclarent et, vingt ans plus tard, deviennent des scléroses multiples, les mauvais calculs des parents, leurs faux pas, leurs incompréhensions et leurs erreurs pourraient conduire, après une longue interruption, aux conséquences les plus fâcheuses. Lorsque cette nouvelle théorie s'ancra dans la tête des gens à la fin des années 1960, elle facilita l'adoption générale d'un nouveau style d'éducation pour l'enfant qui n'était plus concentré sur sa socialisation, mais sur sa santé mentale.

Suggérer qu'un nouvel élément est entré dans les relations parent-enfant au cours de la dernière génération, ne veut pas dire que les parents n'ont pas utilisé la psychologie dans les méthodes d'éducation avant 1970. Après tout, dans les années 1920 et 30, les parents avaient commencé à modérer la trop grande attention qu'ils portaient aux enfants, car ils avaient une nouvelle compréhension de son développement et de sa psychologie. Cette compréhension était basée en grande partie sur les théories de Freud. En effet, vers 1950, les moyens de répression qui avaient caractérisé l'éducation de l'enfant au temps de Freud devenaient chose du passé et des mesures plus «tolérantes » basées sur la psychologie les avaient remplacés.

Mais le style «tolérant » de l'éducation de l'enfant des années cinquante, même inspiré par les idées de Freud, continua de fonctionner selon le vieux principe de parent-organisateur, de l'enfant-apprenti, qui remontait justement au temps de Freud. En effet, quand les pratiques libérales des années cinquante et soixante sont comparées au véritable nouveau style d'éducation qui suivit, il est évident que l'esprit d'autoritarisme, si modifié soit-il, dominait encore les parents, pour qui Spock était l'autorité en ce temps-là. Alors que les parents des années 1940 et 50 étaient sans doute psychologiquement beaucoup plus perspicaces que ceux des périodes précédentes (ce qui permit à l'enfant d'avoir un certain comportement que les parents d'autrefois interdisait), en réalité, ce sont eux qui continuèrent à prendre toutes les décisions au sujet de l'éducation de l'enfant. Le parent «tolérant » dit : «Daniel ne mangera pas ses épinards, car il est dans une période où l'enfant n'aime pas la nouveauté. Nous essayerons les épinards l'an prochain et nous allons lui permettre de ne manger que des petits pois. » Anciennement, on aurait dit : «Daniel ne mange pas ses épinards parce qu'il est méchant garçon et il doit être puni. » Mais dans chaque cas, le parent contrôlait la situation : il prenait les décisions au sujet de la vie de l'enfant qui étaient basées sur des croyances et des principes bien implantés.

Cette nouvelle façon d'éduquer l'enfant, à partir des années 1970, pourrait bien porter le nom de formation «psychanalytique » ; elle suppose d'abord une collaboration distinctive beaucoup plus étroite entre parents et enfants. Le parent n'opère plus à partir de l'avantage de sa connaissance supérieure ou de ses convictions. C'est plutôt l'enfant qui s'engage comme complice dans sa propre éducation. À chaque pas, le long du chemin, le parent essaie de découvrir la raison du comportement de l'enfant et celle de ses propres réactions. Et quand l'enfant se conduit mal, les parents ne font pas usage de la «psychologie de l'enfant » pour l'amener à un comportement socialement plus acceptable. Au lieu de cela, ils essaient de lui faire «comprendre » pourquoi il se conduit comme il le fait : ils lui donnent en fait les éclaircissements qu'un thérapeute pourrait apporter à un patient. D'une certaine façon, le parent devient un psychanalyste.

C'est le sociologue Talcott Parsons [3] qui compara d'abord le rôle de psychothérapeute au rôle de parent dans l'éducation d'un enfant, évoquant certaines similitudes entre une maladie mentale et le statut de l'enfant dans la famille. «L'enfant, dit Parsons, ne peut pas fonctionner en indépendant dans une société adulte, exactement de la même manière qu'une personne malade. » «Le succès de la psychothérapie, explique-t-il, prend sa source dans cette identification d'avant-garde, entre la condition de l'enfance et celle de la maladie mentale. » En regard de ce témoignage (même si Parsons n'a jamais continué dans cette voie), l'éducation de l'enfant peut être considérée comme une «cure » pour améliorer ou atténuer la condition anormale de l'enfance. Cette vue thérapeutique de l'état de parent est devenue, à des degrés variés, un phénomène normal aujourd'hui.

«En autant que je suis concerné, affirme un père de trois enfants de Bedford, New York, la grande différence entre grandir de mon temps et maintenant, ce n'est ni la télévision ni la révolution sexuelle. Nous nous trouvons aujourd'hui devant l'héritage de Sigmund Freud. Le fait important, c'est que ma femme et moi exposons clairement tous nos soucis aux enfants, d'une façon délibérée, au moment psychologique. C'est comme si notre famille était en grande séance de thérapie de groupe. Quelques fois, nous sommes tellement gauches au sujet de tout cela, que nous prenons autant de temps pour *parler* aux enfants de ce que nous avons fait avec eux, que nous en avons pris pour *faire* les choses avec eux.

Une mère de deux enfants décrit le même genre d'approche : «La moitié du temps quand nous parlons aux enfants, c'est presque une séance de psychanalyse, pour eux... et pour nous. Et nous avons fait cela avec eux dès leur plus jeune âge, leur expliquant ce qu'ils ressentaient et essayant de les sensibiliser aux choses que nous faisons. »

On a seulement à écouter l'intonation de voix particulière dont usent tant de parents d'aujourd'hui qui discutent avec leurs enfants, même ceux d'âge pré-scolaire, pour voir qu'une nouvelle attitude des parents envers les enfants a vu le jour. Il s'agit presque d'une conspiration. On assiste à une suite d'explications inlassables, voire de plaidoyers, non pour que l'enfant se soumette, mais pour qu'il *comprenne*, ce qui est devenu une façon d'agir naturelle de plusieurs parents.

Il devient manifeste que ce n'est pas exactement ce que les parents, même les plus progressifs, employaient comme méthode avec leurs enfants il y a dix ou quinze ans. C'est sûr que les parents des années 1950 et 60 passaient beaucoup moins de temps pour expliquer patiemment les choses à l'enfant. Mais il était question alors des actions du monde en général que les parents expliquaient aux enfants - le monde de la nature, de la politique, des relations sociales. Ils répondaient aux questions de l'enfant très sérieusement et sans condescendance, exactement comme les spécialistes de l'enfant le préconisaient (un pas dans la direction du rapprochement entre l'adulte et l'enfant), ils évitaient surtout le langage enfantin. En effet, d'après leur conversation avec l'enfant, ils auraient tout aussi bien pu s'adresser à un autre adulte. Mais en réalité, ils simulaient ! Ils restaient conscients que ce qu'ils faisaient était *bon* pour l'enfant et ainsi l'enfant se sentirait plus «adulte » (même s'il n'avait que quatre ans) ; cela pourrait même l'aider à développer de «l'habileté dans l'art du langage », selon eux. Jamais les parents n'oubliaient l'abîme qui les séparait de l'enfant.

Mais plusieurs explications laborieuses des parents d'aujourd'hui s'appliquent non pas à la façon dont vont les choses ou à la cause des phénomènes naturels, mais à leurs propres sentiments, leurs motivations, leurs anxiétés, leur manque de sécurité et à la signification possible des agissements réciproques entre l'enfant et eux-mêmes, au point de vue psychologique. Partout, les parents d'aujourd'hui s'expliquent «sur eux-mêmes », essayant de faire en sorte que leurs enfants comprennent, acceptent, pardonnent, plutôt que de simplement leur dire ce qu'ils doivent faire. Maintenant, les parents ne simulent plus ; l'enfant en est venu à être considéré comme un être égal sur le plan psychologique.

LES ANNÉES ENCHANTÉES

Les parents n'eurent pas à se faire psychanalyser pour être profondément influencés dans l'éducation de leur enfant par les hypothèses, a priori, de cette discipline sur le comportement humain.

L'expansion du soi-disant style psychanalytique d'éducation de l'enfant a été renforcée par la parution en 1959 d'un livre sur l'éducation de l'enfant qui fit autorité ; il était basé sur des principes psychanalytiques : *The Magic Years* (Les années enchantées), par Selma Fraiberg. De la même façon que le livre de Betty Friedan, *The Feminine Mystique* (La mystique féminine) éleva la conscience des femmes précisément à ce moment qui est crucial et où un grand nombre d'agents de mutation sociale avait convergé en même temps, parallèlement le livre de Fraiberg apparut au commencement d'une grande période de changement pour la famille nord-américaine. Il tomba dans l'oeil attentif des parents des années 1960 qui recherchaient une nouvelle façon d'élever les enfants, et il a conservé son influence jusqu'à ce jour. *

Une comparaison entre les idées de Fraiberg et celles de cet autre gourou des enfants qui a connu la gloire au même moment - le docteur Benjamin Spock, aide à comprendre la différence entre l'ancien style psychologique d'éducation et le langage psychanalytique moins autoritaire qui l'a remplacé aujourd'hui. On peut voir qu'une conception très différente de l'enfant et de l'adulte est au fond de chacun d'eux.

Le fameux manuel de Spock sur l'éducation des enfants sous-entendait par une simple, mais décisive présomption, «que des frontières distinctes existent entre les enfants et les adultes. Des parents sont des adultes, leurs enfants, des enfants, et des règles différentes s'appliquent à chaque groupe. » Le titre même de Spock, *The Common Sense Book of Baby and*

* Selon l'éditeur de Fraiberg, Charles Scribner's Sons, plus de 750,000 copies du livre *The Magic Years* avaient été vendues à la fin de 1982.

Child Care (Le livre du bon sens sur les soins du bébé et de l'enfant), insistait sur le fait qu'il s'adressait aux adultes qui avaient par nature suffisamment de bon sens pour réussir à traiter avec ces êtres moins raisonnables, les enfants. Les premies mots du livre, « Vous en savez *plus* que vous ne le pensez », insistaient sur les aptitudes des parents et établissaient la principale affirmation de Spock : les parents, de par leurs aptitudes à nourrir, protéger et employer des actions coordonnées d'un genre ou d'un autre, sont d'une espèce à part de celle des enfants. Du début à la fin, le livre manifestait la confiance dans les bons instincts des parents et leur capacité élémentaire à s'occuper de cette tâche : réussir à élever les enfants. Il est intéressant de noter que dans une édition revisée parue en 1968, les mots «common sense » (bon sens) avaient été enlevés du titre qui était devenu simplement *Baby and Child Care* » (Les soins du bébé et de l'enfant). C'est comme si la notion même de bon sens était maintenant opposée à une nouvelle prise de conscience partout dans le pays.

Le titre du livre de Fraiberg, *The Magic Years* (Les années enchantées), suscitait des sous-entendus moins rassurants, impliquant qu'il y a quelque chose au-delà du contrôle des parents, quelque chose d'«absurde », de «mystérieux », de vraiment «surnaturel », au sujet du développement de l'enfant. Le livre aurait pu commencer par cette phrase : « Vous en savez *moins* que vous ne le pensez » et se poursuivre dans le but de rassurer les parents en stipulant : «Vous n'en verrez jamais le fond. Prenez-y garde ! » Comme Fraiberg développait les conséquences inévitables des principes de la théorie psychanalytique telle qu'appliquée aux aspects pratiques de l'éducation de l'enfant, elle introduisit un nouvel élément d'incertitude dans l'esprit des parents, juste au moment où cette instabilité les assaillait déjà de toutes parts : incertitude au sujet de leur sexualité, de leur mariage, de leur gouvernement et de leur avenir économique. À ce moment, les parents commençaient à douter de leur aptitude à élever convenablement les enfants. En lisant *The Magic Years* (Les années enchantées), ce sentiment s'approfondit, non seulement parce que l'application des principes d'éducation de Freud par Fraiberg insistait sur les effets éventuellement destructeurs de l'autorité parentale ainsi que sur leur pouvoir sur le développement psychique de l'enfant, mais parce que, à chaque page, le livre impliquait une certaine égalité entre enfant et l'adulte. Celle-ci transforma l'éducation de l'enfant de la simple «tyrannie bienfaisante » qu'elle avait été pendant des siècles en une méthode plus *démocratique,* plus périlleuse, plus complexe, une méthode que bien des parents se sentaient impuissants à appliquer avec succès.

Observez la différence entre l'opinion de Fraiberg et celle de Spock au sujet de cette question tellement controversée de l'éducation de l'enfant : la fessée ou non. Spock est assez conciliant en ce qui concerne la fessée. N'allant pas jusqu'à recommander le châtiment corporel, il écrit :

> «Si un parent en colère se retient de donner la fessée, il peut être irrité d'une autre manière, en grondant l'enfant la moitié de la journée ou en essayant de lui faire sentir à quel point il est coupable. Je ne plaide pas spécialement en faveur de la fessée, mais je pense que c'est une méthode moins pernicieuse qu'adopter une attitude de longue réprobation : donner une fessée purifie l'atmosphère, aussi bien pour le parent que pour l'enfant. » [4]

L'hypothèse incontestable de Spock selon laquelle l'enfant est essentiellement différent de l'adulte devient claire, si nous essayons d'étendre cette théorie favorisant la fessée, aux relations entre les *adultes* . Nous savons très bien que le débonnaire Benjamin M. Spock ne conseillerait pas à un mari de gifler sauvagement l'épouse qui lui a déplu pour «purifier l'atmosphère », pas plus qu'il ne suggérerait que la meilleure façon pour une épouse de traiter un mari fâcheux, c'est avec un coup de pied bien placé. Non : pour les adultes, évidemment, le système de la «longue réprobation » et les rappels incessants à la culpabilité du conjoint sont préférables. Mais toujours selon Spock, les règles sont différentes dans les rapports parent-enfant.

Fraiberg, au contraire, condamne la fessée sans aucune équivoque.[5] La fessée, c'est trop facile, pense-t-elle, car elle ne laisse à l'enfant aucun reliquat de culpabilité. Voici quel est le raisonnement de Fraiberg contre la fessée :

> «Expérimenter une sensation de culpabilité d'avoir mal fait quelque chose est nécessaire au développement du contrôle de soi... Les sentiments de culpabilité sont indispensables au développement d'une conscience... Nous avons besoin d'utiliser les réactions de culpabilité d'un enfant dans son apprentissage du contrôle de soi... Si nous ne rendons pas un enfant responsable de ses actes, si nous traitons cet acte comme s'il était séparé de la personne, nous offririons seulement un système idéal pour encourager la fuite des responsabilités. »

Fraiberg parle de jeunes enfants, on doit s'en souvenir, âgés de trois à six ans. Nous sommes maintenant tellement accoutumés à ce genre d'approche que les mots ne nous paraissent pas être exceptionnels. Pourtant, il n'y a pas tellement longtemps, l'usage des mots «fuite devant les responsabilités » ou «développement d'une conscience » aurait semblé ridicule lorsqu'il est appliqué à un enfant de quatre, cinq ou six ans. La définition même d'un enfant de cet âge, vers 1945 ou même en 1957, impliquait le manque de responsabilité, l'insouciance et l'absence presque complète de conscience comme des évidences acquises et incontestables.

Fraiberg continue en expliquant pourquoi la fessée est mauvaise, à son avis :

> «Les leçons qu'un enfant doit tirer d'une fessée en principe échouent d'une façon ou de l'autre, si on veut en faire «un cas de conscience »... Les motifs pour contrôler les vilaines impulsions viennent de l'extérieur : il s'agit de la peur de l'autorité et de la peur de la punition; et nous trouvons qu'une conscience qui évalue sur ces bases n'est pas digne de confiance. Si la peur de la punition, plutôt que le sentiment de culpabilité de l'enfant, déclenche un signal de danger, il reste à l'enfant un grand nombre d'excuses possibles. Il lui faut seulement avoir besoin de s'assurer qu'il ne sera pas découvert, de façon à poursuivre ses espiègleries. Ou, en calculant les risques possibles, il peut décider de satisfaire ses désirs, même s'il doit le payer plus tard. Par contre l'enfant est capable de développer un sentiment de culpabilité en lui quand il fait quelque chose de «mal », tout un système de signaux d'alarme l'avertit alors et l'empêche d'agir. Contrairement à l'enfant dont le système de contrôle est «extérieur », cet enfant qui a une conscience n'a pas besoin d'un policier aux alentours pour contrôler son comportement. L'enfant doté d'une conscience a *son* propre policier à l'intérieur de lui-même. »

Mais un moment ! Quand vous y pensez bien, cet «enfant » que Fraiberg décrit, celui qui a une conscience «intérieure » n'a pas vraiment l'air d'un enfant. En fait, il paraît soupçonneux comme un adulte ! Pour un adulte, il est certainement préférable de vivre avec un enfant de vingt ans qui peut se contrôler lui-même. Et si, pour être plus précis, le parent n'est pas là pour surveiller le comportement de l'enfant, à cause de son travail ou des exigences de la vie sociale, c'est moins matière à préférence qu'une extrême nécessité d'avoir un enfant avec une conscience «intérieure ».

Fraiberg cite une «mère intelligente et consciencieuse » qui, un jour, la prit à partie au sujet de la controverse anti-fessée, parce qu'elle ne voulait pas que son enfant se culpabilise pour sa mauvaise conduite.La femme discutait : « Je pense qu'il vaut mieux gifler un enfant et que l'incident soit clos. Purifier l'atmosphère. Ensuite, tout le monde se sent mieux et on n'y pense plus. Quand j'étais enfant, je préférais de beaucoup la fessée de ma mère à la réprobation de mon père. Il n'avait qu'une chose à faire, c'était de me regarder avec des yeux pleins de reproches et je me sentais malheureuse. Avec ma mère, si j'étais méchante, j'avais une bonne gifle et c'était tout. Tous, nous préférions les gifles de ma mère à la réprobation de mon père. »

Ceci, bien entendu, est exactement ce que propose le docteur Spock. Il utilise lui aussi l'expression : «Purifier l'atmosphère ». De par son expérience de mère, cette femme confirme l'idée de Spock à l'effet que la fessée est plus facile à accepter pour un enfant, plus charitable, même comme punition. Fraiberg, toutefois, n'est pas aussi intéressée à la pitié qu'à l'efficacité. Elle croit que «les gifles de la mère enlèvent tout sentiment de culpabilité, tout sentiment de peine dans la conscience de l'enfant. » Elle croit que «l'enfant qui a eu la fessée et qui pense : «J'ai été méchant, j'ai payé pour ça, et maintenant, nous sommes quittes », s'en tire trop facilement. »

Encore que cela ait déjà paru être une entente parfaitement honnête entre un enfant et ses parents, laquelle a caractérisé la plupart des transactions familiales que l'on rencontrera à l'intérieur des enfances normales. Les gens *s'attendaient* à ce que les enfants se conduisent mal, soient méchants, et leur causent des ennuis. Une partie de la définition distinguant l'enfant de l'adulte réside dans son caractère impulsif et son empressement à risquer de se faire punir pour explorer, expérimenter ou assouvir un désir. Personne n'a douté que les jeunes «voyous » qui volaient des pêches dans le verger du fermier Lebrun, qui fumaient des barbes de maïs derrière l'étable, qui s'accrochaient à un adulte pour entrer voir un film défendu, qui faisaient du chantage auprès de leurs soeurs aînées quand ils les prenaient en train de «flirter », grandiraient pour devenir d'honnêtes citoyens consciencieux qui ne voleraient pas, ne feraient pas de chantage et ne se déroberaient pas à leurs responsabilités. L'enfance était *différente*.

Dans *The Magic Years* (Les années enchantées), Fraiberg ne recommande jamais aux parents de ne pas être fermes et catégoriques, ni que les enfants ne soient pas traités comme des enfants. Mais, de la même façon qu'une confiance parfaite dans le bon sens des parents imprègne tous les écrits du docteur Spock, il y a dans Fraiberg comme dans Freud un sentiment de complexité, d'ambiguïté face à toutes les choses qui peuvent devenir néfastes, non seulement si le parent ne *fait* pas les choses exactes, mais »aussi s'il ne les *ressent* pas de façon exacte. Le livre eut un impact involontaire : il causa une baisse de l'esprit de décision dans les actes des parents et la transformation de l'éducation de l'enfant en une collaboration parent-enfant. Même ce dernier comportement parental, qui porte encore le vieux nom initiatique «d'apprendre à aller aux toilettes » s'est transformé il y a peu de temps en une période prolongée de négociations désespérées pour les parents et d'entêtement de la part de l'enfant ; ceci, grâce à une nouvelle prise de conscience de la signification psychologique profonde de l'événement et une compréhension de ce qui peut mal tourner s'il n'est pas accompli dans les règles que Fraiberg et d'autres conseillers orientés vers les méthodes psychanalytiques communiquaient. Tout cela a changé maintenant.

De nos jours, apprendre à aller aux toilettes marque le commencement d'une relation parent-enfant dans laquelle l'enfant ressent facilement l'incertitude et le manque de confiance. L'enfant, bien sûr, n'a pas lu Freud et n'a aucun indice quant au *pourquoi* de l'insécurité des parents, néanmoins, il utilise cette incertitude à son avantage pour gagner à sa façon dans d'autres périodes de la socialisation. «Ne jette pas de nourriture sur la table, chéri», devient un genre de négociation qui aurait été au-delà de la compréhension des parents d'autrefois, pour qui le fait de renverser de la nourriture était un comportement inconvenant pour l'enfant, un comportement qui devait être rapidement et inexorablement écrasé dans l'oeuf ; c'était un comportement - quoi de plus ? - qui n'avait en soi aucune relation, dans l'esprit de ces parents rétrogrades du passé, avec le développement sexuel de l'enfant, ou avec sa contrainte anale-orale, ou encore avec n'importe quoi d'autre.

UNE TERRIBLE AUTONOMIE

Plutôt que d'engager un petit enfant à entamer certaines négociations avec ses aînés comme s'il était un égal, les parents d'autrefois croyaient qu'il fallait briser leur volonté, tôt dans la vie. Dans une étude sur l'éducation puritaine de l'enfant du dix-septième siècle en Amérique[6], l'historien John Demos examina l'effet d'un style répressif d'éducation sur le développement de la personnalité d'un enfant. En étudiant les documents historiques d'une période où prévalait un système d'éducation rigide et inflexible, Demos nota certaines caractéristiques psychologiques des adultes de cette communauté qui semblaient reliées à leur expérience précoce. Une observation semblable des changements récents dans l'éducation des enfants, partout dans la société, pourrait pareillement éclairer certaines caractéristiques psychologiques des adultes et des enfants actuels.

En utilisant le modèle psychanalytique du développement de l'enfance précoce[7] de Erik Erikson, Demos étudia la façon d'agir des Puritains avec les enfants à deux périodes de leur vie. De la naissance à environ deux ans, c'est la période où, selon Erikson, les bases élémentaires de la confiance et de la sécurité sont développées pour la vie. Entre deux et cinq ans, c'est le temps où l'enfant doit développer son autonomie et une identité séparée de celle de ses parents pour gagner l'estime de soi. L'enfant en bas âge jouissait d'une vie douillette pendant les deux premières années de son existence, étant nourri au sein jusquà douze ou seize mois, bénéficiant d'une ambiance familiale généralement chaleureuse, intime et agréable. Tout changeait de but en blanc au cours de la seconde année de l'enfant.

Dans la Nouvelle-Angleterre colonisée, juste à l'âge où l'enfant commence normalement à exprimer *ses* volontés et à explorer les frontières de son indépendance vis-à-vis de ses parents, sa détermination était terriblement mise à l'épreuve. C'était la confrontation habituelle entre ce que les Puritains croyaient être le «péché originel » qui se manifestait dans l'assurance naissante de l'enfant et l'autorité des parents qui représentait la volonté de Dieu. Ainsi, juste au moment où, selon Erikson, la tâche principale de l'enfant est de former son autonomie et de développer la fierté et l'estime de soi qui en découlent, l'enfant puritain voyait tous ses projets contrariés sur tous les plans.

Quel était le résultat d'une telle façon d'agir ? Selon le cheminement d'Erikson, si on empêche l'autonomie de se développer à cette période cruciale de la vie, cela laisse un sentiment durable mêlé de honte, de culpabilité, de doute et d'insécurité. Et en effet, poursuit Demos, ces sentiments étaient très évidents pendant les premiers temps de la colonie. On nous apprend que les Puritains étaient engagés dans une recherche incessante du pardon de Dieu et souffraient d'un complexe de culpabilité. Les coutumes puritaines telles que l'humiliation des coupables par le pilori ou l'envoi de lettres écarlates indiquent à quel point les membres de cette société étaient particulièrement vulnérables à la honte et à l'humiliation.

Il est clair que quelque chose de très important a changé dans nos caractères psychologiques. L'idée que de forcer quelqu'un à mettre un vêtement portant un symbole scandaleux quelconque est ridicule et aurait le plus léger impact sur la population actuelle. Pourquoi la moitié du monde semble-t-elle porter aujourd'hui des T-shirts qui proclament fièrement : «Je ne suis plus vierge » ou toute une variété de messages dégradants, embarrassants ?

On peut s'expliquer la présente absence de ce sentiment de honte en regardant l'enfant actuel durant cette période de développement où il lutte pour son autonomie. Pendant que le tout petit enfant puritain entamait une bataille (l'affirmation de soi) qu'il lui était impossible de gagner, l'élève de la maternelle d'aujourd'hui a à peine à lever le petit doigt pour gagner la victoire. Non seulement les parents sont conscients, grâce à leur compréhension, que ça m'apporterait rien au développement psychologique de l'enfant d'entraver ses efforts pour gagner son indépendance, mais ils réalisent aussi que ça ne leur apporterait rien à eux-mêmes. Dans une société d'adultes luttant pour ces problèmes personnels - économiques, sociaux, sexuels, et plusieurs autres - les parents sont moins enclins à saborder les efforts d'un enfant qui veut se tenir debout ! S'il y a quelque chose que l'enfant d'aujourd'hui est encouragé à réaliser rapidement et efficacement, c'est l'autonomie, la «séparation » d'avec sa mère, l'indépendance.

Les enfants et les jeunes adultes d'aujourd'hui, élevés selon les nouveaux principes de tolérance, sont particulièrement ouverts, dénués de toute forme de timidité et n'éprouvent aucun sentiment de culpabilité. Les gens plus âgés sont souvent pris au dépourvu devant les manières insouciantes et cavalières, le je-m'en-fichisme que les jeunes d'aujourd'hui étalent dans leurs relations avec les adultes, que ce soient les parents, les enseignants, les directeurs d'école ou des étrangers qu'ils rencontrent par hasard et à qui ils ne donnent jamais leur siège dans l'autobus. Il est sûr que cela est conforme aux prévisions d'Erikson proclamant qu'un enfant à qui l'on a permis de développer son autonomie librement pendant sa première enfance sera confiant de ne connaître la gêne quelconque. Mais ce que les adultes d'aujourd'hui regrettent, peut-être sans qu'ils s'en rendent compte, c'est seulement une petite parcelle de cette pudeur qui semblait faire partie intégrante de l'enfant autrefois, si Erikson a raison ce serait le résultat de l'éducation répressive de l'enfant. Car il est certain que jamais auparavant les enfants n'ont surgi de la première enfance avec une autonomie tellement parfaite, tellement parfaitement épouvantable.

CHAPITRE 6 - LA NOUVELLE ÉDUCATION

1. A. Freud, *Psychoanalysis for Teachers and Parents,* p. 41.
2. Erich Fromm, *Greatness and Limitations of Freud's Thought* (New York : Harper & Row, 1980).
3. Talcott Parsons, ''The Social Structure of the Family'', in Ruth Nanda Anshen, ed., *The Family : Its Function and Destiny* (New York : Harper & Row, 1949).
4. Benjamin M. Spock, *The Common Sense Book of Baby and Child Care* (New York : Duell, Sloan & Pearce, 1949). Revised edition : *Baby and Child Care* (New York : Pocket Books, 1968), p. 338.
5. Selma Fraiberg. *The Magic Years* (New York : Charles Scribner's Sons, 1959). Les passages cités sont tirés des pp. 246-50, 253 et 250-51.
6. John Demos, ''Infancy and Childhood in the Plymouth Colony'', in Michael Gordon, ed., *The American Family in Socio-Historical Perspective* (New York : St. Martin's Press, 1973).
7. Erik Erikson, *Childhood and Society* (New York : W.W. Norton, 1963).

CHAPITRE 7

LA FIN DE L'UNION ÉTROITE

LES FEMMES ET LES ENFANTS D'ABORD

«Les femmes et les enfants d'abord! » était autrefois le cri qu'on entendait quand le bateau coulait. Dans ce temps-là, tout le monde savait que le «sexe faible » aussi bien que les «tout-petits » demandaient des soins particuliers et plus de protection.

Si nous considérons notre changement d'attitude envers les enfants au cours des récentes années, et particulièrement notre conviction que la protection ne leur sert plus vraiment, il est important d'examiner les transformations qui se sont produites dans l'attitude de la société envers les femmes, et les idées que les femmes ont maintenant à l'égard d'elles-mêmes. Car exactement comme les femmes et les enfants faisaient autrefois partie d'un même groupe qui nécessitait une attention spéciale à bord d'un bateau, ainsi, pendant au moins deux siècles, les femmes et les enfants étaient reliés de façon très complexe comme «en union étroite »? C'est cette unification qui permettait à l'enfance de se développer à part, comme séparée du monde adulte ordinaire par des frontières rigides. Et sans contredit, c'est l'interruption de cette «étroite union » et la fin de l'exclusivité entre mères et enfants, commençant dans les années agitées de 1960, qui firent enfin passer les enfants de leur domaine protégé dans le vaste monde.

Avant le dix-huitième siècle, avant que la «famille moderne », telle une cellule nucléaire, trouve sa voie, avant que l'industrialisation et l'urbanisation n'altèrent les anciennes formes de travail, en emmenant les hommes de la maison ou de la ferme à des lieux de travail éloignés, laissant aux femmes le «soin de la maison et des enfants », les femmes étaient aussi nécessaires au fonctionnement adéquat de l'économie que les hommes. Les femmes filaient, tissaient, fabriquaient une grande variété de pièces d'artisanat et de denrées alimentaires, ou elles travaillaient aux champs à côté des hommes. Le travail était en accord avec le sexe, comme il l'était autrefois, mais, de bien des façons, les sexes étaient dans l'interdépendance économique. Après le premier âge et le commencement de l'enfance, les enfants aussi travaillaient selon leur sexe, les filles travaillaient à la maison sous la surveillance des femmes, les garçons aidaient aux travaux et apprenaient des métiers d'hommes selon la tradition. En ce temps-là, il n'existait aucun sentiment que les enfants étaient le domaine réservé des femmes.

Alors, les femmes perdirent leur importance économique. Comme les articles variés qu'elles avaient autrefois faits elles-mêmes commencèrent à être fabriqués en usine et comme leurs corvées agricoles furent prises en charge par les hommes et les machines, les femmes furent isolées de plus en plus dans leur foyer. Et il n'y a rien de surprenant à ce que, devenant plus dépendantes de l'homme, économiquement et affectivement, on en vint à les considérer comme des êtres faibles et vulnérables, ayant besoin de protection.

Un livre de conseils pour «jeunes dames » publié en 1830 conseillait que «dans quelque situation de la vie où une femme est placée, de son berceau à la tombe, un esprit d'obéissance et de soumission, de souplesse de caractère et d'esprit d'humilité lui sont demandés ». Un autre écrivain fait les remarques suivantes sur les femmes en 1854 : «Elle se sent faible et timide. Elle a besoin d'un protecteur. » Ou comme Grace Greenwood écrivit en 1850 : «La véritable intelligence féminine est à tout jamais timide, indécise et accrochée à la dépendance ; une enfance perpétuelle. »[1] De la compagne robuste à la plante qui s'accroche, les femmes avaient certainement fait beaucoup de chemin - même si ce n'était pas dans la bonne direction.

Il n'est donc pas surprenant que les enfants aussi subirent une métamorphose similaire ; de subordonnés remplaçables, relativement indépendants (bien que très peu) dans le système économique féodal, ils devinrent des charges de famille, ayant besoin de soins, de nourriture et de protection.

UN ATTACHEMENT DÉTERMINANT

Comme la puissance des femmes diminuait au cours des années, il y eut un domaine où leur influence augmenta au centuple ; leur rôle de mère. En effet, au tournant du siècle, un «culte de la maternité » était né, célébrant le lien mère-enfant et introduisant le concept d'un amour et d'un soin maternel exceptionnel et unique.

Que l'attachement entre un enfant et sa mère ait une portée particulière sur sa conséquence dans la vie adulte, une compréhension si largement acceptée aujourd'hui qu'elle est considérée comme indubitable est, nous sommes surpris de le constater, une conception relativement moderne. Avant la révolution des idées au sujet de l'enfance qui eut lieu au dix-huitième siècle, il n'aurait pas été raisonnable de suggérer que les attachements précoces d'un enfant puissent affecter son développement de façon immuable. Ce n'est pas que les mères d'autrefois n'aimaient pas leurs enfants ; toute la littérature, de la Bible à l'oeuvre d'Homère et des anciens Grecs, fourmille d'exemples d'amour maternel. Mais l'idée qu'il existe quelque chose de *déterminant* au sujet de l'amour maternel, que sans lui l'enfant puisse ne pas réussir n'était pas dans la conscience des gens du passé. Observez cet exemple de carence maternelle dans la pièce de Shakespeare : *Le conte d'hiver*. Quand une nouvelle mère, Hermione, est injustement accusée d'infidélité par son mari jaloux, Perdita, leur bébé, lui est enlevée et abandonnée sur une côte sauvage et déserte. La chance lui souriant, le nourrisson est trouvé par un berger fruste mais bon, et élevé par lui. Toutefois, personne n'est particulièrement surpris que la petite fille grandisse et devienne sage, noble, et parle avec éloquence, tout à fait différente de ses parents adoptifs, et ne se ressente pourtant nullement d'aucun traumatisme causé par la carence maternelle précoce. Aujourd'hui, nous nous attendrions à ce qu'une telle enfant grandisse et devienne une inadaptée sociale sans pitié. En fait, l'histoire du sort de la petite Perdita nous rappelle le mythe d'Oedipe, dans lequel le héros de la tragédie commence sa vie de la même façon, abandonné au froid de l'hiver. Et là encore, personne, même pas Freud, n'a été surpris que cet enfant, maltraité et négligé, devienne un beau jeune homme, héroïque et capable d'aimer (même si ce n'est pas un amour très favorable, c'est sûr), après ses expériences précoces si terribles.

Comme la société donnait une plus grande importance aux mères, et que les mères et les enfants devenaient de plus en plus étroitement unis, un changement se produisit dans l'attitude envers les enfants. Ces derniers commencèrent à rendre une partie de leur candeur, de leur puissance, qui leur avaient été reconnues dans la société - une puissance, en fait, qui avait été à certains moments une source de crainte. Par déduction, on procédait comme ceci : si les femmes sont faibles, dépendantes, et qu'elles ont tout pouvoir sur les enfants, alors ces derniers sont plus faibles et plus dépendants que les femmes. En effet, si les femmes doivent être considérées comme des êtres sans ressource ayant besoin de la protection des hommes, alors à quel point les enfants doivent-ils avoir besoin de protection contre les dangers de ce monde ! Pas étonnant que les enfants soient devenus des motifs de soins anxieux et d'éducation protectrice, quc jamais on ne leur avait accordés avant.

L'idée croissante de l'enfant comme un être faible et complètement dépendant de la mère pour l'amour et les soins conféra une nouvelle puissance aux mères qui s'en étaient trouvées privées. Ces mères étaient conscientes, même à leur insu, que dans leur situation et leur comportement enfantin envers les hommes, elles ne réalisaient pas leur pleine mesure. En effet, pour les femmes, c'était une source d'amour-propre compensatoire d'être capable d'exercer sur leurs enfants le même pouvoir que les hommes avaient sur elles. C'était le message clairement exprimé d'un autre écrivain du dix-neuvième siècle qui s'extasiait sur ses lectrices : «Si, devenant mères, vous avez atteint l'apogée de votre bonheur, vous avez aussi pris une place élevée dans l'échelle sociale... vous avez gagné un accroissement de pouvoir. [2]

L'idée romantique de l'enfance comme une période privilégiée de bonheur n'est pas reliée à l'ancienne position des femmes en tant qu'objets de vénération, en tant qu'êtres qui se comportaient selon des lois totalement différentes de celles des hommes. Car, précisément, comme les hommes du dix-neuvième siècle ont donné dans le romantisme et idéalisé les qualités purement «féminines » que les femmes étaient supposées posséder - pureté, esprit spirituel, piété, modestie instinctive - il fut possible de différencier les enfants des adultes au moyen de qualités à part que seuls les enfants possédaient - imagination, espièglerie. Et exactement comme ces qualités «féminines » furent cause du fait que les hommes traitèrent les femmes d'une manière spéciale, ainsi les différences qui attirent la sympathie chez les enfants firent qu'ils furent enfermés encore plus étroitement dans le monde du foyer et de la famille. Lentement, dans leur prison douillette et protégée, ces deux êtres à part, presque «mystérieux », la femme et l'enfant, se fusionnèrent en un tout inséparable où l'un obtenait les moyens de subsistance et l'autre sa raison d'être. L'éducation des enfants devint l'occupation première, exclusive, presque sacrée des femmes. L'amour maternel en vint à être considéré comme l'élément le plus important de l'expérience précoce de l'enfant. Une symbiose était formée, une union étroite qui fut renforcée, presque cimentée en un bien sacré par les écrits de John Bowlby et autres qui insistèrent sur le développement émotionnel de l'enfant.

Il faut comprendre que cette situation n'a pas existé pour toutes les mères et tous les enfants. Seules les classes relativement privilégiées pouvaient se permettre de protéger et isoler femmes et enfants ; les anciennes façons l'emportèrent parmi les classes moins fortunées. Nous savons bien qu'au sommet du culte de la maternité et du sentiment fait autour de l'enfance au dix-neuvième siècle, un grand nombre de femmes et d'enfants devaient travailler dans les usines et les minoteries. Néanmoins, le nouveau modèle familial et la nouvelle attitude envers les femmes et les enfants l'emportèrent de plus en plus, infiltrant toutes les classes de la société, dès les premières décades du vingtième siècle, au moment où des lois furent passées pour interdire le travail des enfants.

LA FIN DE LA PROTECTION

Au milieu du vingtième siècle, la transformation du foyer en un refuge familial était terminée.La prospéritéd'après-guerre, la croissance des banlieues isolèrent les femmes et les enfants dans ce qui semblait être un paradis de confort matériel et de calme presque champêtre. La maison continua à être un refuge où les enfants «innocents » et les femmes «puériles » étaient protégées des «dangers du monde cruel ». Comme au dix-neuvième siècle, la société, dans toutes ses manifestations sociales et culturelles, continua à maintenir une attitude protectrice envers les femmes. Les hommes réservaient leur langage cru et leurs histoires salées pour quand ils étaient ensemble ; les media culturels - pièces de théâtre, livres, et, avec le temps, radio et cinéma - suivirent des critères de pureté tels que les sensibilités délicates des femmes, pour ne pas parler des enfants, ne pouvaient être offusquées. Quand les mères s'évadèrent finalement de leur prison protectrice - ou peut-être quand elles virent leurs murs protecteurs se désintégrer autour d'elles - les enfants ne pouvaient plus longtemps rester seuls dans le cocon. Et une fois dehors, ils arrivèrent dans le monde des films pour les adultes, celui des adolescents qui cohabitaient avec leur petite amie, celui du viol, du meurtre, de la corruption gouvernementale, etc.

Pour sa part, ce fut la télévision, hors de tout contrôle, qui introduisit le monde extérieur longtemps caché dans la vie des femmes et des enfants, et amena l'abandon par les parents de leur soi-disant instinct de protection des enfants, si ça pouvait les préparer jusqu'à un certain degré à ce qu'ils devaient de toutes façons voir à la télévision. Et ce fut le mouvement de libération de la femme, prenant de la vitesse au milieu des années soixante, qui incita les femmcs à rejeter leurs rôles de femme-enfant et de femme-épouse. Avec la publication *The Feminine Mystique* (La mystique féminine) par Betty Friedan, les écailles commencèrent à tomber des yeux des femmes américaines avec un bruit presque perceptible. Inévitablement, lorsque les femmes commencèrent à s'objecter ouvertement à continuer d'être protégées des réalités de la vie, d'être dépendantes, d'être traitées comme des petits animaux favoris, de supporter la condescendance sous l'apparence de l'adoration et des soins spéciaux, elles se mirent à refuser de traiter leurs enfants de façon similaire. Elles reconnurent que le cercle protecteur de mystère et de restriction qui les entourait les empêchait aussi d'arriver au plein développement de leur puissance et de leurs capacités et elles commencèrent à se demander si une telle attitude ne pourrait pas aussi entraver le développement des enfants.

LA NOUVELLE REVENDICATION

Pendant longtemps, les mères et les enfants acceptèrent très aisément un rôle bien moins qu'égal dans le régime familial. Mais sous l'influence grisante et contagieuse du mouvement de libération des femmes, ces dernières se mirent à rejeter l'organisation familiale autoritaire qui avait paru autrefois si confortable et tellement inévitable. Les divers effets de ces nouvelles revendications des femmes pour leur vie et leur destinée ont souvent été discutés. On n'a pas porté une attention égale à l'impact que cette nouvelle attitude aurait. Et pourtant la plus grande part du «nouveau » comportement des enfants d'aujourd'hui peut être reliée directement à ce changement.

Tant que la femme était en position «inférieure » dans la famille, et que cela était accepté partout, tant que les femmes servaient les repas à leur mari et à leurs enfants parce que c'était comme cela que ça devait être, tant qu'elles s'en rapportaient à leur mari pour toutes les décisions touchant la famille (tout en continuant à exercer une influence subtile - toujours d'une «manière très féminine », les mères ont facilement admis leur rôle autoritaire avec leurs enfans, comme elles admettaient l'autorité de leur mari. Cela paraissait une manière naturelle de se comporter - c'était naturel que ceux qui étaient dépendants et vulnérables acceptent l'autorité de ceux qui étaient dans tous les cas plus «adultes ». Ainsi, on s'attendait à ce que les femmes suivent les conseils de leur mari et que les enfants obéissent à leurs parents. Mais quand les femmes se mirent à rechercher une relation plus équilibrée avec leur mari - non seulement dans la distribution des tâches ménagères et le soin des enfants, mais aussi dans leurs relations réciproques - quand les femmes pour la première fois obtinrent la liberté de revendiquer et même d'avoir un comportement agressif envers les hommes, il devint plus difficile pour elles de garder leur autorité avec les enfants. De toute manière, lorsque les femmes devinrent plus ouvertes au sujet de leurs colères et de leurs ressentiments et lorsqu'elles eurent acquis la confiance en elles-mêmes pour devenir moins dépendantes affectivement de leur mari, elles se mirent alors - peut-être inconsciemment d'abord - à encourager une même attitude chez leurs enfants. On avait l'impression qu'elles ne pouvaient pas récuser un certain style de comportement dans leurs relations avec leur mari, en continuant à exiger ce même comportement - soumission et respect - de la part de leurs enfants ; ça ne leur semblait pas juste.

L'un des grands problèmes qui accompagnèrent le renversement graduel d'un régime autoritaire dans la famille (un tel régime était la base des familles américaines les plus «démocratiques » des années quarante et cinquante, des familles qui, malgré leurs méthodes centrées sur l'enfant avaient néanmoins toujours maintenu une notion très claire de qui étaient les parents et qui étaient les enfants - qui, en fait, portait «la responsabilité » fut le malaise et la tension qui montèrent quand les parents adoptèrent délibérément un nouveau style d'éducation pour l'enfant. Les nouvelles revendications des enfants, permises sinon encouragées par une relation parent-enfant moins contraignante, vinrent en conflit avec les préjugés profondément enracinées des parents, sur la façon dont les enfants *devraient* se comporter. Car pendant que les mères commençaient à élever leurs enfants plus librement qu'elles-mêmes l'avaient été, les encourageant à exprimer ouvertement leurs sentiments, exactement comme les parents apprenaient à le faire dans des sessions de thérapie et dans leurs groupes de «prise de conscience », elles ne pouvaient cependant pas dissimuler leur déplaisir au sujet de certains comportements que leur nouveau style d'éducation encourageait chez leurs enfants ; grossièreté, manque de respect, haine déclarée, jérémiades continuelles, provocation. Quand l'enfant de six ans à qui l'on a demandé d'aller se coucher ou de nettoyer la table du dîner fixe ses parents dans les yeux et dit : «Non ! Je ne le ferai pas et vous ne pouvez m'obliger à le faire ! » les parents en arrivent à comprendre qu'ils sont responsables de cet état de choses différent de ce qui se passait avec leurs parents autrefois.

Outre ces nouveaux styles d'éducation, les relations tellement différentes entre maris et épouses dans les années 1970 et 80 eurent un effet direct sur le comportement des enfants. L'ancien style de relations conjugales que la plupart des couples trouvent aujourd'hui inacceptable - le système bien défini, hiérarchique, sous la domination du mâle - demandait à la mère de réprimer ses sentiments, de contenir certains ressentiments, en échange d'une vie familiale paisible, stable, ordonnée ; cela ne pouvait qu'aider à exiger une circonspection aussi intense de la part des enfants. Dans une telle famille, il était impensable pour un enfant de hurler : «Je te déteste ; tu as l'air d'une vieille truie ! » à sa mère, pas plus que sa mère ne pouvait conter à l'enfant ses insatisfactions sexuelles dans le mariage. Les motifs qui menèrent les parents à se cacher mutuellement sentiments et faits réels conduisent tout naturellement à faire des cachotteries avec les enfants. En plus, les maris maintenaient un refuge protégé qui ne correspondait plus à la réalité pour les femmes et les enfants. Des hommes qui pouvaient être impitoyables dans le monde des affaires, des médecins qui pouvaient affronter la violence et la douleur dans leur pratique quotidienne, des avocats qui pouvaient être engagés dans des contestations de la loi moralement douteuses, des hommes qui expérimentaient quotidiennement l'injustice, la cruauté et la plus amère compétition dans leur vie au travail, retournaient à la maison chaque soir, vers un monde où leur épouse et leurs enfants avaient été retenus dans une solitude qui ressemblait presque à la vie dans un harem. Dans cette atmosphère, l'épouse et les enfants, dans un malentendu tacitement admis, mais inflexible, gardaient la maison comme un refuge pour leur homme ; la femme, en «supportant » (pour employer un mot qui a pris des significations familiales transformées dans les années 1970 et 80, soumise et apprivoisée - femme-enfant de bien des façons ; les enfants, en étant innocents, puérils et pleins de respect. Il n'est pas difficile de voir que lorsque le foyer cessa d'être un refuge protégé - grâce à l'intrusion de la télévision, aux conséquences du divorce, aux exigences des parents ayant chacun une carrière - les enfants ne pouvaient plus longtemps tenir leur partie dans l'affaire ; l'enfant naturellement innocent, pudique, réservé et confiant du passé était remplacé par le modèle d'aujourd'hui ; de la jugeotte, dans le vent, plein d'assurance, qui n'a besoin de personne pour se défendre, remarquablement ouvert et tranchant.

LA FEMME-ENFANT

Il y a un parallèle, comme nous l'avons vu, entre l'attitude innocente et vulnérable que les femmes maintenaient autrefois et le comportement des enfants ; chacun jouait un rôle particulier. Lorsque les femmes et les enfants commencèrent à adopter des façons plus matérialistes et assurées, les relations des femmes avec leur mari et celles des enfants avec leurs parents furent affectées en même temps.

Plusieurs films des années quarante et cinquante illustrèrent l'ancienne idée d'êtres puérils que la société avait des femmes. Prenez par exemple ce vieux classique d'Hollywood du genre romanesque : *Rebecca*. Laurence Olivier, jouant le rôle de Maxime de Winter, le mondain, le héros plein d'expérience, épouse Joan Fontaine, l'héroïne modeste, à cause du contraste innocent, qu'elle présente avec sa première femme dépravée et perverse sexuelle, Rebecca, maintenant décédée. Joan Fontaine, en femme-enfant, est l'antithèse même de Rebecca. «C'est dommage que tu doives grandir », murmure Olivier à Fontaine pendant leurs brèves fréquentations, ajoutant : «S'il te plaît, n'aie jamais trente-sept ans. » Après leur mariage, son rôle, maintenant celui de femme-enfant, demeure le même. Pendant que Laurence Olivier aide Joan Fontaine à mettre un pull, il répond à sa question plaintive : «Dois-je le mettre ? » par une réponse qui définit leur relation : «Certainement. On ne peut trop faire attention avec les enfants. » Nous voyons que la femme-enfant est protégée dans son innocence et son impuissance. Quand la visite intimidante d'un parent est imminente, Olivier rassure son épouse : «Ne t'en fais pas ; je serai de retour en temps pour te protéger. » Il est visible que la nouvelle maîtresse de Manderley, la propriété imposante de Laurence Olivier, n'est pas vraiment une adulte quand elle rencontre quelqu'un de «cette » espèce, n'importe quel adulte compétent, plein d'assurance et indépendant, elle devient un être craintif et soumis, rempli de frayeur à l'idée qu'elle pourrait faire quelque chose de mal, d'inconvenant.

Les avantages d'une femme-enfant pour Maxime de Winter sont visibles et symbolisent les avantages similaires que la femme-enfant offre aux hommes dans la réalité. Le mari d'une femme-enfant ne vit pas sous la menace que sa femme le trompe ; les enfants, après tout, sont relativement asexués - ou au moins ils le paraissaient à ce moment-là. Dans ce film, Joan Fontaine est décrite d'une manière singulièrement pudique, dans ses petites chemises et blouses impeccables, ses bas aux genoux et ses cardigans. Plutôt qu'à des aventures sexuelles, la femme-enfant se dévoue aux soins du ménage, fait des bouquets, prend soin de son mari, et très tôt, de ses enfants, ses plus naturels futurs alliés dans la famille. Jamais elle n'aurait à les craindre !

Le pouvoir plutôt que l'association est la part du mari qui a épousé une femme-enfant ; alors que la part de l'épouse dans ce marché est la protection, un tampon entre elle et le monde indifférent et dur avec lequel le mari doit traiter quotidiennement, une protection qui couvrira un jour les enfants de la même façon.

Finalement, en tant que mari d'une femme-enfant, Maxime de Winter profite de cette suffisance qui vient de la protection du faible et de la surveillance, d'un oeil supérieur, des manières «mignonnes » et des gambades des jeunes. Quand le film atteint son apogée et que la femme-enfant est forcée de devenir adulte et d'apprendre une vérité terrible sur le passé de son mari, la réaction la plus forte de Maxime de Winter n'est pas un sentiment de soulagement ou de bonheur d'avoir enfin un autre adulte avec qui partager ses ennuis, c'est un regret. Il la regarde tristement et dit : «Il s'en est allé à jamais, ce regard étrange, jeune, désorienté. En quelques heures, tu as tellement vieilli ! » En fait, son regret n'est pas différent de celui que les parents ont souvent quand leurs enfants grandissent et s'affirment, se préparant à s'envoler du nid. Même si les parents sont heureux des signes de l'indépendance naissante chez leurs enfants - après tout, en faire des adultes capables a toujours été le principal but de l'éducation de l'enfant - ils ressentent un sentiment inévitable de perte. La dépendance de leurs enfants était agréable ; grâce à elle, les parents se sentaient «bons. »

Qu'est-il arrivé quand la femme américaine quitta le piédestal et abandonna son «aspect » de femme-enfant ? (Et une grande partie de cela *était* un simulacre, si on se fie à beaucoup d'articles de magazines des années 1950 qui conseillaient aux jeunes filles et femmes de «feindre » d'être moins intelligentes que leurs amis.) Parmi les multiples autres conséquences de la lutte des femmes pour l'égalité à l'intérieur du mariage, il y eut la fin de cette satisfaction que les maris avaient autrefois dans la protection accordée à leur épouse. Dans une étude sur l'infidélité masculine, un mari qui trompe sa femme expose ses sentiments envers sa maîtresse : «J'aime le sentiment de protection que je ressens envers elle quand elle dort dans mes bras. » Quand on lui demande quelles qualités il apprécie le plus chez son épouse qu'il a abandonnée, il répond : «Son équilibre, sa force de caractère, son intelligence et son efficacité. » Ce sont toutes des caractéristiques d'adultes, alors que le sentiment de protection est ressenti envers quelqu'un de plus vulnérable. Il n'est pas question de suggérer par là que c'est seulement par un comportement puéril que l'épouse retiendra son mari. Cela démontre plutôt les satisfactions particulières que la femme-enfant permet à l'ego de l'homme, et les difficultés éventuelles que deux adultes égaux, l'un par rapport à l'autre, peuvent rencontrer dans une relation permanente à long terme. Quand on observe les conflits, les tensions et les contraintes qui prennent possession d'une famille quand un(e) adolescent(e) commence à affirmer son autonomie et son indépendance, et qu'on fait des comparaisons avec la structure solide et plus paisible, encore que différente, d'une famille avec de jeunes enfants, on commence à réaliser les difficultés que la famille d'aujourd'hui affronta quand le femme-enfant se mit à grandir.

LES FEMMES AU TRAVAIL

Même si, au milieu du vingtième siècle, la femme-enfant avait parcouru un long chemin depuis la femme soumise du dix-neuvième siècle, et même si les années 1940 et 50 renchérissaient avec éloquence sur l'égalité à l'intérieur du mariage et sur l'association entre mari et femme, malgré tout, aussi longtemps que le modèle familial restait celui du mari soutien de famille et de l'épouse qui reste à la maison, les femmes continuèrent à être protégées et «pas à la hauteur ». Et ce fut pareil, on le comprendra, pour les enfants aussi. Malgré des niveaux d'éducation plus élevés, des intérêts différents, et leurs aptitudes démontrées pour un «travail d'homme » (*Rosie the Riveter* (Rosie, la poseuse de rivets), par exemple, pendant la Seconde Guerre mondiale), les femmes continuèrent à être traitées beaucoup plus comme des enfants que comme des adultes. Comme elles n'avaient pas l'autonomie économique, elles avaient tout intérêt à ce que leur mariage marche, heureux ou non ; elles ne pouvaient survivre en dehors du mariage, et même si elles voulaient essayer, leurs chances pour une existence indépendante étaient limitées.

En une seule génération, une transformation remarquable et d'une rapidité sans précédent se produisit dans le genre de travail des femmes, amenée en partie par la nécessité de la libération des femmes et, d'autre part, l'urgence des besoins économiques. Selon un rapport récent du Bureau des statistiques[3], le pourcentage de femmes mariées ayant des enfants mineurs, qui étaient sur le marché du travail, augmenta de 18% en 1950 à 54% en 1980. Il y eut même un bond plus spectaculaire, chez les femmes qui avaient des enfants d'âge pré-scolaire ; leur participation au marché du travail quadrupla presque, allant de 12% en 1950 à 45% en 1980. À la fin des années 1970, le travail était devenu la règle plutôt que l'exception pour les mères américaines.

Il va sans dire que dans une économie qui décline brusquement, un grand nombre de femmes rejoignent le marché du travail, non pour chercher la libération et l'égalité, mais par nécessité économique. Pourtant, qu'elle travaillent par choix ou par besoin, leur sort s'améliore souvent quand elles laissent la vie au foyer. Une étude de 1978, par exemple, conclut que les femmes qui travaillent au dehors de la maison jouissent d'une plus grande satisfaction personnelle et souffrent moins d'anxiété que les femmes qui y restent. De la même façon, un sondage auprès de 2 300 adultes de Chicago par le *National Institute of Health* (L'Institut national de la santé) émit l'idée que les bons emplois agissent comme un genre de médecine préventive pour les femmes ; pendant que les chercheurs découvraient que les femmes travaillant en groupe souffraient de deux fois plus de symptômes psychiatriques que les hommes, parmi les femmes qui ont une position importante, ces symptômes se rencontraient aussi rarement que parmi les hommes.

Ce n'est guère surprenant, face à la situation améliorée des femmes, que le travail soit devenu une part appréciable sur laquelle est centrée leur vie depuis ces derniers vingt ans. Mais qu'est-ce qui arrive aux enfants qui ne sont plus le souci principal des mères confinées à la maison ? Est-ce que le plus grand respect de soi et la satisfaction de leur mère mènent à des avantages pour eux ?

Certainement qu'à bien considérer, les enfants seraient mieux avec une mère pleine d'entrain, sûre de soi, qu'avec une bonne à tout faire dépressive et anxieuse. Mais tout n'est pas réellement équilibré, aujourd'hui. Comme les femmes ne veulent pas plus longtemps sacrifier leur bien-être et prendre une part discriminatoire du fardeau des soins des enfants, trop souvent, il n'y a personne pour les prendre en charge. Bien sûr, ils ne sont pas laissés à mourir de faim ou à errer tout nus dans les rues. Néanmoins, ils reçoivent moins d'attentions et sont moins surveillés que lorsque leur mère restait à la maison, même si elle était déprimée et malheureuse. De tels enfants ont plus de chance dans l'environnement social et culturel d'aujourd'hui, de s'infiltrer dans la vie adulte et de se retrouver à partager des expériences auxquelles ils ne sont pas préparés. Bien qu'ils puissent survivre il est peu probable que comme leurs homologues, plus protégés, ils vont parvenir à un développementnt émotionnel optimum et atteindre leur maturité indemnes. Il se peut que dans d'autres situations sociologiques et culturelles - dans l'environnement simple et sans danger d'une tribu primitive des Mers du Sud, par exemple - les enfants soient encore capables de jouir d'une enfance à son meilleur à peu près sans surveillance. De la même façon, dans notre société d'autrefois - comme durant la Seconde Guerre mondiale, alors qu'un grand nombre de mères laissèrent temporairement le foyer pour gagner le monde du travail - la société présentait aux enfants sans surveillance moins de choix périlleux. Mais dans la société plus «adulte », plus complexe d'aujourd'hui, les enfants livrés à eux-mêmes *doivent* mûrir plus vite et abandonner l'enfance simplement pour survivre.

Cela ne veut pas dire que les mères qui travaillent prennent moins soin de leurs enfants que celles qui demeurent à la maison. Beaucoup des mères qui travaillent font un effort héroïque pour compenser leur peu de disponibilité pour leurs enfants, en réduisant toutes les occasions de réunions entre adultes qui pourraient se présenter en dehors des heures de travail, et cela pour des occupations et passe-temps en famille. Et encore, beaucoup de parents, qui rentrent à la maison après une dure journée de travail, voudraient goûter aux joies de la famille avec les enfants, mais ils n'en ont tout simplement plus la force. «J'essaie de réserver une période de temps agréable pour mes enfants quand je rentre à la maison, dit la directrice d'une école privée de New York, qui a déclaré que «Les gens ont moins de temps à consacrer aux enfants, aujourd'hui - ils sont trop occupés à trouver leur voie eux-mêmes. » Continuant à parler au sujet de sa vie de famille, elle admet : «Je suis tout à fait exténuée, quand je reviens à la maison. Et quelquefois, je dois y amener du travail. Il n'y a aucun moyen de faire autrement. Et c'est ainsi que mes projets les plus soigneusement élaborés, pour me consacrer entièrement, pendant un moment, à mes enfants, tombent à l'eau.

On doit insister sur un point : la constatation que les enfants ont reçu moins d'attention, du fait de l'augmentation du nombre de femmes au travail, n'implique pas un blâme pour les femmes qui ont choisi le travail plutôt que les soins de l'enfant. Les enfants *sont* en effet obligés de grandir plus vite, de devenir plus indépendants et autonomes, et d'affronter plus de dangers si les parents travaillent tous les deux pendant le jour ; il n'y a toutefois aucune raison pour croire que si la vie de l'enfant est plus facile avec un parent qui reste à la maison, ce parent *doive être nécessairement la mère*. Historiquement, les mères ont été responsables pour la plupart des soins et de la protection de l'enfant ; comme les femmes d'aujourd'hui ont recherché l'égalité avec les hommes, un but qu'on ne peut nier, les enfants ont perdu une partie de l'attention traditionnelle qu'on leur accordait. Mais le blâme, s'il doit exister, doit aller aux hommes pour avoir manqué à leur devoir et ne pas avoir pris une plus grande part du fardeau de l'éducation des enfants qu'ils n'en assumaient autrefois. Le fait est là, les hommes ne l'ont pas fait en nombre considérable. Les femmes ne peuvent reculer et perdre le peu d'égalité qu'elles ont gagné. Mais entre-temps, les enfants doivent supporter une enfance différente moins protégée.

Chapitre 7 - LA FIN DE L'UNION ÉTROITE

1. Cité par Barbara Welter in "The Cult of True Womanhood", in Gordon, ed., *American Family in Socio-Historical Perspective*, p. 318.
2. Cité par Welter in "Cult of True Womanhood", p. 325.
3. *Trends in Child Care Arrangements of Working Mothers*, Current Population Reports Special Studies (Washington, D.C.: Bureau of the Census, August 1982).

CHAPITRE 8

ÉCHEC DU MARIAGE

L'ÉPIDÉMIE DE DIVORCES

La disparition du mariage comme structure permanente fiable dans laquelle les enfants peuvent passer leur enfance est le changement le plus important qui se soit produit au cours des vingt dernières années. Avant 1950, le divorce était un événement assez rare dans les familles où il y avait des enfants. En 1982, un mariage sur deux finit par un divorce.

Malgré toute la nostalgie qu'on peut avoir au sujet des mariages durables du passé, il est un fait : c'est que beaucoup demeuraient intacts seulement par nécessité économique. Il fut un temps où les femmes avaient très peu de choix en dehors du mariage pour s'assurer un style de vie confortable pour elles et leurs enfants. Après les années 1960, toutefois, de nouvelles perspectives pour les femmes commencèrent à s'ouvrir. Comme Heather Ross et Isabel Sawhill le remarquent dans leur étude des femmes chefs de famille, [1] les nouvelles options économiques des femmes furent un facteur important qui contribua à l'élévation des taux de divorce. Soudain, ces femmes qui avaient autrefois accepté d'être malheureuses dans leur mariage comme si c'était une chose inévitable, qui s'étaient résignées à leur peu d'importance dans le mariage parce que c'était le prix à payer pour survivre, trouvèrent une issue pour s'échapper. Avec les nouvelles options qui leur étaient offertes, elles se mirent à demander une plus grande égalité à l'intérieur de leur mariage. Les luttes pour le pouvoir qui s'en suivirent n'améliorèrent pas la cote de la longévité matrimoniale.

D'autres éléments servirent aussi à affaiblir les liens conjugaux des pères et mères américains. De nouvelles idées introduites par le mouvement de libération des femmes créèrent une tension car «pour le meilleur et pour le pire» en vint à paraître manifestement injuste à la plupart des femmes : le «pire» semblant peser plus lourd sur leurs épaules que sur celles des hommes. Les transformations provoquées par la révolution sexuelle furent la cause de mariages construits sur les bases fugaces de satisfactions érotiques plutôt que sur les intérêts communs, un cadre de vie partagé et les croyances religieuses. Les agressions d'une économie en pleine récession, l'inquiétude causée par la désillusion politique et la menace nucléaire croissante : tout joua un rôle dans l'affaiblissement de l'institution du mariage.

Mais, finalement, c'est un ensemble d'événements faisant boule de neige qui accéléra la vitesse de la désintégration du mariage. Lorsque le divorce devint une chose presque normale, on accepta plus simplement l'idée qu'un mariage se termine par un divorce. Au début des années 1970, le divorce était devenu une épidémie. Dans *The Last Picture Show* (Le témoignage de la dernière image), un film qui décrivait les aspects sociaux de la vie d'une petite ville américaine dans les années 1950, on demande à une épouse pourquoi elle reste mariée avec un mari qu'elle déteste. «Je n'ai pas été éduquée comme cela, avec l'idée qu'on pouvait laisser un mari. Peut-être ai-je simplement eu peur.» Mais avec les années 1970, le divorce n'était plus une chose «qu'on ne faisait pas». N'importe qui le faisait, et la séparation devint un phénomène social accepté, comme celui du mariage ou du déménagement en banlieue.

Le nombre d'enfants touchés par le divorce s'accrut chaque jour. Entre 1970 et 1980, le nombre de foyers monoparentaux doubla, un changement que le Bureau des statistiques attribue d'abord au divorce. Il y avait 956 000 femmes divorcées chefs de famille, en 1970. En 1981, ce nombre était arrivé à 2,7 millions.[2] Bien entendu, il se trouve difficilement un enfant aujourd'hui qui ne soit pas douloureusement conscient du divorce et de ses conséquences, même si ses parents sont encore ensemble, à la vue de l'expérience malheureuse d'un grand nombre de ses amis.

Est-ce qu'un divorce sera toujours traumatisant pour les enfants ? La réponse est probablement oui. Dans les meilleures circonstances, une rupture dans la famille ne peut manquer de rendre confuse la définition même de l'enfance et projeter l'enfant à l'extérieur des limites de l'enfance, alors que d'une façon paradoxale, les parents prennent la place des enfants, au moins temporairement. Car rien ne peut causer davantage le retour à la faiblesse et à la dépendance de l'enfance que le bouleversement et les problèmes qui entourent l'échec d'un mariage. Chacun des partenaires rejoue pour un temps les drames fondamentaux de l'enfance et revit ces peurs originelles de rejet, d'abandon, de séparation et de perte qui sont expérimentées dans les premières années de la vie. En attendant, les enfants d'un mariage en difficulté portent une double charge : non seulement doivent-ils se débrouiller avec leurs sentiments douloureux d'une perte et leur indignation, mais en même temps, ils doivent négocier avec la faiblesse et la tristesse que leurs parents n'arrivent pas à dissimuler.

Dans de telles situations, les rôles sont souvent étrangement renversés : les parents deviennent pour un temps des enfants, et l'enfant, dans ses premières rencontres avec le malheur des adultes et sa prise de conscience de leur échec, est obligé de «mûrir ». Même quand la crise est passée, quand la raison l'emporte à nouveau, quand la douleur s'apaise, quand l'enfant peut être abrité dans une vie familiale paraissant plus heureuse à l'intérieur d'un nouveau mariage, l'innocence ne sera plus jamais retrouvée. L'enfant sait ce qu'il sait... à jamais.

DIRE «LA VRAIE VÉRITÉ »

Sous le contre-coup du divorce, une part du mystère que les parents maintenaient autrefois par instinct de protection envers les enfants est levée. Les parents étaient habitués à considérer que les enfants n'avaient nul besoin de supporter les soucis et les peines des adultes (l'idée étant que l'enfance devait être une période d'insouciance). Quand le divorce paraît imminent, de nouvelles stratégies sont recommandées et adoptées, celles qui auraient paru destructives dans une famille stable et unie.

«Donnez-leur la *vérité*, conseillent les spécialites de l'enfance. Se contenter de dire à l'enfant : «Nous ne nous aimons plus », ce n'est qu'un faux-fuyant, écrit un psychiatre pour enfants qui continue en suggérant : Dites-leur les *vraies* raisons du divorce, tel que : «Votre père boit trop », ou bien «J'ai rencontré quelqu'un d'autre à qui je tiens plus ! »[3] Un autre genre de conseil fréquemment donné, c'est : «Les parents ne devraient pas dissimuler leur affliction. » On soutient donc que les enfants du divorce comprennent le mieux possible tous les éléments à l'arrière-plan du divorce en lui-même et toutes les possibilités qui existent maintenant pour leur future vie familiale.

Il y a en effet des raisons «forcées » de mettre fin au mystère dans un foyer où les parents se séparent et la plus importante, c'est d'*empêcher les enfants de croire qu'ils sont responsables du divorce,* que c'est leur mauvaise conduite ou leur obstination ou quoi que ce soit d'autre qui a vraiment causé la séparation de leurs parents. C'est une réaction normale parmi les enfants, une conséquence de leur absence d'objectivité. Par conséquent, les spécialistes proposent : le fait de fournir aux enfants *la vérité réelle* au sujet des causes du divorce leur évitera de porter un poids inutile et immérité de culpabilité pour l'échec conjugal de leurs parents.

Pour prévenir de telles méprises, les enfants d'aujourd'hui, même les très jeunes, sont mis au courant «du mystère » au sujet des carences de leurs parents, de leur vulnérabilité, de leurs défauts, de leurs faiblesses, longtemps avant que celles-ci puissent apparaître avec naturel dans l'environnement d'une famille unie. Précocement détrompés de leurs illusions sur la suprématie absolue et la connaissance de toute chose des parents, les enfants du divorce doivent comprendre dans les moindres détails que leurs parents sont souvent incapables de s'en sortir et embarrassés comme eux. Dans le passé, c'était une découverte que les enfants faisaient lentement et douloureusement au cours de leur adolescence ; quand ils en venaient à réaliser que leurs parents n'étaient que des êtres humains normaux, qui pouvaient se tromper, ils étaient souvent prêts à faire le dernier pas vers la séparation affective d'avec leurs parents et de prendre le départ pour une vie indépendante. Ils étaient à la veille de la vie adulte.

Mais pour des enfants qui ont été forcés d'accepter la vérité sur la faillibilité de leurs parents, comme c'était bien avant qu'ils n'atteignent le point de formation pour la séparation et l'indépendance, la question grave qui revient le plus souvent dans la vie de l'enfant, qu'elle soit consciente ou non, c'est : Qui prendra soin de moi, si mes parents ne peuvent même pas prendre soin d'eux-mêmes ? De cette façon, l'insouciance décontractée de l'enfance, pendant laquelle il peut mettre toute son énergie dans le travail ou le jeu, est transformée en une tournure d'esprit plus réfléchie, plus orientée vers la survie, qui n'est pas différente de celle que les adultes doivent toujours conserver - excepté, bien sûr, pour ces rares moments de détente, moments où ils peuvent se laisser aller, moments où ils aiment penser qu'ils «ont encore l'impression d'être des enfants. »

SHOOT THE MOON

Une description dramatique du monde des adultes ayant de lourdes répercussions sur les enfants pris dans la crise du divorce peut être vue dans un film récent, *Shoot the Moon* (Finie la lune de miel), le premier d'une vague de films sur le divorce pour faire le point très exactement sur l'état des enfants qui y sont mêlés.

Au début du film, quoique les parents soient manifestement ennuyés, ils essaient encore de cacher leurs problèmes conjugaux à leurs quatre enfants. Le mari conserve une attitude protectrice envers sa femme de même qu'il lui cache son aventure extra-conjugale. Quoique le film se passe en Californie, on voit néanmoins que les enfants mènent une vie relativement structurée, dans laquelle leur rôle d'enfant est clairement défini ; ils vont se coucher à une heure régulière, par exemple.

Dans la première scène, les parents font beaucoup d'efforts pour garder une attitude normale devant les enfants, attendent, pour échanger leurs premiers mots de reproches, d'avoir quitté la maison. Trois des enfants sont parfaitement inconscients du fait que quelque chose va de travers - ils sont espiègles et heureux, poursuivant leur vie complètement préoccupés d'eux-mêmes, ce que seuls les enfants insouciants peuvent faire. L'aînée a accidentellement appris le secret de son père, contrairement à ses plus jeunes soeurs, c'est une enfant sérieuse et rêveuse.

Après la rupture, tous les enfants perdent rapidement leur innocence. Soudain, plus personne n'essaie de leur dissimuler quoi que ce soit. Les parents s'accusent mutuellement devant eux. Quand les plus jeunes passent leurs fins de semaine avec leur père et son amie, les adultes ne font aucune cachotterie au sujet de leurs relations sexuelles ; ils s'embrassent sans aucune gêne, se tiennent les mains en face des enfants et n'essaient aucunement de cacher qu'ils couchent ensemble. En effet, on se hâte d'envoyer les enfants qui protestent au lit avant l'heure habituelle, en admettant volontiers qu'on fait ça pour avoir l'occasion de faire l'amour en paix. Quand ils demandent à l'amie de leur père à quoi ça ressemble de «dormir avec lui », elle répond, à leur grand écoeurement : «C'est délicieux comme manger de la crème glacée. » Entre-temps, la mère des enfants se trouve un ami et ne cache pas non plus le côté sexuel de cette relation aux enfants.

Aux yeux du monde, ce comportement dans la vie sexuelle hors du mariage est devenu tellement normal, aujourd'hui, qu'on oublie facilement que les parents d'autrefois avaient un comportement très différent.

Encore il y a dix ou quinze ans, les parents divorcés cachaient toujours leurs nouvelles relations sexuelles aux enfants, c'était une chose normale, de la même façon qu'ils avaient gardé secrète leur vie sexuelle avec leur compagnon légitime avant la rupture du mariage. Après un divorce, ils pouvaient continuer à prétendre que le nouvel objet de leur amour, s'ils en avaient un, était un «ami », et comme les enfants se familiarisaient très vite avec ces «amis » de leur mère ou de leur père divorcé, ils les appelaient probablement oncle Bill ou tante Hélène. Il était peu probable que Maman ait tenu les mains d'oncle Bill, ou l'ait embrassé devant les enfants, encore moins aurait-elle parlé de la vie sexuelle «délicieuse » qu'elle avait avec lui ! Éventuellement, Maman ou Papa pouvait se remarier, et seulement alors oncle Bill et tante Hélène prenaient une nouvelle signification, quand il ou elle s'installait dans la chambre conjugale.

Cette façon de faire, il est inutile de le dire, diminuait considérablement le nombre des occasions de relations sexuelles pour les ex-conjoints d'un mariage rompu, surtout pour celui qui avait la garde des enfants(en général la mère). Pourtant, les parents consciencieux faisaient habituellement le sacrifice ; ils croyaient qu'ils devaient, en tant que parents, protéger leurs enfants de la connaissance de leur vie sexuelle, tant que cela se passait hors du mariage.

Aujourd'hui, toutefois, les liaisons amoureuses des parents après la rupture se passent souvent ouvertement devant les enfants. Dans le film *Shoot the Moon*, l'enfant connaît tout ce qu'il peut y avoir à savoir, quand elle crie avec colère à sa mère : «La semaine dernière, tu baisais avec Papa, et cette semaine, tu baises avec Frank. Avec qui vas-tu baiser la semaine prochaine ? »

LA VIE SEXUELLE DE LA MÈRE

Comme la plupart des enfants restent avec leur mère après un divorce, l'attitude de celle-ci envers sa propre sexualité devient une affaire de grande importance dans la nouvelle vie familiale des enfants. Les femmes de l'époque précédant la révolution sexuelle, dont la vie avant le mariage avait souvent été une vie de refoulement sexuel, étaient beaucoup mieux préparées à sacrifier leur vie sexuelle après un divorce, ou du moins de se donner beaucoup plus de mal, pour «rester conforme à leur image » dans l'esprit des enfants. Mais la femme d'aujourd'hui, qui juge qu'elle a droit à une vie sexuelle satisfaisante aussi bien que les hommes, ne ressent plus l'obligation, après la rupture, de se conduire comme une «vierge », si l'on peut dire, aux yeux de ses enfants. L'image pure, qui représentait autrefois l'épouse et la mère conventionnelle, est devenue aujourd'hui une image déloyale. Les femmes se sentent maintenant en droit d'être plus libres quant à leur sexualité. Et c'est comme ça qu'il arrive que dans le nouveau mode de vie que les enfants actuels ont avec un seul parent qui fait «sa cour », se remarie, se sépare, fait «sa cour » de nouveau, se remarie une nouvelle fois, ils sont inévitablement exposés à des expériences, à des révélations, à des hauts et des bas affectifs, et à tous les aspects absurdes des relations sexuelles humaines qui furent longtemps considérées comme un «sujet brûlant » à traiter avec les enfants.

Une mère de New York qui élève deux filles pré-adolescentes après son divorce donne un exemple de la nouvelle entrée des enfants dans le monde autrefois secret de la sexualité des adultes : «Quand j'étais une petite fille, j'avais une mince idée de ce qui se passait dans le monde des adultes. Mes parents étaient ultra-secrets sur le sexe, et les autres parents étaient pareils. Nous nous demandions même s'il leur arrivait de «le faire » ! Maintenant, mes enfants ont une vaste connaissance de chaque aspect de ma vie : physique, affective et même sexuelle. Comment puis-je les garder en dehors de tout ça ? Je ne vais pas abandonner ma vie sexuelle à cause d'elles - je pense que ce ne serait bon pour personne. Mais la première fois après mon divorce qu'un homme passa la nuit avec moi, j'étais nerveuse, j'appréhendais la réaction des enfants. Je m'étais levée tôt pour aller dans la cuisine, en fermant la porte de ma chambre pour quand les filles allaient se lever. Quand ma fille de huit ans arriva dans la cuisine, je faisais des crêpes, jacassant de ceci et de cela. Elle me regarde et dit : «Maman, savais-tu qu'il y a un homme dans ton lit ? » Elle tourna les talons et partit. »

Une autre mère de deux enfants récemment divorcée, une de celles qui ont retenu certaines idées de protection du passé, décrit les compromis qu'elle fait dans sa nouvelle situation de femme sexuellement active : «J'ai certaines règles auxquelles je reste fidèle. Par exemple, si je venais juste de rencontrer quelqu'un et que je voulais coucher avec lui, je le ferais. Mais si les enfants étaient à la maison, je l'amènerais au milieu de la nuit ou j'irais ailleurs avec lui. Je laisserais savoir aux enfants que j'ai des relations avec un homme seulement si ça devenait sérieux. »

L'un des résultats de la nouvelle connaissance par les enfants des complications autrefois secrètes de la vie sexuelle et affective de leurs parents, c'est que les enfants du divorce acquièrent un système de défense qui les fait paraître plus «adultes» que les enfants d'autrefois. La confiance disparaît souvent de leur répertoire de sentiments.

Une grande partie de la réserve nouvelle des enfants est dirigée vers le nouvel ami de la mère. Un homme qui se retrouva dans une telle position raconte : «Quand je me suis engagé dans des relations avec Françoise, ses enfants de huit et dix ans me firent passer un mauvais moment. Ils me donnèrent littéralement froid dans le dos. Françoise avait vécu avec un autre gars pendant les trois dernières années et je suppose qu'ils s'étaient habitués à lui, de telle sorte qu'ils me furent carrément hostiles quand je suis arrivé. D'autant plus qu'ils ont la parole facile ; des enfants très subtils. Ils en savent sûrement plus sur la vie que moi, quand j'avais leur âge.»

Cet homme a lui aussi deux enfants d'un premier mariage, à peu près du même âge que ceux de Françoise. À la façon dont il parle de ses enfants, il est évident que ce ne sont pas seulement les relations sexuelles de la mère qui apportent la réalité des adultes dans la vie des enfants du divorce ; même si les enfants vivent avec leur mère et sont plus au courant de ses secrets, on leur permet rarement de se renseigner à fond sur la vie sexuelle de leur père, souvent brouillonne et aux conséquences imprévisibles.

«Mes propres enfants sont tout aussi hostiles quand ils rencontrent une de mes nouvelles amies, continue-t-il. Ils ont connu toute une série de mes folles relations après le divorce et ils savent que j'ai couché avec cinq femmes différentes. Maintenant, ils sont tous deux très circonspects. Ils ne savent pas combien de temps chaque relation va durer, et si la nouvelle femme va les aimer vraiment. Ils ne veulent plus mettre leur affection en jeu. Je me sens terriblement mal à l'aise de penser au manque de confiance que ces enfants ont développé. Ils paraissent plus réservés, plus repliés sur eux-mêmes que les enfants que je vois dans les familles normales.»

UN NOUVEAU RÔLE POUR LES ENFANTS

C'est non seulement dans leurs actions réciproques avec les nouveaux compagnons de leurs parents, mais aussi leur perspicacité au sujet des affaires de coeur des adultes que les enfants d'aujourd'hui s'ouvrent un chemin hors de l'enfance et prennent conscience précocement de la vie des adultes. Une autre force vient de la relation transformée entre parent et enfant dans un foyer monoparental où il arrive fréquemment que l'enfant se charge de certaines fonctions que l'adulte manquant de la maison aurait remplies.

«Je sais que je fais un compte rendu de ma journée aux enfants, quand je rentre du travail, comme je le faisais avec mon mari quand j'étais mariée, dit une mère divorcée de New York. Je suppose que j'ai besoin d'une sorte d'exutoire, et les enfants semblent toujours très intéressés. Alors, pourquoi ne pas parler de ce qui m'arrive avec eux ?» Elle répond en partie à sa question quand elle ajoute : «Je pense que je leur en dis plus que je ne devrais au sujet de mes problèmes. Ils ont commencé à se faire du souci au sujet de nos finances familiales. Et quand je leur raconte des problèmes qui se sont présentés au bureau, je vois qu'ils sont effrayés à l'idée que je puisse me faire renvoyer. Mais il vaut peut-être mieux qu'ils découvrent plus tôt que plus tard que la vie peut être compliquée, injuste et exaspérante. »

Une autre mère récemment séparée raconte : «Je me sens toujours peu sûre de mon apparence quand je sors le soir. J'avais l'habitude de demander à mon mari si tout était correct, vêtements et coiffure. Maintenant que nous sommes séparés, c'est aux enfants que je demande l'air que j'ai, comme s'ils étaient des adultes. Et ils n'ont que sept et neuf ans. » L'utilisation des enfants comme «comité d'essai » peut amener des sujets plus fâcheux que celui de l'inquiétude vestimentaire. «J'ai eu une série de rêves épouvantables, l'autre nuit, au sujet de mon ex-mari qui avait une aventure sexuelle mouvementée avec une autre femme, continue cette même mère. Au déjeuner, le matin suivant, je me suis trouvée en train de raconter mon rêve aux enfants. Je suppose que je devais le dire à quelqu'un. Je pouvais voir qu'ils étaient inquiets, à la pensée de ma colère pour ce que leur père pourrait faire, pour ne rien dire au sujet de l'existence même de nos vies sexuelles séparées .»

Parfois, ce sont les enfants, eux-mêmes, dans la famille monoparentale, qui recherchent un nouveau rôle. Une mère divorcée avec deux filles d'âge scolaire de New York raconte : «Ce qui arrive, c'est que je laisse aller doucement les choses et soudain, je réalise que les enfants sont en train d'empiéter sur mon domaine, qu'elles essaient d'être, ensemble ou chacune de leur côté, l'autre parent. Elles veulent dans la famille le pouvoir qu'un père aurait. Elles veulent dire leur mot dans la gestion du budget, dans la marche de la maison. Quand j'étais enfant, nous ne pouvions même pas savoir combien notre père gagnait !»

Dans d'autres occasions, les enfants prennent non seulement le rôle de l'adulte manquant dans la famille, mais on trouve les rôles habituels complètement renversés : ils deviennent, d'une certaine façon, des parents pour leur parent, qui par là même devient l'enfant. Une mère de Denver se souvient : «Quand j'ai rompu avec un gars avec qui je sortais depuis trois ans, mes enfants furent merveilleux. J'étais une épave, et mon fils de neuf ans me donna une tape dans le dos et me dit : «Ça va s'arranger, Maman ! » pendant que ma fille de onze ans prenait charge de la cuisine et m'apportait même le petit déjeuner au lit ! C'était merveilleux pour moi. Je ne sais pas si ce l'était autant pour eux ! »

Une enfant de treize ans en secondaire deux du nord de l'état de New York dont les parents ont récemment divorcé offre une vue de la réalité du renversement des rôles au point de vue de l'enfant : «C'est curieux, mais ma mère semble parfois avoir mon âge. Elle découvre des choses au sujet de la vie en même temps que moi ; elle a des amis et elle couche avec les hommes en plus. Elle *me* pose même des questions sur le sexe. C'est troublant autant pour elle que pour moi. Et parfois, elle est très sévère, mais elle peut aussi être très large d'idées sur certaines choses. »

Certains spécialistes de l'enfance ont une vue optimiste des nouveaux rôles des enfants dans les familles transformées d'aujourd'hui. La psychiatre Paulina Kernberg pense que l'énergie des enfants à aider les parents n'a pas été appréciée à sa juste valeur. «Les enfants peuvent participer aux affaires familiales beaucoup plus que les gens le croyaient dans le passé, affirme le docteur Kernberg. Partager des problèmes avec les enfants ne signifie pas nécessairement qu'on s'en décharge sur eux. Je pense que les enfants peuvent comprendre que les parents ont leurs problèmes, même des problèmes sérieux comme la maladie mentale. Si les choses sont expliquées à l'enfant dans un langage à sa portée, par un adulte compréhensif, il peut partager beaucoup de problèmes qui étaient autrefois dissimulés aux enfants. Un enfant a besoin de savoir qu'il peut faire quelque chose, au moins être à l'écoute des problèmes d'un parent, plutôt que d'être laissé à son imagination fertile. Les gens oublient que les enfants ont beaucoup de résistance et qu'ils sont de bons copains en puissance. »[4]

D'autres membres de la profession psychiatrique ne sont pas aussi optimistes au sujet des nouveaux rôles des enfants. La psychanalyste Katharine Rees considère que le renversement des rôles dans lesquels les enfants donnent aux parents soutien et conseil sont peu judicieux. «Même si les enfants peuvent être raisonnables, très sagaces et sages au sujet de leurs parents et de leurs problèmes, leur propre vie peut être gâchée quand ils sont trop impliqués dans ces questions d'adultes, dit le docteur Rees. Les enfants ont eux-mêmes trop de besoins et sont trop dépendants de nature. L'une de mes patientes, suite à la séparation de ses parents, commença à tenir un rôle d'adulte qui ne lui convenait pas et un rôle de conseiller vis-à-vis de ses parents et de leur vie sexuelle. Finalement, elle se sentit attirée elle-même dans une relation sexuelle avec un garçon de son âge, quatorze ans. Elle pensait qu'elle était prête au point de vue émotionnel - après tout, elle était presque un parent pour ses parents. Mais cela tourna au désastre. À ce moment-là, la présence de ses parents aurait dû avoir beaucoup d'importance pour elle, ils auraient dû être l'objet de son amour. Elle aurait dû pouvoir se tourner vers eux et obtenir l'amour et l'affection dont elle avait désespérément besoin. Mais les rôles étaient mal distribués dans cette famille, l'obligeant à aller vers quelqu'un de son âge pour s'accomplir. Malheureusement, le garçon ne pouvait pas combler ses besoins affectifs - il était aussi trop jeune.[5]

Une mère divorcée élevant deux enfants pré-adolescents présenta un autre problème inquiétant quant aux rôles «adultes » que ses enfants assumaient dans sa famille nouveau style. «Les enfants m'apportent beaucoup de soutien. Je leur parle de toutes sortes de choses dont je n'aurais jamais rêvé de parler à des enfants avant mon divorce. Je les traite vraiment comme des adultes la plupart du temps. Le problème, c'est - ajouta-t-elle pensivement - que les enfants ne comprennent plus quand j'essaie à nouveau de les traiter comme des enfants, quand je leur dicte leur conduite ou que je leur fixe une heure pour se coucher. Je ne suis pas sûre que les deux attitudes puissent marcher ensemble, soit les considérer comme des adultes quand ça nous arrange et retourner ensuite à une attitude de parents. Ce que je crains vraiment, c'est d'être incapable de les contrôler quand ils seront plus vieux et qu'ils commenceront à se laisser entraîner avec d'autres enfants, dans l'alcool, la drogue et tout le reste. Je ne sais pas ce que je ferai alors. »

LE SALAIRE DU DIVORCE

Alors que le nombre des enfants affectés par la rupture de leur famille et la perte d'un parent continue de s'accroître, les chercheurs aussi bien que les enquêteurs officieux ont découvert que de bien des façons, l'éclatement d'une famille augmente la vulnérabilité d'un enfant aux agressions de la vie moderne. Selon les statistiques, les enfants du divorce ont plus de chance d'être attirés par l'alcool et les drogues, ils ont plus tendance au suicide, plus de problèmes avec la justice et plus d'échecs à l'école. Avec le temps, des relations nouvelles et inquiétantes sont découvertes entre les enfants du divorce et une série de problèmes sociaux graves, des fugues aux délinquances sexuelles même aux hystéries collectives.

Le directeur d'un refuge pour les fugueurs à Huntington, Long Island, trouve qu'un gros pourcentage des enfants qui cherchent un abri vient de familles monoparentales, avec des femmes chef de famille. Un assez grand nombre, dit-il, sont de familles composites établies par un second mariage. Loin d'être la joyeuse bande des Brady de la famille décrite à la télévision, *(Huit, ça suffit !)* dans la vie réelle, ces familles de beaux-parents, de demi-frères et de demi-soeurs sont souvent, en termes exacts, «des foyers de jalousie, de calamités, et de soucis financiers. »[6]
Une statistique inquiétante apparut dans une étude récente de la délinquance sexuelle juvénile menée chez 521 familles de Boston. Même si les enfants de chaque classe sociale, de chaque ethnie et de chaque antécédent racial se trouvaient également vulnérables à la délinquance, il y avait une incidence significative plus élevée parmi ceux dont les parents avaient divorcé et s'étaient remariés.[7]

Une enquête récente sur un «mal » mystérieux de l'enfance présenté dans un journal psychiatrique[8] fournit une autre indication qui prouve que les enfants du divorce sont plus vulnérables de bien des façons que les enfants qui n'ont pas connu la séparation des parents. Cet état jusqu'ici inexpliqué en est un dans lequel un grand nombre d'enfants dans une école ou dans un camp tombent soudainement malades avec des symptômes suggérant l'exposition à un agent toxique ou infectieux ; dans tous les cas décrits, cependant, malgré des tests et des examens approfondis, aucune cause justifiant cet état ne fut jamais trouvée. Récemment, ce «mal » a été diagnostiqué comme un genre d'hystérie collective courante parmi les enfants, qui a été causée par un incident qui a amené un stress psychologique ou physique. Les chercheurs qui étudiaient les symptômes particuliers de ces accès d'hystérie qui se produisirent dans une banlieue de Boston il y a trois ans, trouvèrent que des 224 garçons et filles atteints, ceux et celles qui furent le plus sévèrement affectés étaient plutôt ceux qui avaient vécu le divorce de leurs parents ou une mort dans la famille dans le passé. Les psychiatres en conclurent que la perte de l'enfance, que ce soit par le divorce ou la mort, rend les enfants plus vulnérables à une situation difficile causant ainsi une réaction plus violente. Les enfants venant de familles unies et stables furent aussi atteints, mais moins sévèrement ; la plupart d'entre eux n'eurent même pas besoin d'être hospitalisés. Même s'ils en ont l'apparence, les enfants du divorce, semble-t-il, ne sont pas plus costauds que les enfants plus protégés. Ils sont plus en péril.

PAS DIVORCÉS... PAS ENCORE

Il serait erroné d'assurer que seuls les enfants dont les parents vraiment séparés ou divorcés sont sérieusement affectés par la montée du taux de divorces actuels. Lorsqu'on les a interrogés, beaucoup d'enfants de familles unies révélèrent une anxiété considérable à l'idée que leurs parents puissent un jour divorcer. «Je m'inquiète sans cesse au sujet du divorce depuis que j'ai vu *Kramer contre Kramer,* admit une petite fille de dix ans de New York. Mes parents se sont battus, l'autre jour, et ma mère est sortie de la maison. J'ai pensé : «Ça y est ! » et j'ai pleuré et pleuré. Mais elle était seulement allée chez les voisins. » Une élève de cinquième année révéla un sentiment courant d'incertitude quand elle dit : «Nous sommes une de ces familles qui n'ont pas divorcé, ajoutant après une pause,... du moins, pas encore. »

Le fardeau du divorce est souvent partagé par les enfants de familles stables quand leurs amis intimes ont des problèmes de famille. Une mère décrit une telle situation : «Ma fille Élizabeth était très bouleversée, quand les parents de son amie Nancy se séparèrent. Nancy réagit à ce divorce en devenant énormément dépendante d'Élizabeth. Elle voulait toujours être avec elle, était jalouse de ses autres amitiés, et Élizabeth ne savait comment s'en sortir. Elle n'a que dix ans, après tout. Elle n'était pas capable de supporter ce fardeau émotionnel. Elle revenait à la maison et éclatait en sanglots : «Je n'aime plus Nancy. On ne peut plus s'amuser avec elle. Elle me reproche sans arrêt de lui préférer mes autres amies. Elle ne veut plus que je parle à qui que ce soit d'autre qu'elle. »

Le nuage de l'anxiété au sujet du divorce qui plane sur la tête de tous les enfants d'aujourd'hui s'assombrit par le caractère brusque et imprévu avec lequel le divorce semble souvent frapper. Un garçon de douze ans rapporte une conversation avec son meilleur ami dont les parents s'étaient brusquement séparés : «J'ai dit à Daniel : ''Tu ne savais pas qu'ils allaient se séparer ?'' Il répondit : ''Je l'aurais su si quelque chose n'avait pas marché chez eux. En fait, c'est toujours ce que j'ai pensé, mais on ne peut jamais être sûr.'' Ça m'a marqué, je pense. »

«Nous devons rassurer les enfants fréquemment au sujet de notre mariage, déclare une mère mariée depuis quinze ans. D'un autre côté, lorsque l'an passé, notre fille de treize ans était furieuse parce qu'on lui avait refusé une sortie, elle nous a dit : «Pourquoi ne pouvez-vous pas être divorcés comme tout le monde ? »

RESTER ENSEMBLE POUR L'AMOUR DES ENFANTS

À peu près personne, aujourd'hui, ne suggère que les parents doivent rester ensemble pour le bien des enfants. Alors que la sagesse traditionnelle du passé disait que les parents se devaient de maintenir leur mariage, même s'il était un échec complet, un changement décisif de la façon de penser au sujet de l'impact du divorce se produisit juste au moment où le taux des divorces s'accroissait au début des années 1970. Personne n'apporta un démenti au fait que c'est dur pour les enfants, que cela cause des angoisses et que cela laisse des cicatrices psychologiques. Mais, graduellement, les gens cessèrent de croire que le divorce est la pire solution et que si les enfants doivent avoir une croissance équilibrée, ils doivent grandir dans une famille unie. Les nouveaux principes sont : un mariage malheureux ne peut qu'apporter le malheur aux enfants qui y sont pris au piège. Si les parents sont tristes, cela rendra les enfants tristes. Par conséquent, il est de beaucoup préférable pour les parents de divorcer et de se battre pour obtenir plus de bonheur personnel que de prolonger un mariage malheureux «pour l'amour des enfants ».

Les spécialistes de l'enfant d'aujourd'hui ont appuyé sans aucune exception ce nouveau comportement. Peter Neubauer, un éminent psychanalyste de l'enfant, fait remarquer : «Dans le passé, quand le divorce n'était pas accepté pour des raisons sociales ou religieuses, le conflit intérieur était souvent inimaginable, même si la famille restait intacte. La prolongation d'un mariage malheureux peut causer autant de mal pour les enfants qu'un divorce, peut-être beaucoup plus. »[9]

Évidemment, personne ne conteste qu'il est préférable pour les enfants de grandir avec une mère et un père qui ont réussi leur mariage. «Nous savons qu'une famille unie, aimante, chaleureuse, est la meilleure chose qu'on puisse souhaiter à un enfant - vous n'avez pas besoin d'un spécialiste pour que vous le sachiez, continue le docteur Neubauer. Mais est-ce qu'une telle chose existait plus souvent dans le passé ? Je ne le pense pas. »

Les parents du passé, toutefois, restaient ensemble. Même quand ils étaient désespérément malheureux, ils faisaient des compromis pour préserver un foyer stable pour les enfants. Les parents d'aujourd'hui, procédant en accord avec d'autres convictions, sont de moins en moins désireux de sacrifier leurs rêves d'accomplissement et de bonheur par amour pour leurs enfants ou de supporter les réactions particulières des autres, les divergences d'opinion, les petites manies ou les faiblesses de façon à préserver le mariage. Bien plus, dans une période sans précédent où la principale occupation de chacun est celle de son accomplissement personnel, les espérances accrues d'une satisfaction personnelle, sexuelle, affective et intellectuelle dans le mariage n'ont en aucune façon augmenté les chances pour que l'union soit réussie. Au contraire, de telles espérances vont conduire inévitablement au désappointement et à un échec conjugal. Quelle chance alors que les spécialistes n'insistent plus sur le fait que les enfants ont besoin d'une famille unie pour avoir une croissance harmonieuse. C'est bien commode d'avoir révisé leur position pour en venir à croire maintenant que le remède extrême auquel les adultes ont recours quand ils sont malheureux - le divorce - profitera également aux enfants.

La certitude que le divorce est préférable à un mariage malheureux pour les enfants de la famille réflète aujourd'hui le concept récemment admis de l'intégration de l'enfant au monde des adultes. L'ancienne attitude qui recommandait de rester ensemble pour le bien de l'enfant était fondée sur l'hypothèse que les enfants sont une espèce à part, à tel point différente des adultes que certaines attitudes qui pourraient mener au malheur de ceux-ci (rester ensemble, même s'ils sont malheureux) pourraient néanmoins être profitable pour les enfants. Mais selon l'idée qui prévaut aujourd'hui, qui considère que les enfants fonctionnent selon les mêmes règles que les adultes, une attitude qui est prise dans l'intérêt des adultes (divorcer) est donc considérée comme un avantage pour les enfants aussi. Inversement, si les parents sont malheureux et restent quand même ensemble, on croit aujourd'hui que ce sera plus nocif pour les enfants qu'une séparation.

Néanmoins, si peu de gens nient le fait aujourd'hui qu'un couple malheureux puisse améliorer son sort en mettant fin au mariage, on peut douter fortement que cela ait la même influence pour leurs enfants. Une étude approfondie sur les parents divorcés et leurs enfants, dirigée par le *California Children of Divorce Project* (Le dossier des enfants du divorce de Californie) renforce ce doute. Les chercheurs ont découvert que dans soixante familles où il y avait eu un divorce qui était impliqué dans leur dossier, la plupart des adultes, après cinq ans de séparation, étaient toujours satisfaits d'avoir divorcé. La majorité des partenaires, surtout les femmes, se trouvaient bien d'avoir mis fin au mariage, malgré les diverses privations au point de vue pécuniaire. Leur respect d'elle-même s'était accrû et leur adaptation psychologique en général était considérablement améliorée... plusieurs de leurs symptômes physiologiques et de leurs dérèglements psychologiques disparurent durant les années qui suivirent le divorce. »[10]

Les enfants, toutefois, présentèrent une image vraiment différente, une de celles qui n'étaient pas la vue optimiste du docteur Neubauer, une image qui flanque par terre les illusions des parents divorcés d'aujourd'hui qui, contre tout espoir, croient que leur décision n'est pas seulement satisfaisante pour eux, mais qu'elle l'est aussi pour leurs enfants. Dans l'étude faite en Californie, les chercheurs s'aperçurent à leur grande surprise, ils en conviennent, que «beaucoup de mariages malheureux au point de vue des conjoints, avaient été passablement agréables, même satisfaisants pour les enfants ». Ils observèrent aussi que peu d'enfants étaient d'accord avec la décision de leurs parents ou éprouvaient un soulagement au moment de la séparation. Cinq ans après, alors que la plupart des parents étaient heureux d'avoir divorcé, «plus de la moitié des enfants qui avaient vécu le divorce de leurs parents ne considéraient pas la famille divorcée comme une amélioration ».

Bien plus, les chercheurs écrivent catégoriquement ceci : «Contrairement aux adultes, qui se sentaient considérablement mieux après le divorce, les enfants et les adolescents, dans l'ensemble, ne démontrèrent aucune amélioration dans leur santé psychologique au cours des années suivant la séparation. » Voilà pour ceux qui disent que continuer à vivre malheureux en famille peut faire *plus* de tort à la santé mentale de l'enfant qu'un bon divorce loyal.

Finalement, même si on trouva qu'un tiers des jeunes étaient «insouciants, bien adaptés et heureux du cours général de leur vie », cinq ans après le divorce de leurs parents, on en trouva autant qui étaient «malheureux, encore irrités contre l'un ou l'autre des parents, ayant encore la nostalgie de la présence dans la famille du parent absent, encore solitaires, dans la dépendance, et se sentant dépossédés et rejetés ». Bien plus, si nombre d'enfants furent considérés comme se débrouillant bien et se comportant normalement malgré le divorce de leurs parents, les chercheurs furent certains que *tous* les enfants «avaient la sensation d'avoir passé une période difficile, et malheureusement dans leur vie, qui avait fait peser une ombre sur leur enfance ou leur adolescence... pour tous, une part considérable de leur enfance était devenue une période triste et épouvantable. »

Comme de plus en plus de parents ont recours au divorce, en vue de rechercher une union plus satisfaisante selon leurs voeux, et comme en agissant ainsi la plupart d'entre eux améliorent vraiment leur situation - peut-être à cause d'une plus grande maturité d'esprit et d'espérances plus réalistes lors du second essai - un nombre croissant d'enfants en subissent les conséquences : une enfance écourtée. «Je me sentais lancée dans le monde d'un seul coup avant que je ne sois prête ! » disait en pleurant une fille de treize ans en parlant du divorce de ses parents. Et en effet, comme l'étude de Californie l'explique au sujet d'à peu près tous les enfants impliqués, «ces jeunes sentaient que leur enfance leur avait été volée pour une grande part. Ils se sentaient bousculés et pressés d'atteindre rapidement l'indépendance qui d'habitude se réalisait sur plusieurs années. Ils se sentaient dépossédés de leur temps de jeux et de loisirs. »

LE MILIEU SOCIAL THÉRAPEUTIQUE

L'enfance fut autrefois considérée comme une période où la famille apportait sécurité et protection à l'enfant, une période où l'on appartenait au monde, et où l'on devait rechercher sa propre sécurité. Dans la famille à l'ancienne, l'enfant s'affranchissait de la famille pour prendre de l'expérience, mais aussitôt qu'il rencontrait des problèmes d'un genre ou d'un autre,il reculait et rentrait dans la tranquillité de la famille,pour y retrouver confort et chaleur, pour panser ses blessures, récupérer ses pertes et redevenir simplement un enfant. Mais qu'arrive-t-il dans une période d'instabilité de la famille ou en cas de divorces de plus en plus nombreux, quand la famille est la source des problèmes de l'enfant ? Maintenant, le monde extérieur doit procurer d'une certaine façon le milieu social thérapeutique à l'enfant.

La tendance d'aujourd'hui est éloignée de la croyance dans la générosité innée de la famille. Comme le dit le docteur Michael I. Cohen, directeur de la médecine pour les adolescents au Albert Einstein Medical College, «avec la famille en déroute, nous, les spécialistes, nous en sommes venus finalement à nous attaquer à des conjonctures comme l'éducation sexuelle et nous avons dit aux parents : «Si vous ne voulez pas renseigner vos enfants au sujet de ces choses, alors, nous, en tant que société, allons les mettre au courant. »[11]

L'école est souvent le premier endroit où les difficultés de l'enfant en relation avec le divorce des parents sont observées, les parents étant souvent incapables d'y faire quelque chose, ou trop occupés pour le remarquer. Comme le disait un conseiller d'école : «À un moment où la famille s'écroule et où il semble que tout change à la maison, l'école est souvent le seul aspect équilibré et permanent de leur vie. » Et une manchette dans un journal d'enseignants : *The Prevalence of Divorce Brings New Responsabilities to Teachers* (La fréquence du divorce amène de nouvelles responsabilités aux enseignants),[12] indique la prise de conscience croissante dans le monde extérieur de la transformation qui a frappé la structure de l'enfance pour un grand nombre d'enfants américains, et les efforts que les écoles commencent à faire pour les aider à négocier avec leurs nouveaux problèmes.

Mais ce n'est pas exclusivement pour le profit de l'enfant que les enseignants et d'autres adultes étrangers à la famille sont intéressés à aider les enfants du divorce. Il devient toujours plus évident que les enfants de familles en détresse amènent leurs problèmes graves dans la classe et créent un climat difficile pour le professeur et les autres enfants. Un enseignant du nord de l'état de New York déclare : «Il y a un accroissement extraordinaire de foyers brisés dans notre école. Plus de 60% de nos enfants viennent maintenant de foyers monoparentaux. Vous voyez souvent une mère qui a la garde des enfants et occupe deux emplois pour boucler le budget, peut-être même prend des cours du soir pour s'améliorer de façon à pouvoir éventuellement n'avoir qu'un emploi mieux rétribué. Et c'est ainsi que les enfants doivent se débrouiller seuls ; ils semblent alors développer en eux un potentiel de violence et nous devons en tenir compte dans la classe. On entend beaucoup de : ''Si personne ne se préoccupe de moi, alors, je fais la même chose'', parmi ces enfants qui sont dans nos classes. »

Un enseignant de sixième année observe : «Vous pouvez entrer dans ma classe et repérer facilement les enfants des foyers unis. Ce sont ceux qui arrivent fin prêts pour l'école, prêts à répondre, prêts à travailler vraiment. Ceux qui manquent de ce genre de soutien à la maison, spécialement ceux dont les parents viennent de se séparer et sont préoccupés avec leur vie compliquée, sont souvent excessifs. Ils semblent avoir besoin énormément d'attention. Ils veulent parler à quelqu'un, n'importe qui, simplement pour parler ! Cela rend certainement les choses plus difficiles pour l'enseignant, parce que ces enfants-là désirent accaparer notre temps et c'est vraiment injuste vis-à-vis des autres enfants. »

En plus du témoignage de tous les enseignants sans exception au sujet des problèmes amenés en classe par les enfants de familles désunies, les chercheurs ont commencé à porter plus d'attention sur les conséquences du divorce. Une étude élaborée sur plus de 18 000 élèves démontra que les enfants de familles monoparentales réussissaient moins bien et avaient considérablement plus de problèmes scolaires que les enfants de familles normales vivant à la maison ; ces problèmes incluaient infractions à la discipline dans la classe, distractions, absences non autorisées, suspensions, abandons et expulsions. Une suite d'enquêtes ultérieures confirma les conclusions de la première étude. Bien plus, on fit une nouvelle association entre le divorce et les problèmes scolaires, trouvant que les enfants des familles monoparentales étaient plus portés à défier l'autorité de leur professeur que ceux de foyers normaux.[13] Une autre étude par le *Center of Advanced Study in Behavioral Sciences* (Centre d'études avancées dans les sciences du comportement), enquêtèrent sur les effets connus du divorce et découvrirent que les notes pour des tests réussis et le niveau scolaire des enfants éduqués dans les familles monoparentales tendent à être plus bas que ceux des enfants vivant dans une famille stable.[14]

Par nécessité, comme l'impact du divorce sur le comportement scolaire devient plus évident, les écoles et les autres intermédiaires extérieurs prennent des mesures pour compenser certains des effets de l'éclatement de la famille. Des sessions de première année où l'enfant explique et raconte comment se passent maintenant les fins de semaine avec papa, les batailles des parents, et de l'ami qui vit avec la mère, jusqu'aux sessions de thérapie de groupe organisées par l'école pour les enfants de familles monoparentales, parlant de la solitude, de l'anxiété et du sentiment d'abandon que le divorce apporte souvent dans son sillage, les écoles s'impliquent dans des domaines qui n'ont jamais auparavant été considérés comme une part de leurs tâches.

Un programme type conçu pour aider les enfants du divorce est en opération à la *Salem Elementary School* (École élémentaire de Salem) de New York. Tel que rapporté dans le *New York Times* du 19 février 1980, cette école a un conseiller spécial qui rencontre les enfants dont les parents sont séparés ou divorcés, pour leur permettre de «partager leurs expériences et de parler entre eux des problèmes particuliers aux enfants dans leur situation ». C'est seulement un des centaines de programmes similaires présentés dans les écoles à travers le pays.

Le but de ces programmes, comme l'explique un conseiller, est «de faire réaliser aux enfants qu'ils ne sont pas responsables du divorce, que leurs parents continuent à les aimer, qu'aucun des deux n'est un traître, que leurs sentiments de fidélité indécise et de colère sont normaux, et que tous ils expérimentent les mêmes problèmes ». Le résultat, c'est qu'un grand nombre d'enfants discutent pour la première fois de leurs problèmes psychologiques à l'extérieur de la famille. Un intermédiaire autre que la famille intervient, explique le comportement des parents aux enfants et agit à la place des parents. Il est entendu que l'école a depuis longtemps servi de remplaçant aux parents pendant une partie de la journée, depuis que l'éducation est devenue obligatoire. Mais même ces écoles du passé qui opéraient selon les principes psychologiques les plus progressistes incorporaient aussi ces principes dans leurs programmes académiques. De nouvelles écoles, en dehors de leur programme normal, s'attaquent à ces besoins psychologiques des enfants dont un nombre croissant de parents semblent aujourd'hui ne plus vouloir ou ne plus savoir satisfaire.

Comme résultat de tels débouchés thérapeutiques extra-familiaux, les enfants peuvent comprendre des idées précises : celle de ne pas rester seuls avec leurs problèmes, que leurs réactions sont normales, qu'ils ne sont pas responsables de la rupture de leur famille et qu'ils n'ont aucune raison de se sentir coupables. Comme ils en viennent à connaître leurs propres sentiments, ils prennent conscience de concepts comme ceux de «besoins affectifs » et «colère déplacée » et «fidélités indécises ». Ils étudient des stratégies pour affronter la colère ou l'affliction des parents et apprennent comment se tirer du piège d'une guerre entre parents. Par conséquent, beaucoup en arrivent à paraître plus «avancés », plus «adultes » en quelque sorte, que les autres dans leurs classes.

En fait, le nombre croissant d'arrangements spéciaux offerts aux enfants en difficulté aujourd'hui sont en eux-mêmes un symbole d'une perte grave que ces enfants ont supportée - celle de l'enfance. Car, exactement comme les adultes ne peuvent espérer que leur père ou leur mère prenne soin de leurs problèmes, ces enfants de foyers brisés sont forcés de se tourner à l'extérieur de leur famille pour trouver de l'aide. Leur famille n'est plus un refuge, un bastion, une source fiable pour la solution à tous les problèmes. De cette manière, l'enfance des enfants actuels du divorce ou de la séparation a dévié plus près de l'âge adulte, dans son concept, qu'elle ne l'a été depuis plusieurs siècles.

CHAPITRE 8 - ÉCHEC DU MARIAGE

1. Heather L. Ross and Isabel V. Sawhill, *Time of Transition : The Growth of Families Headed by Women* (Washington, D.C. : Urban Institute, 1975).
2. *Marital Status and Living Arrangements :* March 1981 (Washington D.C. : Bureau of the Census, July 1982).
3. Cité dans "The Children of Divorce", *Newsweek,* February 11, 1980.
4. Dr. Paulina F. Kernberg, dans une entrevue personnelle avec l'auteur.
5. Katharine Rees, dans une entrevue personnelle avec l'auteur.
6. Judy Glass, "Runaways : Why They Go", *New York Times,* August 30, 1981.
7. David Finkelhor, *Parents, Children and Child Sexual Abuse : Three Reports from a Boston Survey,* The Family Violence Research Project, University of New Hampshire in Durham, 1983.
8. Gary Small et Armand M. Nichols, "Mass Hysteria Among School Children : Early Loss as a Predisposing Factor", *Archives of General Psychiatry 39, (June 1982).*
9. Dr. Peter Neubauer, dans une entrevue personnelle avec l'auteur.
10. Judith S. Wallerstein et Joan Berlin Kelly, *Surveying the Breakup : How Children and Parents Cope with Divorce* (New York : Basic Books, 1980). Les passages cités sont tirés des pp 83 et 306.
11. Dr. Michael I. Cohen, dans une entrevue personnelle avec l'auteur, 1981.
12. *Phi Delta Kappan,* April 1980.
13. "One-Parent Families and Their Children : The Schools' Most Significant Minority - First-Year Report of a Longitudinal Study Cosponsored by the National Association of Elementary School Principals and the Institute for Development of Educational Activities", *Principal 60* (September 1980). "Another Look at the Children of Divorce : Summary Report of the Study of School Needs of One-Parent Children", *Principal 62* (September 1982).
14. "A Study of the School Needs of Children from One-Parent Families", *Phi Delta Kappan,* April 1980.

TROISIÈME PARTIE

LE BUT DE L'ENFANCE

CHAPITRE 9

LA FIN DU REFOULEMENT

INTRANSIGEANCE SEXUELLE

Il y eut un temps où les enfants semblaient passifs sexuellement, pendant les années précédant l'adolescence. Même quand chacun, sans distinction de niveau social, en vint à comprendre les révélations de Freud au sujet du sexe qui, selon lui, était une énergie fondamentale de la première enfance ; encore qu'une distinction ait bien sûr été faite : il y a *sexe* et *sexe*. Qu'importe ce qu'a dit Freud, le complexe d'Oedipe n'a jamais paru être du *vrai* sexe.

En effet, il y avait toujours le même ancien témoignage évident de la sexualité de l'enfance : Jean pouvait aussi bien jouer avec son pénis en 1940 ou 1950 que le petit Hans, cinquante ans plus tôt. Mais alors, en 1950, les parents éclairés ne le menaçaient plus de le lui couper quand ils le voyaient en train de se masturber, encore que les spécialistes de l'enfant, les conseillers et par conséquent les parents continuèrent de garder prudemment une attitude de répression envers la liberté d'expression de la sexualité enfantine.

De tels exemples peuvent se trouver dans la plupart des livres sur les soins de l'enfant dans les années cinquante et les premières années de 1960. Dans le «best-seller» de Haim Ginott, *Between Parent and Child*

(Entre parent et enfant), publié dans les années soixante, nous lisons : «Les parents peuvent exercer une douce influence contre la masturbation, non pas parce que c'est un phénomène pathologique, mais parce que ce n'est pas progressif ; ce n'est pas le résultat de relations sociales ou de croissance personnelle... Les plus importantes satisfactions de l'enfant devraient venir de relations et de réalisations personnelles. »[1]

Même si le docteur Spock, le docteur Ginott et un certain nombre d'autres qui ont écrit sur les besoins de l'enfant ont dit franchement et ouvertement le fond de leur pensée sur le sexe, l'éducation sexuelle, la curiosité sexuelle, la masturbation et toute chose du même ordre, ces opinions représentaient encore une reprise révélatrice des idées des générations passées, avec la légère répression de la sexualité de l'enfant, qui était encore le principe fondamental.

Et alors, il semble que longtemps après que tout le monde pensait qu'il existait déjà une attitude très «moderne » sur la sexualité, les choses changèrent vraiment et une vieille idée mourut définitivement. Vers 1970, le sexe était devenu une part normale de la vie des enfant par l'intermédiaire de la télévision, mais aussi par les livres, les magazines, les journaux et surtout par les séparations ou les divorces, quand il fut révélé à de plus en plus d'enfants que leurs parents étaient sexuellement actifs.

Il n'est donc pas surprenant que les enfants commencèrent à regarder et à agir de façon moins enfantine. Dans une société sexuellement «en ébullition », ces innocents d'autrefois commencèrent à acquérir une connaissance des complications sexuelles que la plupart des *adultes* de la génération précédente n'avaient pas possédée. Dans certains cas, des enfants s'engagèrent de leur propre gré dans une vie sexuelle étonnamment précoce, provoquant beaucoup d'anxiété et une petite jalousie insinuante parmi leurs parents et leurs tuteurs. Soit que les enfants, après cette période de changement, cessèrent simplement de dissimuler de forts élans sexuels qui avaient toujours fait partie de leur nature, mais qui avaient auparavant été réprimés par la société, ou bien qu'ils soient maintenant poussés à une activité sexuelle précoce par l'exemple de leurs aînés, c'est encore à déterminer. Mais vers 1970, il devint impossible d'ignorer l'apparition d'une nouvelle sexualité parmi un groupe d'âge qui avait, jusqu'à récemment, été considéré comme tellement asexué «et innocent qu'on l'avait appelé latent » - des enfants connus comme pré-adolescents ou enfants d'âge scolaire.

Comme les événements des années soixante assombrissaient tellement de domaines de la vie américaine, ces spécialistes de l'enfant, faisant autorité, auxquels les parents américains s'étaient fiés pour les conseiller, commencèrent à refléter les attitudes transformées de la société envers le sexe. Comme le psychiatre Thomas Szasz le voyait, l'ère des «hypocrites » sexuels, la dissension antisexuelle était finie. Le jour des «radicaux » sexuels qui favoriseraient la libre expression de la sexualité parmi les jeunes comme chez les plus âgés était arrivé. [2]

Comparez la façon «hypocrite » d'aborder la masturbation de l'enfant, illustrée par la croyance puritaine que cette pratique pouvait causer la folie et rendre les mains poilues, avec la doctrine freudienne disant que cela pouvait entraver l'acquisition des connaissances, ou avec l'avertissement de Ginott comme quoi ce pourrait être un handicap à la croissance personnelle et l'attitude actuelle qui est que la masturbation est une force positive dans la vie des enfants. «La façon naturelle de tester le ''matériel'', en plus d'être très agréable, est la façon dont la plupart des garçons et des filles apprennent d'abord, par le toucher à quoi «ressemble le sexe », écrivent les auteurs d'un récent livre d'éducation sexuelle pour les parents et les enfants, ajoutant : «Malheureusement, et pour des raisons difficiles à comprendre, les gens ont fait beaucoup de bruit au sujet de cette façon ''qui va de soi'' de s'exercer à la sexualité adulte. » Un autre partisan en faveur de la sexualité, écrivant au sujet de la masturbation, exhorte les parents «à ne pas la rechercher, à ne pas essayer de la prévenir directement ou même indirectement en essayant de détourner l'attention de l'enfant vers d'autres activités ». (Cette façon de procéder a été la stratégie «hypocrite » habituelle des années cinquante et soixante, qu'on disait bien instruites sur le sujet.) Le conseiller le plus radical écrit : «Le sexe est un plaisir. Un plaisir intense, pur, vivant. Si un enfant doit être sain au point de vue sexuel, les parents doivent considérer qu'il n'y a rien de mauvais dans le plaisir sexuel. Celui-ci est «nocif » seulement quand il cause du mal. Y a-t-il une souffrance pour qui que ce soit, quand un bébé éprouve un plaisir sexuel quand il est au sein de sa mère, ou quand un enfant se masturbe ou trouve du plaisir dans un jeu sexuel avec un autre enfant, ou quand un(e) adolescent(e) employant de bonnes méthodes contraceptives a des relations sexuelles ardentes ; à qui font-ils du tort ?[3] »

Dans un véritable renversement de l'ancienne peur selon laquelle la sexualité libérée de l'enfance aurait des conséquences graves, les radicaux proclament les dangers du refoulement sexuel. Alors que les parents du passé allaient très loin pour détourner leurs enfants de la manifestation de leurs impulsions sexuelles, les parents d'aujourd'hui se sentent également mal à l'aise si les enfants ne portent aucun intérêt particulier au sexe. Ils s'inquiètent si pour une raison ou une autre, leur enfant ne se masturbe *pas*. «Si nous n'abandonnons pas nos idées puritaines, nous pouvons littéralement mutiler nos enfants sexuellement », est le discours le plus courant des spécialistes. Le pas franchi entre la croyance aux effets néfastes de la masturbation ou de la non-masturbation est effectivement un grand pas en avant.

ENCOURAGER LA SEXUALITÉ

Les partisans de la sexualité vont plus loin que d'essayer de réparer les erreurs du passé quant à la masturbation. Un rapport de *Sex Information and Education Council of the United States (SIECUS)* (Conseil de l'éducation et de l'information à la sexualité des États-Unis) propose que la sexualité soit *encouragée* pendant l'enfance, de la même façon que les dispositions artistiques ou mathématiques ou l'intérêt pour les sports doivent être encouragés : «Ainsi, la sexualité peut devenir un aspect non seulement pleinement accepté de la vie, mais également valorisé. » Le rapport continue en suggérant : «Le sexe est une part tellement agréable et importante de la vie que si les enfants n'arrivent pas d'eux-mêmes à découvrir le plaisir sexuel, et si nous les aimons vraiment, nous nous assurerons de leur faire découvrir. »[4]

Il est difficile de nier que le sexe est une part importante et merveilleuse de la vie, on ne devrait pas priver les enfants de ses plaisirs. Et pourtant, le but réel du message du renouveau sexuel d'aujourd'hui demeure obscur. Les activités sexuelles spécifiques des pré-adolescents mentionnées dans le rapport SIECUS sont «la masturbation, les jeux sexuels avec les autres (de l'un ou de l'autre sexe) ou les animaux », et aussi l'utilisation d'un langage vulgaire. Est-ce qu'il faudrait alors aprendre aux enfants *comment* se masturber correctement, ou les encourager à le faire s'ils n'y sont pas encore intéressés ? Est-ce que les parents scrupuleux ne devraient simplement pas regarder ça d'une autre façon, comme certains parents plus éclairés le font parfois, quand leurs jeunes enfants jouent au «Docteur», ou alors engager un précepteur ?

Le résultat d'une telle suggestion a créé l'indécision et la culpabilité parmi les parents tiraillés entre l'ancien et le nouveau comportement face à la sexualité. Leurs propres parents étaient presque tous refoulés sexuellement, beaucoup plus qu'ils ne l'ont été vis-à-vis de leurs enfants. Ils ne peuvent pas suivre leurs principes qui sont basés sur la façon dont ils ont été élevés - leur comportement envers leur propre sexualité a d'ailleurs changé grâce à la façon plus ouverte d'aborder la sexualité qui est de mise aujourd'hui. Cependant, s'ils permettent à leurs enfants une liberté sexuelle qu'eux-mêmes n'ont pas eue, étant enfants, si en fait ils vont de l'avant et essaient d'encourager leur sexualité, et alors qu'en même temps (et c'est souvent le cas) eux-mêmes n'ont pas atteint l'accomplissement sexuel parfait qu'ils souhaitaient, ils peuvent se retrouver dans la situation paradoxale de se sentir moins adultes que leurs enfants. L'expérience sexuelle, après tout, fut toujours ce qui a séparé l'âge adulte de l'enfance. Les relations des parents avec leurs enfants toujours plus avancés et sexuellement libérés peuvent devenir des relations d'égal à égal. Ou bien un nouveau genre de déséquilibre peut se produire, lorsque les parents se retrouvent «moins au courant » devant leurs enfants pleins d'expérience. («Ah Maman, tu ne sais même pas ce qu'est le sexe oral ! »). Ce n'est pas difficile de comprendre pourquoi il existe un «malaise » manifeste, parfois nuancé d'hostilité, vis-à-vis de la sexualité des enfants, qui n'est que trop évident parmi les parents d'aujourd'hui.

ET LES PETITES FILLES !

Lorsque les gens parlent des «enfants qui grandissent plus vite » et sont anxieux au sujet de leur comportement sexuel précoce, ce sont plus souvent les filles auxquelles ils pensent. Lolita était une fille. Les enfants aux attitudes provocantes qui paraissent dans les commerciaux à la télé sont des petites filles. Les célèbres «sex symbols » - les Brooke Shield et les Jody Foster qui, encore pré-adolescentes, furent lancées dans des rôles sexuels- sont toutes des petites filles. Pendant ce temps,le mythe social est que les pré-adolescents sont généralement insouciants comme Huck Finns (L'île au trésor) ou des petits soldats impatients, plutôt que des merveilles sexuelles. En général, ce sont les filles qui ont changé leurs lectures, préférant la littérature pour «jeunes adultes » de Judy Blume ou Norma Klein qui traite de la masturbation et de tout ce qui l'accompagne, aux histoires sur les chevaux et aux promenades entre jeunes telles que les filles les aimaient. Pendant ce temps-là, les garçons d'âge scolaire en restent aux histoires de sports et aux aventures qu'ils ont toujours aimées.

Cet écart peut exister parce que les garçons ont toujours reçu moins de protection que les filles. Aujourd'hui, comme les parents abandonnent la philosophie de la protection dans l'éducation de l'enfant, pour une philosophie «préparatoire », leur comportement démontre un changement surtout envers les filles.

Pour les statistiques, les observations ont confirmé que les filles se transforment plus rapidement quant à la précocité. Alors qu'on a remarqué une baisse constante de l'âge auquel les adolescents ont leur première relation sexuelle, des études indiquent que cette baisse est attribuable au fait que les filles sont de plus en plus précoces. Les garçons paraissent avoir en général le même comportement que dans le passé ; les filles ne font que combler leur retard. Bruno Bettelheim parlait de la plus grande protection des filles dans le passé, quand il déclarait : «Notre système éducatif et social moderne... oblige les filles à un rapprochement fréquent et étroit avec les garçons sur un pied d'égalité, et sans aucun genre de protection. Même si les filles vivent maintenant tellement exposées au monde et ne sont pas protégées plus que les garçons par la famille, on s'attend - ou du moins, on voudrait - que cette situation n'ait pas d'impact sur le comportement sexuel des filles. Une telle espérance n'est pas raisonnable du tout. »[5]

Néanmoins, beaucoup de parents gardent une attitude protectrice envers les filles, même alors qu'ils sont incapables de maintenir une ambiance protectrice autour d'elles. Une étude récente faite par le *Harvard Project on Human Social Learning* (Le dossier de l'Université Harvard sur l'apprentissage social humain) démontre que moins de 30% des mères veulent transmettre à leurs filles l'idée que les relations sexuelles avant le mariage est admise, alors que près de 60% veulent que leurs fils sachent que c'est parfaitement normal. [6] Les pères ont un critère similaire dans leur comportement : moins de 40% désirent que leurs filles sachent que les relations sexuelles avant le mariage sont acceptées, mais 70% trouvent cela excellent pour leur fils.

Il semble que non seulement les parents étaient autrefois plus répressifs envers la sexualité des filles qu'envers celle des garçons (assez compréhensible quand on pense aux conséquences des relations sexuelles avant le mariage pour les filles), mais que d'une certaine manière - et surtout les pères - encourageaient plutôt la précocité chez les garçons, à un certain degré du moins. La nouvelle manifestation de l'homosexualité dans la société américaine au cours des deux dernières décades a porté à son paroxysme cette tendance.

IDENTITÉ SEXUELLE

Pendant plusieurs années, après que les parents modernes aient accepté le fait qu'il vaut mieux enseigner «la vie réelle » au cours de la prime jeunesse, l'homosexualité resta un tabou pour les jeunes enfants. En effet, même chez les adultes, l'homosexualité était autrefois tellement dissimulée qu'avant l'adolescence, la plupart des enfants ignoraient complètement son existence, même s'il y avait des homosexuels dans la famille.

Aujourd'hui, tout est changé. Dans une période où un grand nombre de comédies de situation, pour toute la famille à la télévision, met en vedette des «couples irréguliers », et que la question des droits des homosexuels passe régulièrement aux nouvelles, il serait difficile de ne pas en discuter. Même au jardin d'enfants, en récréation, on entend : «pédé » ou «lesbienne ».

La nouvelle prise de conscience de l'homosexualité n'a pas manqué de créer une certaine anxiété parmi les pré-adolescents. N'ayant pas atteint leur maturité sexuelle, et sans connaître la manière de tester physiquement leur sexualité comme les adolescents le font, ils commencent soudain à s'inquiéter et à se demander s'ils vont devenir des «pédés » ou des «lesbiennes ». Cette anxiété se manifeste par des taquineries sur l'homosexualité parmi les enfants.

Un enseignant de cinquième année raconte : «L'homosexualité est une chose importante parmi les enfants de cinquième année - ils en parlent constamment. Le terme «homo » est utilisé sans arrêt. Et les enfants se taquinent mutuellement en imitant ce qu'ils considèrent comme «des gestes d'homosexuels » - vous savez, le poignet décontracté, le"léchage" du doigt et le"lissage"des sourcils ; ce genre de choses. »

«Les enfants de ma classe sont indécis et anxieux au sujet de l'homosexualité, dit une autre enseignante de cinquième année. Quand ils se mettent en colère, ils se rabrouent en se traitant de travestis, par exemple. L'autre jour, j'ai fait un certain mouvement avec ma main : deux filles se mirent à rire bêtement. Je leur ai demandé pourquoi et elles ont dit : «Oh !

Madame Gonzalez, vous avez l'air d'une «homo » quand vous faites ça ! »

Les amitiés entre les enfants du même sexe sont très souvent affectées par une anxiété profonde au sujet de l'orientation sexuelle qui s'établit plusieurs années avant la puberté, de nos jours. Un garçon de sixième année raconte une expérience pénible : «Mon ami Jean-Louis et moi avons passé des moments très difficiles, cette année. Nous ne nous sommes pas vraiment intégrés au groupe de notre âge. Subitement, tous les enfants se mirent à nous taquiner : ''Oh ! vous devez être des homosexuels, tous les deux !'' Je suis rentré à la maison en pleurant une ou deux fois. J'étais terriblement en colère. »

D'une manière indirecte, la nouvelle manifestation de l'homosexualité depuis 1960, par son impact sur le comportement des parents envers la sexualité des enfants, peut être rendue responsable de certains des changements qui sont arrivés à l'enfance contemporaine. Il est certain que l'éducation moderne de l'enfant, qui est passée du refoulement sexuel à la connaissance sexuelle peut être reliée au comportement des parents envers l'homosexualité.

Ce serait une erreur de penser qu'une plus grande acceptation de l'homosexualité et un véritable mouvement envers les droits des homosexuels dans la société nord-américaine actuelle ont transformé les sentiments profonds des parents au sujet de l'avenir sexuel de leurs enfants. La plupart d'entre eux continuent d'espérer qu'ils se marient, aient des enfants qui leur donnent une descendance. Ce désir fait partie de l'instinct de la race humaine, qui veut la survivance de l'espèce. Dans le passé, quand l'homosexualité n'était pas un problème tombé dans le domaine public, les parents s'assuraient simplement que les enfants auraient une vie sexuelle normale. Les pères poussaient un peu sur le côté «mâle » de leurs fils, les incitant à se conduire en «hommes », à ne pas être une «poule mouillée ». Les petites filles devaient être «féminines », maternelles, et jouer avec des poupées au lieu de grimper aux arbres. Mais ces attitudes qui amenaient un comportement sexuel stéréotypé parmi les enfants faisaient partie du but général des parents qui voulaient encourager certaines formes de comportement admises - pour que leurs enfants leur ressemblent, bien entendu. En général, les parents suivirent les façons quelque peu répressives en cours dans leur enfance, sans craindre que cela puisse influencer un jour l'orientation sexuelle de leurs enfants.

Quand l'homosexualité devint presque «une chose normale», les parents sentirent leur malaise s'accroître au sujet du développement sexuel des enfants et surtout de leur orientation sexuelle normale. De plus, les écrits des spécialistes mirent en évidence le fait que la façon d'agir des parents avec les enfants en bas âge peut jouer un grand rôle dans leur avenir sexuel. Par exemple, les auteurs d'un manuel qui fait autorité sur la sexualité *The Cycles of Sex* (Les cycles de la sexualité)[7], écrivent ce qui suit sur la période de latence :

> C'est la période au cours de laquelle les signes avant-coureurs de tendances homosexuelles futures font souvent leur première apparition. Dans la plupart des cas, ces troubles d'identité sexuelle ont commencé plus tôt ; c'est une conséquence de l'interdépendance familiale qui n'a pas su favoriser une identité sexuelle sans inquiétudes, incluant le ferme espoir d'un comportement sexuel normal. Il est maintenant évident qu'un tel enfant évite les activités normales auxquelles on s'attend, et qui sont le propre de son sexe.

«N'a pas su favoriser une identité sexuelle» ; des paroles terribles pour les parents ! En opposition à l'idée d'autrefois qui était qu'un enfant devient *naturellement* un adulte «normal», les parents actuels doivent admettre, à leur grand déplaisir, qu'ils n'ont peut-être pas agi correctement, que peut-être ils pourraient encore se tromper, et qu'à présent leurs enfants ne leur donneront jamais de descendance. Pour aggraver les choses, journaux et magazines, émissions de télévision et films rappellent sans arrêt aux parents leurs anxiétés, en traitant de plus en plus souvent le sujet de l'homosexualité. Il est facile de comprendre pourquoi les parents des années 1970 et 80 passèrent de l'éducation répressive qui tentait de retarder l'apparition de la sexualité à un style d'éducation qui, de bien des façons, fit se développer la précocité sexuelle : ils avaient besoin de voir leurs inquiétudes au sujet de l'avenir sexuel de leurs enfants calmées le plus tôt possible. Même chez les parents de petits enfants, l'anxiété au sujet du rôle et de l'orientation sexuels n'est pas chose rare. Le père d'un garçon de cinq ans déclare : «La plupart des parents qui veulent l'avouer vont admettre qu'ils se tracassent à l'idée que leur fils pourrait devenir «l'un d'eux ». Dans les réunions de parents, ils plaisantent sur le sujet à différentes reprises. Un autre père m'a dit l'autre jour : «Dieu merci, Jacques a le béguin pour Suzanne. Il semble que tout est normal ! Et c'est exactement comme cela que, pour la plupart, nous considérons ça. »

Réfléchissant à ces inquiétudes, les spécialistes actuels encouragent les parents à autoriser les «jeux sexuels » qui étaient autrefois interdits. Les auteurs de *Cycles of Sex* (Les cycles du sexe) préviennent :

> L'anxiété des parents sur l'opportunité des «jeux sexuels normaux » peut de façon subtile avoir une mauvaise influence sur l'identité sexuelle des enfants. On permet rarement à des jeunes garçons de passer la nuit avec des petites filles. Les adultes considèrent comme suspecte toute intimité entre un garçon et une fille. Les parents ne manquent jamais de montrer leur sérieuse désapprobation quand des enfants (garçons *ou* filles) ou des groupes mixtes se font surprendre «à partir à la découverte » de leurs organes génitaux respectifs. Encore qu'il arrive souvent quc des enfants du même sexe (garçons *ou* filles) passent la nuit ensemble, avec des occasions continuelles de jeux sexuels, et que cela soit approuvé sans discussion par la plupart des parents et fasse partie d'une expérience normale pour les enfants. L'idée que les activités sexuelles «normales » soient plus «tabous », et que les jeux érotiques entre enfants du même sexe soient plus acceptables, laisse une empreinte dans l'esprit de l'enfant.

Sous l'impulsion de leur anxiété au sujet de leur rôle dans l'orientation sexuelle de leurs enfants, beaucoup de parents n'osent plus *montrer* leur désapprobation au sujet des jeux sexuels «normaux », même quand ils continuent à ne pas être d'accord. Et directement ou de façon subtile, les parents commencent à encourager les activités sexuelles «normales » pendant la pré-adolescence ou même avant. Une mère de New York, qui avait divorcé une première fois parce que son mari s'était révélé être un homosexuel, encouragea le fils qu'elle eut de son second mariage à «fréquenter » les petites filles dès ses premières années d'école, et ne cacha pas sa satisfaction quand il commença à «avoir des rendez-vous » et eut «vraiment » des petites amies en sixième année. Elle parlait de la vie sexuelle de son fils avec une fierté évidente : «Charles a eu sa première relation sexuelle cette année. Je sais que beaucoup de gens vont penser que treize ans, c'est trop jeune, mais je pense que c'est bien, tant que les enfants savent ce qu'ils font et qu'il n'arrive pas de grossesse intempestive. Bien entendu, Charles sait tout ce qu'on doit savoir au sujet du contrôle des naissances. Je lui ai aussi donné quelques conseils pour «attirer » une femme. Je pense qu'il sera un bon amant ! »

Une mère apprenant que son fils de quatorze ans avait des relations sexuelles avec une fille de quinze ans réagit en deux temps - d'abord un choc, puis un net soulagement : «Même si ça m'a secouée quand je m'en suis aperçue, je dois admettre que pour une part j'étais ravie de l'événement. Son oncle, le frère de son père, est homosexuel ; alors, en fait, j'en étais satisfaite : cela me prouvait sans équivoque qu'il était normal. »

Une mère de trois enfants excusa son deuxième enfant : «Michel ne pense pas encore aux petites filles. Vous savez, il s'occupe beaucoup de sport à l'école. » Elle ressentait le besoin de justifier le manque d'intérêt de son fils pour les filles. Le garçon dont elle me parlait avait neuf ans !

Lorsque les enfants parlent, c'est souvent avec une légère incrédulité ; ils ne comprennent pas bien l'encouragement à la sexualité de leurs parents anxieux. Un élève de sixième déclarait que ses parents lui disaient toujours : «As-tu enfin une petite amie ? » Ils me posent sans arrêt cette même question. »

Un garçon de cinquième année me racontait une histoire semblable : «Je disais à mon père que j'allais au cinéma avec mon frère, et il m'a demandé si je ne préférais pas inviter une fille. Il semblait désappointé que je n'en aie pas envie. »

LE DILEMME DES PARENTS

L'incertitude des parents au sujet de la sexualité de leurs enfants est clairement exposée dans le livre récent de Kathryn Watterson Burkhart, *Growing Into Love* (Croître dans l'amour)[8], un livre qui éclaircit la question des adolescents actuels, qui explique leurs pensées et leur comportement. D'un côté, l'auteur encourage ce côté «indécis » des parents qui voudraient que tout se passe à peu près comme lorsqu'ils étaient enfants. Pour cette aspiration instinctive, elle écrit :

> Nul doute que la plupart de nos jeunes adolescents ont entendu parler d'un des leurs qui découche, se drogue ou a des relations sexuelles sérieuses. Ils savent que l'homosexualité existe, ainsi que le sexe oral et pas mal d'autres choses qui auraient fait bondir nos grands-mères, mais fondamentalement ils ne sont que des enfants cherchant à l'aveuglette leur identité. Bien sûr, ils ont vu beaucoup d'illustrations de nus, ils ont vu des gens qui couchaient dans le même lit, dans les films,

mais cela ne signifie pas qu'ils vont en faire partie intégrante de leur vie. Le fait de «savoir» ne veut pas dire nécessairement «mettre en pratique».

Il est certain que les parents poussent un soupir de soulagement. Rien n'a tellement changé, semblerait-il. D'autre part, le livre abonde en déclarations d'enfants et d'adolescents qui n'auraient jamais pu parler ouvertement (ni à voix basse, d'ailleurs) il y a une génération.

> Quand j'ai eu mon premier amoureux, j'avais quatorze ans. C'était le premier garçon avec qui j'avais des relations sexuelles. C'était pas mal, mais il me fit remarquer que si nous avions fumé avant de faire l'amour, j'aurais été plus «passionnée» et cela aurait été terrible. Il aurait voulu m'en donner la preuve ; aussi, après y avoir réfléchi, je ne voudrais jamais fumer de pot avant de faire l'amour.

Des parents qui ne savent plus très bien où ils en sont peuvent se demander s'ils font ce qu'il faut pour favoriser le développement sexuel de leurs enfants quand ils lisent des esquisses de caractères au sujet de la liberté et de la sexualité d'un couple d'adolescents tels Tom et Betty («Je sentais mon corps qui devenait fou, c'était tellement excitant.») ou Claire et Thomas («Je connaissais déjà son corps et il connaissait le mien, mais c'était la première fois qu'il me voyait nue en plein soleil.») ou Brenda et Jacques («Quand nous sommes revenus, nous avons été dans ma chambre et nous avons été au lit ensemble. Nous étions nus et nous avons fait l'amour.), et encore pas mal d'autres. Et dans le cas où les parents se demanderaient si tout ce délicieux amour sexuel adolescent peut créer des problèmes pour l'avenir, Burkhart les rassure :

> Je suis certaine que la plupart des adolescents qui se sont confiés à moi jouiront d'une vie conjugale plus accomplie à cause de la façon saine dont ils ont fait leurs expériences avant le mariage. La plupart disent que même sans relations sexuelles complètes, ce qu'ils avaient appris sur leurs réactions sexuelles et sur les travaux d'approche contribuerait éventuellement à une expérience plus complète. D'autres disent qu'ils ont appris beaucoup et mûri à travers cette expérience.

Alors, nous pouvons tracer l'ensemble des causes de la tension courante entre *les parents* qui espèrent que les enfants *sont* vraiment les mêmes qu'avant, que la plupart de ces rapports pénibles nous arrivant par les media sur le nombre de filles et garçons de douze ans qui «le font » sont simplement des histoires, *et leurs espoirs* contradictoires qu'ils *le font vraiment*, le font merveilleusement, en plein soleil, et le font mieux qu'eux ne l'ont jamais fait.

Le dilemme des parents n'est pas allégé par l'hypothèse habituelle contenue dans plusieurs manuels d'éducation actuels à l'effet que le sexe est un *don*, comme de savoir jouer du piano, *don* qu'on ne maîtrise jamais réellement, si on ne commence pas à le développer précocement. Bien plus, les parents sont informés par les spécialistes de quelques-unes des conséquences dont pourraient souffrir leurs enfants suite à un refoulement sexuel excessif, dont l'aversion pour l'école, l'insomnie, la bigoterie, une névrose obsessionnelle et, finalement, l'impuissance.

Certains spécialistes vont jusqu'à suggérer que dans la société dont la médiocrité va en s'accroissant aujourd'hui, le plaisir sexuel peut offrir aux enfants une certaine compensation pour ce dont ils sont privés. Le sexe chez les pré-adolescents peut même devenir «une solution de rechange à la discipline excessive généralement inutile, l'humiliation et l'ennui de l'école », remarque un auteur. Et pourtant, si la plupart des adultes sont d'accord sur le fait que la sexualité est une chose merveilleuse, ils ne sont pas encore au point de se joindre aux «radicaux » du sexe. Un certain instinct profondément enraciné les «retient », les incite à garder leurs enfants en «latence sexuelle » aussi longtemps que possible et de se sentir profondément inquiets quand ils découvrent qu'ils n'y arrivent pas.

CHAPITRE 9 - LA FIN DU REFOULEMENT

1. Haim G. Ginott, *Between Parent and Child* (New York : Macmillan, 1965).
2. Thomas Szasz, *Sex by Prescription* (New York : Doubleday Anchor Books, 1980).
3. Alex Comfort et Jane Comfort, *The Facts of Love : Living, Loving and Growing* (New York : Crown Publishers, 1979). Sex Information and Education Council of the United States (SIECUS), *Sexuality and Man* (New York : Scribner, 1970). Hal M. Wells, *The Sensuous Child* (New York : Stein & Day, 1976), p. 14.
4. Warren R. Johnson, "Childhood Sexuality ; The Last of the Great Taboos", *New York SIECUS Report 5* (March 1977).
5. Furstenberg et al. Teenage Sexuality, p. 78. Bruno Bettelheim, Surviving and Other Essays (New York : Alfred Knopf, 1979), p. 379.
6. Elizabeth J. Roberts, David Kline et John Gagnon, "Family Life and Sexual Learning : A Study of the Role of Parents in the Sexual Learning of Children", préparé par le Project on Human Sexual Development, Popular Education, Inc.
7. Warren J. Gadpaille, *Cycles of Sex*, ed. Lucy Freeman (San Francisco, Calif. : W.H. Freeman, 1975).
8. Kathryn Watterson Burkhart, *Growing into Love : Teenagers Talk Candidly About Sex in the 1980's* (New York : G.P. Putnam, 1981). Les passages cités sont tirés des pp 20, 203-5 et 215.

CHAPITRE 10

RETARDEMENT DE LA SEXUALITÉ

UNE DEMI-PRIVATION

Il fut un temps où les adultes étaient peu bavards pour tout ce qui avait trait à la sexualité, quand les best-sellers ne contenaient aucune description d'actes sexuels inaccoutumés, quand les livres pour enfants parlaient de lapins et de chasses au trésor, pas d'inceste et de viol collectif, quand tous les films étaient destinés à toute la famille, quand l'accomplissement sexuel n'était pas la préoccupation majeure des couples américains. À cette époque, on pouvait plus facilement maintenir les enfants en «latence sexuelle ». Car, jusqu'à ces dernières années, retarder le développement sexuel des enfants supposait maintes pratiques d'éducation quotidienne.

L'idée d'essayer de réprimer la sexualité des enfants et de différer leur entrée dans la vie adulte a une longue histoire. Le chef de file de cette école de pensée était Jean-Jacques Rousseau, qui influença l'éducation et les principes d'éducation à la fin du dix-huitième siècle, peut-être autant que Freud l'a fait pour notre temps. Rousseau a proposé un système lent, constant et protégé pour l'enfance, expressément pour éviter d'exciter la curiosité sexuelle de l'enfant. De cette façon, croyait Rousseau, le début de la puberté serait en quelque sorte différé. Ce comportement, menant en droite ligne à la crainte de la précocité, qui caractérisait le dix-neuvième et le début du vingtième siècle, peut encore se retrouver derrière l'anxiété des parents actuels, surtout vis-à-vis de la stimulation à la sexualité qui nous vient par la télévision, les livres ou les magazines.

Plusieurs façons curieuses d'élever les enfants du passé commencent à prendre un sens quand nous comprenons que leur propos caché était de retarder le développement sexuel de l'enfant. Prenez par exemple ce modèle singulier et pourtant habituel chez les parents des classes moyennes et supérieures du siècle dernier qui sous-alimentaient leurs enfants et les maintenaient dans un état de semi-privation presque toute leur enfance. Un éloquent rappel d'une belle enfance dans un château écossais vers l'année 1930 nous rapporte un «état de famine » au milieu de l'abondance normale dans laquelle vivaient les enfants privilégiés du passé.

> «Le moment des repas ramenait une crainte toujours présente, celle de ne pas avoir assez à manger. À la ferme du château - celle qui était là pour approvisionner celui-ci - les vaches grasses beuglaient dans leurs stalles, donnant sans cesse un torrent de lait crémeux, riche. Dans le potager de deux cents mètres de côté dont les produits étaient destinés aux cuisines du château, trois jardiniers travaillaient à des rangées bien alignées de pois, de haricots, de laitues et de concombres, d'asperges, de choux et d'épinards. Des fraises, des framboises, des prunes, des cerises et du raisin se déversaient dans la maison chaque matin d'été, transportés sur l'épaule par des aides-jardiniers aux pieds nus. Pendant l'hiver, les garde-chasse, leur pantalon de cuir maculé du sang de leurs victimes, embrochaient d'un coup sec sur les crochets acérés de la réserve de gibier, les chevreuils et les lièvres, les faisans, les perdrix, les bécassines, les canards et les grouses. Vers la mer se déroulaient les champs d'avoine mûre qui serait bientôt moulue entre les pierres plates du moulin du village. Les pommes de terre, les navets et les carottes s'entassaient sous des buttes de terre, tandis que les cochons, les veaux et les agneaux étaient abattus, protestant bruyamment dans les enclos derrière l'étable. Toute cette activité n'avait qu'un but, nourrir les gens du château, alors que nous, les enfants, étions presque toujours affamés. »[1]

Alors que la plupart des gens supposent que le système de sous-alimentation des enfants était basé sur le même type que les principes spartiates qui étaient censés endurcir les enfants, il se pourrait qu'il ait été motivé pour une raison très différente. Comme nous allons le voir dans l'extrait suivant, écrit vers 1830 par Sylvester Graham, un écrivain qui fit autorité auprès des parents, une relation curieuse fut faite autrefois entre la privation alimentaire et le retardement de la sexualité :

> «La sensibilité fragile de la jeunesse étant constamment mise au supplice et leur sang jeune continuellement échauffé par un régime *stimulant* et *dégradant*, leurs instincts sexuels se développent plus rapidement que leur puissance logique et morale... Parmi les causes de propagation de la masturbation... les plus importantes sont : 1. Une diète inadéquate - la libre consommation de chair (viande) avec des assaisonnements et des condiments, la plupart du temps excitants... qui stimulent outre mesure et irritent le système nerveux, échauffent le sang et développent trop tôt une sensibilité et une sensualité des organes génitaux et... 2. Une trop grande *quantité* d'aliments. Que nos enfants soient élevés normalement et simplement, ou que leurs parents limitent les quantités et ils ne *sauront* pas manger plus qu'ils n'en ont *réellement besoin*... car non seulement cela favoriserait des dommages permanents aux organes de la digestion, mais la santé en souffrirait *et l'appétit sexuel se développerait rapidement et vigoureusement*. La suralimentation est une cause importante de sensualité précoce, d'indécence et d'innombrables autres maux néfastes. »

Peu de gens croient encore aujourd'hui que la nourriture excite la sexualité des enfants. La pensée que la *quantité* de nourriture absorbée par un enfant puisse «augmenter l'appétit sexuel » nous semble très étrange. Pourtant, il y a une relation certaine établie entre la nourriture et le développement sexuel de l'enfant. Au siècle dernier, on a recueilli de nombreux témoignages indiquant qu'en Europe de l'Ouest et aux États-Unis, il y a eu une accélération significative du développement sexuel. D'après une recherche, les premières règles apparaissaient vers l'âge de seize ans, il y a cent ans ; aujourd'hui, l'âge moyen est de douze ans et demi[3]. L'explication la plus largement acceptée pour cette accélération est alimentaire. Les chercheurs suggèrent l'existence d'une relation spécifique entre le poids d'une jeune fille, plus particulièrement la proportion de tissus adipeux et de muscles, et l'apparition de la puberté. Quelques années avant l'apparition des règles, les tissus graisseux s'accroissent de 125%. Le poids critique pour la première apparition des règles semble osciller entre 98 et 103 livres (44 et 46,8 kg). Quand le poids «critique » ou la proportion «critique » de graisse et de muscle est atteinte, cela semble amorcer le mécanisme hormonal qui active le processus de la puberté. Il y a un important avantage à cette condition requise de poids : la grossesse et la lactation nécessitent de grandes réserves de graisse pour que la santé de la mère ou du bébé ne soit pas compromise.[4]

À première vue, l'explication alimentaire pour une avance de quatre ans en un seul siècle dans l'apparition des règles n'a pas grand sens. Admettons que les critères alimentaires pour les enfants pauvres sont améliorés depuis cent ans, par le biais d'un meilleur système de bien-être social, un plus haut standard de vie, des repas gratuits à l'école et toutes choses du même genre. Mais qu'advenait-il à la progéniture des gens riches et à l'aise, il y a un siècle ? Lisons les livres de cuisine et les menus de cette époque, et nous verrons que ces gens avaient une alimentation riche et variée, une alimentation qui mène en droite ligne à ce poids «critique ». Pourquoi ces enfants n'atteignaient-ils pas la puberté à peu près au même âge que ceux d'aujourd'hui ? La réponse pourrait se retrouver en partie dans la sous-alimentation que justement ces parents-là pratiquaient, ceux qui lisaient Sylvester Graham. Et bien qu'il n'y ait rien eu de scientifique dans ces déclarations de «gourous puritains », à l'effet que la nourriture trop riche ou en trop grosses quantités amènerait «la sensibilité et la sensualité » précoces des organes génitaux, ils évitèrent néanmoins cette précocité ; on nourrissait peu les enfants, et la puberté des filles et probablement celle des garçons était différée d'un certain nombre d'années.

UN TRAVAIL ARDU

Différer la puberté au moyen d'une semi-privation n'est pas une politique qui risque d'attirer des adeptes aujourd'hui. Mais un conseil récent pour résoudre le problème ennuyeux de la grossesse dans l'adolescence démontre que l'idée de différer l'apparition de la puberté a ses partisans. Selon Rose Frisch, spécialiste dans la recherche sur la physiologie de la puberté, il est prouvé que l'activité physique énergique, régulière, retarde de façon significative la première apparition des règles chez les filles. Quel meilleur moyen de prévenir la fatalité d'une grossesse adolescente précoce que de différer la période fertile pendant quelques années ? À quel point plus facile que d'essayer d'inculquer la valeur de la chasteté chez une jeunesse au sang chaud ou d'essayer d'encourager les enfants à l'utilisation du contrôle des naissances par une éducation sexuelle précoce. Pour cette raison, Frisch suggère que les écoles adoptent un programme rigoureux d'athlétisme pour les enfants, dès les premières années de l'école primaire.[5]

L'exercice physique poussé au maximum peut retarder les premières règles comme l'a fait la semi-privation : simplement en retardant cette accumulation «critique de tissus graisseux et de muscles qui déclenche la période pubertaire ». Mais c'est un fait, une heure de gymnastique par jour, c'est nettement plus sain qu'un régime de famine. C'est sûr que les jeunes prodiges de l'athlétisme - patineuses et gymnastes - arrivent généralement à la puberté beaucoup plus tard que la plupart des enfants qui ne suivent aucune discipline athlétique. Cette solution, si largement adoptée, pourrait améliorer la situation difficile causée par le nombre toujours croissant des grossesses chez les adolescentes. En retardant l'apparition de certains des problèmes parent-enfant qui surviennent à l'adolescence, une puberté différée pourrait avoir d'autres avantages d'une portée considérable pour la société. En prolongeant «la durée temporelle de l'enfance », cela pourrait permettre à l'enfant d'acquérir de l'expérience et une maturité émotionnelle, avant d'être confronté aux incertitudes et aux conflits (dont certains ont une cause hormonale) qu'amène inévitablement la puberté.

LA PEUR DE LA GROSSESSE

Ce n'est pas comme si la sexualité de l'enfant avait toujours été une crainte dans le monde entier chez les humains. Nous savons qu'en d'autres temps et d'autres cultures, les instincts sexuels naissants des enfants ont été normalement acceptés comme faisant partie d'eux-mêmes en même temps que leurs facultés d'évolution. Au Moyen Âge, pour s'amuser, les adultes favorisaient les découvertes sexuelles des enfants. Le témoignage des anthropologues révèle des civilisations dans lesquelles le comportement sexuel des enfants est complètement accepté, où la masturbation, les jeux sexuels en groupe, et l'accouplement «simulé » sont tenus pour parfaitement normaux. Pourquoi alors une telle histoire «contre » la sexualité dans ce que nous pourrions appeler les temps modernes, et pourquoi, maintenant que la sexualité de l'enfant commence à sortir de son état de latence, tant d'adultes sont-ils toujours anxieux et mal à l'aise à ce sujet ?

Peut-être que la plus grande force de ce préjugé «contre » la sexualité précoce réside dans ses conséquences : la grossesse. Dans la société médiévale, organisée en communauté, ainsi que dans les sociétés primitives aux structures sociales plus simples, une grossesse dans l'adolescence n'aurait pas été beaucoup plus catastrophique qu'une grossesse venue en son temps. Dans la structure sociale plus complexe de la société post-industrielle, toutefois, les conséquences négatives d'une grossesse à l'adolescence sont nombreuses. À tous les points de vue, les perspectives normales sont médiocres pour l'avenir d'un amour précoce - et d'un enfant : le taux des mortalités est plus haut chez les enfants de mères adolescentes - et plus jeune est la mère, plus ce taux augmente. La santé de la mère trop jeune est compromise par une grossesse. Une naissance précoce diminue largement pour les jeunes parents les chances d'atteindre un plus haut niveau d'éducation et compromet leur avenir professionnel. Si des parents adolescents se marient, leur union a moins de chances de durer qu'un mariage entre personnes plus âgées. Finalement, les enfants de jeunes adolescents sont dans une position désavantageuse au départ, d'après les statistiques : le développement de leurs connaissances est plus lent, ils semblent avoir plus de problèmes sociaux et de troubles de la personnalité que les enfants de parents plus âgés - même de seulement quelques années.[6]

C'est une bonne raison pour tenter de retarder les activités sexuelles chez les enfants et c'est peut-être la même qui est la base de l'anxiété des parents au sujet de la sexualité de l'enfance.

LE MANQUE DE PRÉPARATION AFFECTIVE

Quand on essaie de comprendre le préjugé contre la sexualité, qui était à la base des méthodes d'éducation du passé, qui allait de les affamer jusqu'à marquer profondément leur esprit avec des histoires d'épouvante comme suites de la masturbation, il est important d'observer l'écart possible entre un développement physique et sexuel précoce, par rapport à la maturité affective et cognitive de l'enfant. La maturité sexuelle survenant toujours plus précocement, les parents craignent qu'elle ne soit pas accompagnée d'une maturité intellectuelle ou affective aussi avancée.

Une mère comparant son évolution durant l'enfance avec celle de sa fille de neuf ans exprime certains des problèmes d'un développement sexuel précoce sans réciprocité intellectuelle ou affective : «Tina est bien développée. Elle a de petits seins, des poils pubiens et le docteur pense qu'elle sera bientôt réglée, dans un an peut-être. Bien ! Elle aura dix ans et j'en avais treize quand j'ai eu mes règles. Mais à cet âge, au point de vue intellectuel, c'était pour moi très différent. Je lisais des livres qui parlaient de «féminité », réfléchissant sur les relations des humains, m'émerveillant sur toutes les choses de la vie. Tina est encore à un stade d'amour «animal », lisant *Black Beauty* (Beauté noire). Elle pense : «Les menstruations, dégoûtant ! » Pour moi, il me semblait que c'était le seuil de l'amour. Je continue à me demander si les années supplémentaires de développement des connaissances ne pourraient pas rendre une fille de treize ans plus apte à négocier avec toutes les incertitudes et les frustrations de l'adolescence qu'une enfant de neuf ou dix ans. »

Une autre mère observe : «Je me retrouve tellement, chez Hélène : ses déceptions, sa violence et son extrême susceptibilité. Chaque fois que je dis un mot, elle sort brusquement de la pièce en pleurant. Mais moi, j'avais quatorze ans, quand ça m'arrivait, elle n'a que dix ans et demi ! C'est comme si elle avait laissé échapper trois années d'enfance ! »

Une préoccupation plus courante nourrit l'anxiété d'un père de New York qui se tourmente au sujet de sa fille de onze ans et des signes précoces du développement de sa sexualité : «Mon inquiétude, c'est que Lucie aille trop loin. Elle peut avoir tous les signes extérieurs de la maturité - maquillage et talons hauts -et être acculée à une situation dangereuse parce qu'*elle a l'air* d'être à la hauteur. Des garçons pourraient vouloir «sortir » avec elle, par exemple, avant qu'elle n'y soit préparée, ou on pourrait lui donner beaucoup trop de responsabilités à l'école, parce qu'elle *semble* plus mûre qu'elle ne l'est réellement. »

Voici le problème, il est simple : même si les enfants atteignent la puberté plus tôt, leurs connaissances et leur affectivité n'ont pas nécessairement évolué en même temps. Selon Piaget, l'enfant de onze ou douze ans peut être encore au stade de l'égoïsme, plutôt qu'au stade de la réalité de la vie qui débute vers treize ou quatorze ans. De là peut naître la crainte habituelle des parents : que l'enfant ne soit pas suffisamment préparé pour sa sexualité, qu'il ne soit pas prêt affectivement.

Ce n'est cependant pas uniquement pour l'enfant que tant de parents sentent le besoin de refouler sa sexualité. Puisque l'enfance est la période dans notre société moderne où l'enfant doit passer de l'état d'être complètement mené par ses instincts à un état où il pourra contrôler ses instincts selon sa volonté, son existence même pouvant en dépendre, étant donné que la sexualité reste un domaine où même les adultes ont parfois du mal à contrôler leurs instincts, les parents espèrent qu'une sexualité différée au moins jusqu'à la puberté, et ensuite le plus longtemps possible, amènera une meilleure chance de «socialiser » et d'éduquer leurs enfants. Ils pourraient alors leur donner le sens des valeurs et de l'idéalisme, en bref, maintenir leur autorité.

L'INCESTE

Il n'y a pas seulement l'inquiétude de savoir si oui ou non l'enfant est préparé aux complexités de la sexualité qui fait que les parents tentent de différer l'éveil sexuel de l'enfant. Il peut arriver également que les réactions spontanées des parents se soient insinuées dans leur désir instinctif de prolonger l'enfance.

Car si, comme la théorie freudienne le soutient, sous l'extérieur innocent, le visage duveté des enfants, il y a en effervescence des flots de désirs incestueux pour leur mère et des envies meurtrières contre leur père (pour les garçons, bien sûr ; il paraît que pour les filles, c'est l'inverse), alors, évidemment, cela devient une politique pleine de bon sens, une sauvegarde, de garder leurs désirs en latence et aussi secrets que possible. Nous pourrions alors expliquer pourquoi certaines sociétés ont démontré une peur instinctive (même avant que Freud ne parle du complexe d'Oedipe) de permettre que la sexualité se manifeste pendant l'enfance.

Mais en réalité, l'enfant, dans sa période pré-pubertaire, est manifestement incapable d'un véritable acte sexuel (à part des petits jeux innocents) et il s'engage rarement dans des actes meurtriers. Si la suppression de la sexualité précoce est un objectif important, il faudrait éviter alors d'inciter le *parent* aux abus sexuels.

Autrefois inconcevable, l'inceste, étant donné qu'il se produit, est très présent à l'esprit des gens d'aujourd'hui. Alors qu'autrefois les relations sexuelles parent-enfant étaient le sujet de tragédies comme dans *Oedipe-Roi* de Sophocle, des histoires d'inceste réjouissantes et qui profitent de l'impunité sont le sujet de nombreux films *Le souffle au coeur* et, plus récemment, dans le best-seller de P.D. James, *Sang innocent,* dans lequel un épisode d'inceste, mentionné presque par hasard dans le dernier chapitre, se trouve avoir un effet curatif sur la jeune héroïne. En dehors de l'image qui se manifeste de plus en plus dans la littérature et les arts, montrant l'inceste comme un acte salutaire, le sujet de la réelle attirance sexuelle entre parent et enfant a franchi les frontières de la pornographie et est devenu un sujet digne d'intérêt pour les spécialistes et les conseillers. *

* Un historien du cinéma a compté *six* films sur l'inceste dans les années 1920, 1930 et 1940 et *soixante-neuf* dans les années 1960.

«Une attirance sexuelle envers votre enfant est parfaitement normale »; voilà une déclaration rassurante pour les parents, pourtant il y a une petite restriction : «Mais je vous en prie, ne la poussez pas trop loin. »

Néanmoins, à part les fous qui vivent en marge de la société (comme la «René Guyon Society » de Californie qui encourage avec des idées vraiment tordues tous les genres de relations enfant-adulte et a comme devise : «Le sexe à huit ans ou c'est trop tard »), et malgré l'opinion des spécialistes quant à la normalité de l'attirance sexuelle entre parents et enfants, l'inceste est encore considéré comme un abus de pouvoir envers l'enfant, un acte ayant un impact accablant sur son développement, le pire abus sur un enfant dépendant et qui manque de maturité, qui est incapable de comprendre tout à fait ce qui lui arrive. Ce n'est pas vraiment une coincïdence si on porte *autant d'attention* à l'inceste, en un moment où les autorités en matière de culture encouragent la sexualité des enfants, car leur comportement est devenu plus «provocant » sexuellement que par le passé. On peut observer que les plus sévères contrôles culturels et sociaux touchant l'inceste ont été relâchés de façon notoire au cours de ces dernières années, et la question de l'inceste est devenue une inquiétude réelle et actuelle, elle n'est plus en latence, dans de nombreuses familles. Pour donner un dernier exemple de la façon dont certains facteurs déterminants peuvent aider à mettre en échec l'attirance sexuelle entre parents et enfants, pensez à l'emmaillottement des bébés qui se faisait partout il y a plusieurs siècles, le nourrisson était entouré de la tête aux pieds dans des bandes de tissu doux mais solide; on les gardait ainsi enveloppés et immobilisés pendant une grande partie de leur prime jeunesse. Si nous devons croire ce que pensent les spécialistes qui sont persuadés que les bébés, quelquefois, font naître une réaction érotique chez les adultes qui les manipulent, il y a beaucoup moins de danger que ça arrive quand le nourrisson est un petit ballot de linge empesé plutôt qu'un petit corps nu et chaud qui se tortille.

D'après ce que nous savons des relations parent-enfant aux temps médiévaux, les enfants vivaient dans une proximité et une intimité périlleuses avec les adultes, partageant la même chambre à coucher et souvent le même lit. Le manque d'intimité psychologique qui se développait inévitablement dans une société où les enfants étaient séparés des parents à sept ou huit ans, et étaient à l'occasion intégrés à la société des adultes au même moment, avait rendu l'inceste moins probable qu'il n'aurait pu être dans les mêmes circonstances, dans une famille étroitement liée.

Un contrôle très différent de l'inceste fut développé au cours de la période qui suivit, celle où l'enfance apparut comme une période privilégiée de la vie et où les relations familiales devinrent beaucoup plus étroites. Pendant cette longue période d'intimité psychologique qui naissait entre parents et enfants, un nouvel élément aida les parents à garder leur distance vis-à-vis de la sexualité : maintenir à tout prix l'innocence des enfants, écarter d'eux toutes affaires et expériences sexuelles, les protéger de toutes sources d'informations et les préserver dans cet état «asexué », pourrait-on dire, aussi longtemps que possible, au moins tant qu'ils demeuraient dans le cercle fermé de la famille. Au cours de cette période, un enfant restait un peu puéril, presque jusqu'au moment où il quittait le nid familial pour voler de ses propres ailes. Encore une fois, il est plus difficile de ressentir cette attirance «naturelle » envers un enfant à qui on a dit de refouler tout instinct sexuel et qui, dans ses vêtements, ses façons de parler, ses manières, tout son maintien, a été tenu dans un état aussi éloigné que possible de tout ce qui pouvait avoir un rapport avec l'âge adulte et la sexualité.

Bien sûr, aujourd'hui, les enfants sont non seulement moins refoulés qu'à la période puritaine ou même il y a vingt ans (les adultes étant moins refoulés eux-mêmes depuis la révolution sexuelle), mais grâce à la télévision, ils ont récolté des caractéristiques de la sexualité des adultes, qu'ils emploient naturellement dans leur démarche, leurs paroles et leur comportement physique en général. L'autorité dominatrice de l'innocence a disparu. En outre, le principe même du «tabou » s'effondre lorsque l'inceste, qui était monstrueux et contre nature, devient une chose assez «naturelle ». Et même si la famille a changé au cours des dernières décades, si son concept de solidité et d'intimité s'est transformé, si elle a éclaté, néanmoins le contact des enfants avec leurs parents - qu'ils soient divorcés, remariés ou pas mariés - est étroit au point de vue psychologique, très éloigné des relations occasionnelles des quinzième et seizième siècles. En effet, l'éclatement de la famille aggrave le problème, car les parents d'une famille brisée ont plus besoin d'affection, de réconfort et de soutien que les parents d'une famille unie. Et qui est là aux alentours et disponible pour soulager les parents déçus ? Le fils non refoulé et attirant sexuellement, et particulièrement la fille ; c'est comme ça !

CHAPITRE 10 - DIFFÉRER LA SEXUALITÉ

1. Christian Miller, "A Scottish Childhood", *New Yorker,* November 12, 1979.
2. Sylvester Graham, *Chastity, A Course of Lectures for Young Men Intended Also for the Serious Consideration of Parents and Guardians* (Boston : Light & Stearns, 1837).

3. Leona Zacharias, Ph. D., et Richard Wurtman, M.D., "Average Age at Menarche", *New England Journal of Medecine 000 (April 17, 1969), aussi J.M. Tanner, "Early Maturation in Man", Scientific American 218* (January 1968).
4. Rose E. Frisch, "Pubertal Adipose Tissue : Is It Necessary for Normal Maturation?" *Federal Proceedings 39* (May 15, 1980).
5. Rose, E. Frisch, "Athletics Can Combat Teenage Pregnancy", lettre à l'éditeur, *New York Times,* July 16, 1981.
6. Pour de plus amples détails, voir Frank F. Furstenberg, Jr. *Unplanned Parenthood : The Social Consequences of Teenage Childbearing* (New York : Free Press, 1976).
7. American Film Institute Catalog, cité dans Blair Justice et Rita Justice, *The Broken Taboo : Sex in the Family* (New York : Human Sciences Press, 1979).

CHAPITRE 11

PÉRIODE DE LATENCE ET ACQUISITION DU SAVOIR

FREUD, UN PURITAIN

Ce n'est pas simplement la peur de la grossesse, de l'inceste ou du manque de préparation émotionnelle qui incite les parents à se méfier de la sexualité précoce et à vouloir différer l'arrivée de la puberté - c'est pour essayer de gagner du temps jusqu'à ce que leurs enfants soient plus «sensés » et ne se jettent pas dans ce genre de problèmes. Il y a une autre raison à la crainte de la sexualité de l'enfance qui a inquiété les parents et les éducateurs du passé, qui continue à faire autorité chez les adultes d'aujourd'hui, et qui vient d'un intermédiaire auquel on ne s'attendait pas - Freud lui-même. La crainte ne porte pas sur ce que la sexualité pourrait *causer,* tel une grossesse ou une maladie vénérienne ou ce genre de choses, mais plutôt de ce que cela pourrait *empêcher*. En clair, depuis longtemps, on dit que si l'on permet la «sexualité » à un enfant, il sera en retard intellectuellement ; il sera peut-être un bon amant à douze ans, mais jamais il n'entrera à Harvard.

Nous savons que ce rapport a été fait par les spécialistes de l'enfance du dix-neuvième siècle. Mais nous sommes assez surpris de le retrouver chez Freud.

Nous avons tendance à penser que le concept de l'enfant comme un être «asexué », innocent, appartient à l'époque puritaine, et que les idées de Freud instaurèrent une période au cours de laquelle la sexualité de l'enfance était acceptée comme un fait réel et une excellente chose. Il est assez étrange que pendant que Freud introduisait le nouveau concept scandaleux de la sexualité du nourrisson et enquêtait sur la nature sexuelle de la *prime* enfance, son concept de la pré-adolescence présente une image presque aussi innocente et idéalisée que celles des puritains : Freud appelait ces années la *période de latence*. C'est aujourd'hui - nos idées ayant évolué - que nous voyons que cette *période de latence* freudienne n'est qu'une continuité de pensée qui remonte à plusieurs siècles. Quand nous observons les enfants d'aujourd'hui, qui ne vivent plus aussi longtemps cette période de latence, il est évident qu'un nouveau concept de l'enfance émerge.

Selon la théorie de Freud sur le dévelopement de la personnalité, il y a une période de sexualité intense pendant les premières années de la vie (vers quatre ou cinq ans), le soi-disant complexe d'Oedipe, lorsque l'enfant développe une passion sexuelle pour le parent du sexe opposé. Ceci, toutefois, est suivi d'une période au cours de laquelle cette énergie sexuelle diminue ou est moins apparente, pour résurgir à l'adolescence. Ce calme entre deux tempêtes sexuelles dure entre cinq ou six ans et la puberté survient vers douze ou treize ans, les années que nous considérons habituellement comme formant le coeur de l'enfance.

Il y a toujours eu un peu de mystère dans cette partie spécifique de la théorie de Freud. Parmi toutes les autres créatures du règne animal, le développement passe généralement par une ligne régulière de l'immaturité à la maturité. Pourquoi alors existe-t-il cette subite interruption de cinq ou six ans entre deux explosions de croissance sexuelle chez l'être humain ?

Freud développa une réponse pleine d'élégance pour éclaircir cette énigme qui a aidé à conserver cette idée de latence sexuelle bien longtemps après qu'eurent disparu les autres vestiges du concept puritain de l'innocence de l'enfance. La période de latence, croyait-il, a un but évolutionniste : servir au développement de la civilisation en permettant à l'enfant l'acquisition du savoir plutôt que le développement de ses capacités sexuelles. Il semblerait que ces deux choses ne peuvent se faire en même temps. En d'autres termes, si l'on permettait la libre expression sexuelle pendant l'enfance, l'enfant ne pourrait en même temps apprendre les tables de multiplication ou connaître les cinq principaux produits fabriquées à Montréal, Toronto ou ailleurs. Dans *Three Essays on Sexuality* (Trois essais sur la sexualité), Freud expliqua sa certitude que les deux processus, le développement intellectuel et le dévelopement sexuel se feraient tort mutuellement. Les historiens du développement sont d'accord pour dire que la dérivation des instincts sexuels vers des buts culturels transforment ceux-ci en les élevant - un processus qui porte un nom : *sublimation*[1].

Nous commençons alors à réviser notre idée de Freud comme un partisan de la sexualité libérée pendant l'enfance, car, dans sa théorie sur la «période de latence », il parle d'un rapport entre la sexualité de l'enfant et son aptitude à recevoir une éducation ; ce qui ne manque pas de nous rappeler qu'il est lui-même un produit de la pensée de son temps.

Observez la croyance du dix-neuvième siècle, qu'on trouve dans la littérature pour les parents, signée Sylvester Graham : lorsque les enfants ont une nourriture trop riche, leurs «instincts sexuels se développent plus rapidement que leurs instincts raisonnables et ce qui ne peut nous échapper, c'est que l'organisme humain ne peut pas se développer sur deux plans à la fois, si on permet la libre expression d'un instinct, l'autre domaine risque automatiquement d'être retardé ou atrophié. » Ce concept du développement d'un seul instinct à la fois a influencé notre pensée de bien des façons, surtout au sujet de notre attitude vis-à-vis de la sexualité de l'enfant. Ceci est la base de la plus grande tension que les parents ressentent aujourd'hui au sujet du développement sexuel de l'enfant, et c'est ce qui alimente leur manque de résolution : faut-il refouler la sexualité ou l'encourager activement ?

Il semble que la théorie sur la période de latence a des relations bizarres avec «le développement d'un seul instinct à la fois » pour l'enfance. Graham déclarait que les pouvoirs raisonnables et moraux de l'enfant doivent baisser si l'on permet à l'instinct sexuel de se développer, et Freud suggérait que si on permet à la sexualité de l'enfant de se faire jour, son aptitude à recevoir une éducation et acquérir une culture doit diminuer.

DE CHARYBDE EN SCYLLA

Freud semblait d'abord suggérer que la période de latence avait été programmée dans l'évolution de la race humaine comme une réalité physiologique, mais des écrits postérieurs laissent entendre que la période de latence sexuelle n'est pas nécessairement une période normale du développement sexuel de l'enfance, mais le résultat d'une répression active de la société contre toute manifestation de la sexualité chez les enfants. Cette répression peut se faire au moyen de méthodes d'éducation en évitant toutes les occasions d'abus sexuels, ou par un contrôle soigneux de l'entourage de l'enfant pour échapper à tout danger de stimulation sexuelle.

Nous trouvons ahurissant d'imaginer que Freud se soit remis en question sur le sujet de l'encouragement à la répression sexuelle pendant l'enfance. Après tout, nous retrouvions beaucoup de nos croyances actuelles sur les dommages que peut causer la répression sexuelle jusqu'à ces déclarations. Qu'est-il advenu au petit Hans, dont on menaçait de couper le pénis s'il jouait encore avec et qui développa la plus terrible névrose, suite à cette attitude. Il est certain que s'il lui avait été permis de se développer librement et sans entraves, il s'en serait trouvé mieux. Est-ce que la tendance actuelle vers l'acceptation de la sexualité dans l'éducation ne suit pas les traces directes des idées de Freud au sujet de la période de latence ? Au début, sa théorie était que certaines névroses des adultes avaient leur origine dans des causes spécifiques influencées par le milieu - par des menaces telles que celle de couper le pénis ou un apprentissage sévère à la propreté ou l'obligation pour l'enfant d'être témoin des ébats sexuels des parents. Freud pense que ces névroses auraient pu être évitées si on avait eu d'autres attitudes. Mais soudain, il semble changer d'idées. Vers le milieu des années 1930, il croyait qu'on ne pouvait pas faire grand-chose pour atténuer la violence des divers conflits des enfants, que les névroses amenées par la lutte entre les nécessités de l'instinct de l'enfant et les exigences répressives de ses parents n'étaient pas l'exception, mais une règle inéluctable. Vers 1933, Freud prenait déjà une position rigoureuse quant à l'éducation de l'enfant : «L'enfant doit apprendre à contrôler ses instincts... l'éducation doit être : maîtrise, interdiction et refoulement».[2] C'était un appel lointain à la défense de la liberté de l'expression sexuelle dans l'enfance que tant de parents et d'éducateurs on cru (et croient encore) être l'essentiel de la théorie freudienne. Même l'idée que l'apprentissage précoce «des réalités de la vie » pourrait adoucir les obsessions des adultes fut rejetée par Freud vers le milieu de sa carrière, quand il remarqua avec regret que «l'effet préventif de cette mesure libérale (l'éducation sexuelle précoce) avait été grandement surestimée... car longtemps après sa mise en application, les enfants se comportaient comme les peuples primitifs à qui on a imposé le christianisme et qui, en secret, continuent d'adorer leurs anciennes idoles. »[3]

Anna Freud résuma la position finale de son père en disant que, sans une période de latence et sans répression, «il y a danger que le développement de l'enfant soit retardé ou interrompu, qu'il s'accommodera d'une satisfaction au lieu d'une sublimation, d'une masturbation au lieu d'un apprentissage, et qu'il limitera son désir de connaissances aux choses sexuelles au lieu de l'étendre au monde entier. »[4]

Nous commençons à voir que l'image que nous avions du père de la psychanalyse, ardent défenseur d'une répression allégée pendant l'enfance est fausse, que sa crainte de permettre la libération des instincts sexuels pendant l'enfance était aussi grande, sinon plus, que celle de la société dans laquelle il était né. Comme il l'a décrit dans *The Question of Lay Analysis* (Le problème de la psychanalyse laïque) : «Parmi les peuples peu civilisés et parmi les couches sociales les plus basses des peuples civilisés, la pleine liberté à la sexualité a été accordée aux enfants. C'est probablement une puissante protection contre le développement de névroses chez l'individu. Mais cela n'impliquerait-il pas en même temps une perte énorme dans les dispositions aux réalisations culturelles ? Il y a de bonnes raisons de croire qu'une nouvelle fois, nous tombons d'un mal en un autre pire. » * [5]

Il est peu probable que Freud ait opté pour le rocher (Scylla) de la répression plutôt que pour le tourbillon (Charybde) de la perte culturelle. Car, pendant que les farouches «anti-masturbation » du dix-neuvième siècle annonçaient une population de cinglés aux mains velues, si la sexualité de l'enfance n'était pas réprimée, Freud craignait la fin pour la civilisation elle-même et un retour à l'état sauvage, si cette force était libérée au cours de l'enfance.

UN ÉTAT NATUREL

«Je réfute l'idée de Freud selon laquelle il y a une relation entre la latence sexuelle et l'aptitude à apprendre », dit le docteur Anke Erhardt, psychoendocrinologiste du *New York Psychiatric Institute*. La latence sexuelle n'a jamais existé. Les enfants ont toujours été plus ou moins actifs sexuellement. Il n'existe certainement aucune mutation importante des comportements intellectuels aux sexuels. C'est seulement une confusion de l'esprit, si on leur fait ressentir un sentiment extrême de culpabilité et de honte pour leur activité sexuelle.[6]

Alors que l'explication de routine - un instinct à la fois - de la raison

---

* Freud utilise le proverbe : *tomber de Charybde en Scylla*. Charybde était un tourbillon redouté du détroit de Messine, entre la Sicile et la terre ferme, en Italie. Si on l'évitait, on touchait souvent le rocher proche de Scylla. De là le proverbe qui veut dire : tomber d'un mal à un autre pire. Note du T.

pour laquelle la latence sexuelle peut rendre l'enfant plus éducable, peut être discutée, il est néanmoins évident que latence et apprentissage sont étroitement liés. Considérez les conséquences des écoles progressistes qui apparurent brusquement dès les premiers temps du mouvement psychanalytique, de 1920 à 1930. Ces écoles espéraient prévenir le développement de névroses adultes en abolissant la répression et en permettant à l'enfant de se comporter librement, selon ses pulsions instinctives. (Bien que Freud, finalement, ait rejeté l'idée que la répression pourrait être abandonnée, ses disciples les plus fidèles semblent avoir jugé bon d'ignorer ce changement.) Ces écoles essayèrent d'aider l'enfant à se libérer du complexe d'Oedipe, donnèrent toutes les informations sur la sexualité, n'apportèrent aucune restriction à la masturbation ou aux jeux sexuels, remplacèrent toutes les règles impérieuses par des méthodes de tolérance insistant sur le raisonnement et l'éclaircissement. Les enseignants étaient préparés à dispenser généreusement amour et affection - en complète opposition avec les critères pédagogiques sévères du temps. Mais le résultat fut paradoxal et affligeant, selon Wili Heffer, un des fondateurs du Kinderheim Baumgarten * , l'une de ces institutions à enseignement psychologique où les enfants démontrèrent rapidement «moins de curiosité au sujet du monde plus compliqué des réalités». Comme il l'expliquait ensuite : «Ils n'étaient pas tenaces, ils paraissaient égoïstes ; dans l'ensemble, les explications les intéressaient peu. Ils ne toléraient pas les exigences des adultes : emplois du temps, heures des repas, savoir-vivre à table, mesures de routine au point de vue hygiénique, même émises avec indulgence, devinrent une source de conflits. Aucun changement que Freud supposait que les enfants subiraient quand ils sortiraient de la prime jeunesse et arriveraient dans la période de latence ne se matérialisa - ils n'étaient pas plus dociles et ne manifestaient pas plus de hâte de savoir. En fait, Heffer découvrit «un degré inattendu d'irritabilité, une tendance à l'obsession, la dépression et l'anxiété »[7] toutes des caractéristiques que nous associons d'habitude aux adultes. Les enfants sont normalement colériques, pas irritables ; tenaces plutôt que de nourrir une idée fixe ; ils sont malheureux, pas découragés.

Il semble que l'épanouissement normal du comportement des enfants, s'ils devaient grandir dans la nature (ce n'est pas loin de ce dont les enfants du *Kinderheim Baumgarten* jouissaient), pourrait être très différent de ce qui arrive à l'intérieur des bornes protectrices d'une structure familiale.

---

* En Belgique, on utilise le nom équivalent, pépinière d'enfants.

Là, le comportement de l'enfant étant modelé et réprimé pour le rendre conforme aux nécessités de la vie adulte. Il se sent en sécurité et il peut s'occuper uniquement de son travail ou de ses jeux. Mais la vigilance, la prudence, comme dans la jungle, doivent être le mot d'ordre dans le monde sans structure et sans protection où les enfants sont livrés à leurs instincts sexuels et émotionnels. Anxiété, irritabilité, suspicion - ces émotions sont bien loin de notre conception des sentiments innés de l'enfance. Quoique elles deviennent presque naturelles aux enfants qui ne subissent aucune répression et qui sont libérés de ces frontières que le monde des adultes impose traditionnellement, depuis les deux derniers siècles. Dans un état naturel, les enfants ne peuvent vivre comme des enfants : pas de détente, pas de jeux bruyants, pas de découvertes, «ils doivent être curieux du monde plus compliqué des réalités » ; avant tout, *apprendre*.

LES ENFANTS PRODIGES

Même si nous pouvons retrouver la trace du concept de latence freudien jusque dans son passé au dix-neuvième siècle, et bien que nous puissions réfuter un fondement physiologique à la nécessité de répression sexuelle pendant l'enfance, devons-nous rejeter l'idée que cette latence et la capacité à apprendre sont en quelque sorte reliées entre elles.

On peut faire la lumière sur l'objectif de la période de latence sexuelle en observant la vie d'une catégorie d'enfants ayant un rapport excessif - entre latence, acquisition des connaissances et aptitudes - et par conséquent plus apparent ; ces anomalies de la nature s'appliquent à ceux que nous appelons «enfants prodiges ».

Nous observons fréquemment un phénomène curieux parmi les enfants prodiges : même si le domaine du don exceptionnel est admiré et encouragé, l'impulsion des parents étant de pousser et d'exploiter ce don est inévitablement contrebalancée par une répression impitoyable de tout développement sexuel. Tandis que le jeune prodige exerce ses talents au piano, au violon ou aux barres parallèles, on n'oublie pas qu'il (ou elle) est encore un(e) «enfant ». Dans ses vêtements, son maintien et son état de dépendance affective à l'égard de ses parents ou de son tuteur, l'enfant prodige est toujours considéré comme un enfant, plus que d'autres enfants du même âge. Les parents veulent souvent souligner, dans la publicité habituelle qui entoure un tel prodige, à quel point il est heureux de jouer avec des camions ou des poupées, quand il ne remplit pas un contrat à Carnegie Hall ou à la Place des Arts. On s'aperçoit que l'idée d'un seul apprentissage à la fois, qui est proche de la théorie sur la période de latence freudienne, est appliquée ici : les parents pressentent que c'est en réprimant l'instinct sexuel, en différant l'apparition de la puberté que les merveilleux talents de l'enfant s'épanouiront. D'après la façon dont cela se présente, ils ont raison. La puberté est en effet le bout de la route pour le «prodige ». C'est le début d'une course à la virtuosité d'un adulte, que rarement un enfant prodige termine avec succès. Mais ce n'est pas parce que l'instinct sexuel qui se développe élimine le talent créateur. La raison est beaucoup plus compliquée.

Le talent exceptionnel d'un enfant prodige est inné, spontané, il ne se perd pas en raisonnements. L'enfant joue naturellement, spontanément, par instinct, comme une source qui jaillit. Avec la puberté survient la gaucherie. L'enfant ne peut plus continuer à «donner » sans comprendre *comment* il fait. Maintenant, il doit réfléchir, apprendre toujours plus et faire un plus grand effort pour atteindre cette intensité pour laquelle il mettait tout son coeur dans l'inconscience de l'enfance.

Mais l'instinct des parents qui veulent différer la puberté n'est pas fondé uniquement sur la crainte d'un talent perdu. Ils savent que c'est en maintenant l'enfant dans une dépendance affective qu'ils pourront réussir à le protéger, le guider et l'éduquer - sans parler du développement de son talent qui signifie normalement pour un enfant doué de longues heures d'*entraînement* (quel que soit le «talent ») quotidien. Tout effort vers un degré plus adulte, émotionnel ou social, nuirait à la fois à l'expression artistique innée de l'enfant et à la volonté dont il a besoin pour élever son talent au maximum.

Bien sûr, tous les parents n'ont pas l'opportunité ou même le désir d'aider leur enfant à développer un talent extraordinaire. Mais la plupart souhaitent que leurs enfants réussissent, qu'ils soient bons à l'école, qu'ils excellent dans un domaine, qu'ils développent un «talent » sans être pour cela des prodiges. Il se peut que la répugnance que la plupart des parents ressentent vis-à-vis des signes de précocité sociale et leur malaise face aux manifestations précoces de la sexualité marquent la compréhension instinctive du rapport latence-développement, qui conduit plus tard à la réalisation et au succès. La crainte de la précocité peut aussi être fondée sur le fait que ces enfants dont l'enfance a été obligatoirement raccourcie, ont eu un accès beaucoup plus libre à la sexualité et souvent plus d'ennuis.

DIVORCE ET APPRENTISSAGE

Une autre évidence du rapport entre la latence et l'aptitude à apprendre de l'enfant est souvent découverte au cours de crises familiales : séparation ou divorce. Dans de telles circonstances, l'attention des parents est détournée des enfants vers leurs besoins émotionnels personnels. Bien plus, beaucoup de parents essaient de se faire bien voir de leurs enfants, pour adoucir le traumatisme de la séparation, en interrompant provisoirement l'application des règles et structures habituelles, en leur permettant de se coucher plus tard, par exemple, de regarder des programmes formellement défendus auparavant, ou de manger ces aliments nuisibles pour la santé (junk foods). Ensuite, vu la contrainte économique suivant le divorce, la plupart des femmes ayant la garde des enfants doivent travailler à l'extérieur du foyer pour boucler le budget. La conséquence, pour un grand nombre d'enfants d'aujourd'hui, c'est le début d'un «état naturel » pas tellement éloigné de celui sans répression et d'inspiration psychanalytique du Kinderheim Baumgarten.

Une nouvelle fois, dans de telles conditions, les aptitudes à l'éducation de l'enfant sont nettement affectées. Les enseignants d'aujourd'hui ne manquent pas de signaler l'impact négatif de l'éclatement de la famille sur le travail scolaire. Encore et toujours, ils confirment que les problèmes à la maison en causent d'autres à l'école. Un enseignant affirme : «Je peux *toujours* dire quand quelque chose ne va pas à la maison, simplement à la façon dont un enfant travaille à l'école.

Bien plus, presque toujours, le divorce a un impact négatif sur la vie scolaire des enfants. Comme nous l'avons vu dans le huitième chapitre, les enfants du divorce manifestent une tendance à manquer l'école ou à y arriver en retard, que n'ont pas les enfants qui vivent dans une famille unie. Le rapport n'est pas difficile à faire : dans une famille où tout va bien, les parents n'éprouvent aucune difficulté à envoyer les enfants à l'école à l'heure. Si ceux des familles mono-parentales ont des tendances au retard ou à l'école buissonnière,cela indique le changement de situation pour l'enfant dans une telle famille, un contrôle relâché, et moins d'exigences pour qu'il se soumette aux règles de conduite. On donne à l'enfant la responsabilité presque totale de ses actes, comme s'il était déjà un adulte ; il est compréhensible qu'il ait des chances de flâner, de temporiser et d'arriver en retard à l'école plus souvent que l'enfant d'une famille normale. Les conséquences sur l'éducation de l'enfant sont malheureusement évidentes.

CHAPITRE 11 - PÉRIODE DE LATENCE ET ACQUISITION DU SAVOIR

1. Sigmund Freud, *Three Essays on Sexuality* (1950), The Complete Psychological Works (Standard Edition), éd. et traduction James Strachey (London : Hogart Press, 1953-66), vol. 7, p. 178
2. S. Freud, *New Introductory Lectures in Psychoanalysis* (1933), Standard Edition, vol. 22, p. 149.
3. S. Freud, ''Analysis Terminable and Interminable''(1937), Standard Edition, vol. 23, pp 223-24.
4. Anna Freud, ''Psychoanalysis and the Training of the Young Child'', Psychoanalytic Quarterly 4 (1935), p. 20.
5. S. Freud, ''The Question of Lay Analysis'' (1926), Standard Edition, vol. 20, p. 217.
6. Dr. Anke Erhardt, dans une entrevue personnelle avec l'auteur.
7. L'expérience du Kinderheim Baumgarten est discutée par Sol Cohen, ''In the Name of Prevention of Neurosis : The Search for a Psychoanalytic Pedagogy in Europe, 1905-1938'', in Barbara Finkelstein, ed., *Regulated Children, Liberated Children* (New York : Psychohistory Press, 1979).

CHAPITRE 12

PROLONGER L'ENFANCE

RETARD OU DÉVELOPPEMENT PHYSIQUE (NÉOTÉNIE)

Même si les experts commencent à douter de la réalité physiologique du concept de Freud sur la période de latence, il est de bien des façons un point acquis. Si la latence n'existe pas naturellement au cours de l'enfance, l'histoire des siècles derniers démontre qu'on peut néanmoins l'imposer par le milieu culturel. On le fait en gardant le mystère de la sexualité et par toutes sortes d'interdictions rigoureuses, de menaces et de répressions que Freud préconisait. Mais qu'elle soit physiologique ou culturelle, est-ce qu'une période de latence a un but particulier dans l'évolution de l'enfant ? Doit-on encourager franchement l'éducation à la manière suggérée par Freud ? Ceux qui rejettent l'idée de latence trouvent que le concept du développement sexuel qui ne peut se faire en même temps que le développement intellectuel est faux. Pourquoi serait-ce impossible ? demandent-ils avec raison.

Mais peut-être qu'une période de latence sexuelle au cours de l'enfance a un rôle indirect : peut-être que l'asexualité et l'innocence sexuelle de l'enfant pendant la période de latence vont influencer le comportement adulte envers les enfants. En d'autres termes, si le milieu culturel favorise la répression de la sexualité chez les enfants, l'apparence et le comportement qu'aura l'enfant provoquera des réactions très différentes chez les adultes qui l'entourent que s'il lui était permis de se comporter d'une manière plus franche et plus avertie avec la sexualité. Ici, certaines certitudes biologiques peuvent être établies pour donner du poids à l'idée que la manière dont les adultes «comprennent » les enfants affecte profondément leur comportement envers eux.

Comme le disait Konrad Lorenz[1], les enfants possèdent certaines caractéristiques physiques - qui leur sont propres - qui changent quand ils deviennent plus âgés. Lorenz a utilisé le terme «néoténique » pour décrire ces caractéristiques particulières aux différents stades de la jeunesse du genre humain, un mot qu'on avait à l'origine appliqué à un état d'immaturité prolongée ou d'arrêt du développement observé chez certaines espèces animales. Parmi ces traits «néoténiques », on trouve la tête plus développée par rapport au reste du corps, les yeux démesurés par rapport à la tête (les yeux d'un adulte prennent moins de place dans le visage que chez l'enfant), les bras et les jambes plus courts par rapport à leur rondeur. Lorenz suggéra un but évolutionniste pour expliquer le fait que les enfants ne sont pas seulement des «miniatures » d'adultes, mais possèdent ces différences caractéristiques sous n'importe quelle forme. Ces mêmes traits, suppose-t-il, agissent comme un «déclic » naturel qui fait que les adultes, par instinct, élèvent et protègent l'enfant.

Stephen Jay Gould[2] a élargi le concept de «néoténie » dans un essai retraçant l'évolution de Mickey Mouse, le personnage des dessins animés, à partir de sa première apparition vers 1930 jusqu'à sa dernière version, vers 1950. Le personnage de Mickey, dit-il, évolue continuellement vers la «néoténie » ; en d'autres termes, avec le temps, les dessinateurs accentuèrent les traits les plus juvéniles de la souris Miquette. Le Mickey de 1950 avait une tête plus grosse par rapport à son corps, des yeux démesurés par rapport à sa tête, les pattes plus potelées que la souris de 1930 ou 1940. Et comme résultat, conclut Gould, le personnage devint plus sympathique pour le lecteur. Alors qu'en 1930, il paraissait sournois, méchant et agressif, celui de 1950 semble naïf, câlin et adorable. Le Mickey en rogne qui tordait les mamelons des truies, tel qu'il apparut au début des années 1930, s'est métamorphosé en un personnage inoffensif, enfantin, qui ne peut même pas dresser une petite palourde. Gould croit que les dessinateurs de Disney appliquèrent inconsciemment le principe biologique de la néoténie ; en le faisant, ils ont ouvert à Mickey Mouse le chemin du coeur de millions de spectateurs dans le monde. La vue de ces traits caractéristiques de la jeunesse amène «un réflexe automatique d'émotion qui désarme », faisant d'un rongeur «humanoïde » l'un des personnages les plus populaires de l'histoire de la bande dessinée.

En plus de ces caractéristiques *physiques* particulières, Lorenz décrit les traits spécifiques de comportement manifestés par les petits d'une espèce qui ont une action génétique programmée, puissante, sur les adultes de l'espèce. Deux des oisillons qui s'égosillent dans le nid, en réclamant la becquée à cor et à cri, par exemple, ont été considérés comme déclenchant un mécanisme de comportement de la part des parents. Inversement, si les oisillons, pour une raison quelconque, n'ouvrent pas largement leur bec et ne manifestent pas leur faim par leurs pépiements, les parents ne les nourriront pas aussi consciencieusement. Au cours d'une expérience dans laquelle les oiseaux adultes avaient les yeux bandés et ne pouvaient voir les becs largement ouverts de leurs petits, ils négligèrent complètement de les nourrir, et les oisillons moururent. À travers la succession des espèces, ces traits caractéristiques du comportement des petits - les oiseaux qui pépient avec insistance, les petits chiens qui gambadent, les efforts désespérés des veaux et des poulains pour suivre leur mère de très près - font naître des sentiments de protection, car non seulement la vue d'une conduite enfantine provoque un comportement chaleureux parmi les adultes, mais aussi le spectacle de jeunes animaux qui jouent.

Ni Lorenz ni Gould n'examinèrent de façon précise le comportement du petit de l'espèce humaine du point de vue de la néoténie. Même s'il existe un modèle de comportement néoténique évident parmi les humains comme parmi les animaux, les choses que font les enfants, tellement différentes de celles que les adultes font normalement, d'une façon similaire, font naître notre sollicitude. Parmi ceux-ci, on peut classer l'élocution et les déformations du langage des jeunes enfants quand ils commencent à parler - les petites lèvres et les charmantes fautes de prononciation, les inversions drôles (telles que «pasghetti » pour «spaghetti ») qui font longtemps sourire les adultes qui se les répètent entre eux avec amusement ; les ébats pleins d'abandon et les jeux dans lesquels les enfants s'engagent spontanément, auxquels les adultes ont souvent mis fin et qu'ils observent avec un certain plaisir. Et comme les jeunes animaux ont dans leurs comportements innés certains signes de dépendance et de soumission qu'ils démontrent face aux animaux adultes pour éviter d'être traités avec agressivité - rabattant les oreilles, baissant la tête, mettant leur queue entre les pattes - ainsi les enfants ont depuis longtemps démontré une attitude de soumission et de dépendance envers les adultes ; une certaine réserve ou gêne, certaines formules «respectueuses » comme «monsieur » et «madame », «s'il vous plaît » et «merci » des façons apprises qui tombent aussi dans la catégorie néoténique. La latence ou «asexualité » apparente de l'enfant et son innocence face à la sexualité, un autre comportement qui le différencie de la sexualité active de l'adulte et de sa connaissance, peuvent aussi être considérées comme des traits néoténiques.

Toutes ces façons «puériles » ont dans la vie des enfants une importance qui dépasse la simple habitude ou la tradition. En provoquant des réactions spécifiques chez les adultes, le comportement néoténique engendre un genre particulier de gestes protecteurs envers l'enfant. Ceci, en retour, permet à celui-ci de poursuivre ses diverses activités fructueuses, ses découvertes et ses jeux - en fait, toute son éducation - en sécurité.

LE MERVEILLEUX DE L'ENFANCE

L'idée que certains modèles de comportement de l'enfance provoquent la sollicitude des adultes est appuyée par une étude récente démontrant que chez les adultes, la décision d'avoir des enfants est influencée d'abord par la perception qu'ils ont des enfants comme êtres «puérils ».

Un chercheur, étudiant les raisons pour lesquelles les femmes choisissent d'avoir ou non des enfants, a découvert que plusieurs d'entre elles qui admettaient leur anxiété au sujet de la maternité, craignaient surtout la possibilité d'enfants «assommants, blasés, qui savent tout ». Inversement, les mères en puissance les plus enthousiastes parlèrent de leur désir «de connaître la sincérité et la fraîcheur d'un enfant » ou «de participer au miracle de l'enfance. »[3]

Si, dans certains cas, l'existence même de l'enfant dépend de l'espérance parentale d'un comportement spécifiquement enfantin, imaginez leur désappointement quand «cette sincérité et cette fraîcheur de l'enfance », cette pensée de laquelle ils retiraient tant de joie et le phénomène qui doit les pousser, comme nous l'avons dit, aux soins les plus tendres, est soudain transformée par une quelconque alchimie malfaisante en ce comportement «assommant, blasé, sachant tout », qui domine parmi les enfants actuels. Peut-être les parents pourraient-ils s'éviter une part de cette déception, s'ils pouvaient comprendre que certains aspects du caractère propre de l'enfance, soit la sincérité ou la fraîcheur ou la joie peut être reliée à un stade particulier du développement où les enfants *sont* réellement étonnamment différents des adultes de toutes les façons, et que le seul moyen de reporter ces caractéristiques propres à l'enfance dans les étapes suivantes peut être la culture.

On ne peut nier que dans la prime jeunesse, l'enfant est *réellement* étonnamment différent de l'adulte dans presque tous les domaines - physiologique, de la connaissance, des émotions, de la sensibilité ; en effet, il semble parfois d'une espèce différente de l'être humain. À moins que l'enfant n'ait été drogué pour le mettre dans l'état artificiel de prise de conscience avec du phénobarbital ou par trop de spectacles de télévision, le monde, pour un enfant de trois ou quatre ans, est réellement étrange, mystérieux et rempli de merveilles. On entend rarement parler d'un enfant d'âge pré-scolaire fatigué et épuisé. C'est l'âge où les aspects physiologiques de l'enfant diffèrent considérablement de ceux des adultes - où les caractéristiques néoténiques concourent pour que leur comportement paraisse attendrissant aux yeux des adultes. Ce dandinement enfantin, cette tête un peu grosse, ces yeux démesurés, ces bras et ces jambes adorablement potelés : tout cela fait que l'adulte fond d'attendrissement et désire prendre soin de l'enfant.

Et alors, à l'âge de six ou sept ans, un changement brutal se produit dans la façon de penser de l'enfant. Il découvre qu'il n'est pas le centre de l'univers et qu'il existe un autre monde en dehors de lui, que ses parents ne sont pas du tout des prolongements de lui-même, mais des individus, et que le monde extérieur n'a rien de merveilleux, mais qu'il est régi par certaines lois qu'il doit découvrir. En d'autres termes, l'enfant commence à penser comme l'adulte, si ce n'est dans la forme, c'est déjà dans la complexité. Dans la théorie de Freud, l'enfant, à ce moment, aurait résolu l'orageux problème d'Oedipe et aurait commencé sa période raisonnable de latence sexuelle. Pour Piaget, l'enfant évolue du stade pré-opérationnel au stade des opérations concrètes.

Physiquement, à l'âge scolaire, l'enfant a pris les proportions qui caractériseront sa forme adulte. Finis les petits pas hésitants : l'enfant copie maintenant les manières de son entourage. C'est souvent drôle de voir un petit garçon de sept ans marchant à côté de son père. Sans le faire consciemment, l'enfant marche avec exactement le même petit air fanfaron, dynamique ou effondré ; ses bras se balancent de la même façon ; il balaie une mouche du même petit geste insouciant. Son langage également en arrive à ressembler à celui de l'adulte. Toutes les manières de bébé se sont volatilisées, le zézaiement, les inversions amusantes de certaines lettres, etc. La construction particulière des phrases - Bébé aller magasin, etc. - est devenue semblable au modèle de langage de l'adulte. Et comme les manières de l'adulte sont adoptées systématiquement par les enfants, la même chose se passe pour la façon de parler, l'accent, les tours de phrases, même les paroles manquant de naturel de l'un ou de l'autre, tout est adopté et paraît venir spontanément à un enfant d'âge scolaire.

À partir de ce moment, le «merveilleux de l'enfance » est beaucoup plus qu'un objet de culture. Je ne veux pas dire que les enfants de sept ou huit ans sont exactement comme des adultes, qu'ils n'ont pas de besoins différents de ceux des adultes pour leur développement. Il y a toujours l'inégalité dans la taille et la différence importante dans les caractéristiques et les capacités sexuelles. Il y a aussi, dans la société moderne, une lacune importante dans l'éducation entre la plupart des adultes et les enfants d'âge scolaire. Une multitude de disparités évidentes dans le jugement, la compréhension, la perception et les facultés d'interprétation existent également. Néanmoins, à partir de ce moment, la conformité avec ou la divergence des modèles adultes ne dépend plus autant de capacités ou d'incapacités physiologiques naturelles. Dès sept ou huit ans, la chimie du cerveau de l'enfant a atteint le stade terminal et ne diffère plus radicalement de celle de l'adulte. Ceci peut être la base profonde du fait que jusqu'à cet âge, l'enfant est fondamentalement différent,et qu'ensuite,malgré son manque de maturité, est fondamentalement le même qu'un adulte.

Même si c'était difficile, un enfant de sept ans *pourrait* survivre par ses propres moyens, *pourrait*, théoriquement, trouver un abri quelconque, *pourrait*, disons par des vols astucieux, s'arranger pour avoir suffisamment de nourriture pour rester en vie. Ce n'est évidemment pas le cas pour un enfant de trois ou quatre ans.

Si l'enfant est élevé d'une certaine façon, la lacune culturelle entre lui et les adultes de cette société peut se prolonger. Son expérience peut être restreinte avec soin pour en exclure cette compréhension des problèmes adultes qui semblent tellement éloignés des perceptions initiales propres à l'âge de l'enfant. La façon de penser merveilleuse de l'enfant, par exemple, peut se prolonger par une absence d'informations sur les réalités de la vie et au moyen d'histoires de cigogne qui apporte les bébés, de marchand de sable qui donne le sommeil aux enfants, ou du Père Noël. Dans le passé, beaucoup d'enfants croyaient à ces contes au moins jusqu'à l'adolescence.

Pendant plus d'un siècle, la différence entre l'enfant et l'adulte fut maintenue avec persévérance. On lisait aux enfants des contes de fées et d'enchanteurs. Dès que les enfants commençaient à lire, on leur donnait des histoires d'animaux qui parlent ou des histoires invraisemblables d'adultes telles que «notre ami le policier » (qui n'avait rien à voir avec le vrai policier). Les vêtements des enfants aussi étaient différents : des jupes courtes, des rubans dans les cheveux et des souliers vernis pour les petites filles, des culottes courtes et ensuite des longs pantalons ou des salopettes pour les petits garçons.

Une des différences les plus importantes, celle qui avait trait au sexe, était soulignée par-dessus tout. La séparation des enfants du monde adulte de la sexualité était autrefois à peu près complète. Tous les aspects de la sexualité, même les plus élémentaires, leur étaient soigneusement dissimulés. Dans le passé, même un enfant de la campagne pouvait atteindre l'âge de douze ans, comme le raconte B.F. Skinner dans son autobiographie, et être complètement surpris, lorsqu'il voyait une femme nue pour la première fois et découvrait qu'elle n'avait pas de pénis. (Et supposer qu'elle en avait un caché entre les jambes.)[4]

Quand de grands domaines mystérieux sont encore préservés et quand beaucoup de difficultés, de complexités et d'ambiguïtés de la vie sont écartées avec soin, il n'est pas difficile de comprendre que les qualités naturelles de l'enfant gardent encore leur emprise sur l'imagination des futurs parents actuels - cette apparence «puérile », cette sincérité, cette fraîcheur et cette naïveté sont préservées et semblent être le bien héréditaire naturel et fatal de l'enfant. Ce n'est pas difficile de comprendre alors le choc que ressentent les adultes, actuellement, quand leurs enfants de sept ans se tortillent les hanches pour imiter la danse disco qu'ils voient à la télé, quand ils posent des questions sur le sexe oral, quand ils paraissent tellement blasés, tellement éloignés de l'image romantique et nostalgique de l'enfance d'autrefois de leurs parents.

L'ENFANCE RÉPRIMÉE

Quand nous pensons à l'influence de la répression de l'enfance sur le développement humain, une curieuse contradiction apparaît : souvent, les enfants élevés dans les conditions les plus répressives semblent répondre aux exigences des adultes, non par un comportement plus adulte, mais par une conduite plus puérile.

Considérez les réalités de la croissance à l'époque puritaine. Des journaux et des mémoires d'enfance de gens qui furent élevés dans un état de répression sexuelle et d'ignorance basé sur des critères moraux qu'on définit encore aujourd'hui par le mot «puritain », rapportent qu'en tant qu'enfants, ils étaient souvent traités avec cruauté par des parents inflexibles (voir Rudyard Kipling : «*Baa, Baa, Black Sheep* » (Baba : le mouton noir) pour y trouver une image presque insupportable d'une telle cruauté). Il y avait aussi les bonnes d'enfants sadiques, dont le refoulement sexuel trouvait un exutoire dans les mauvais traitements qu'infligeait leur tyrannie. Nous restons souvent étonnés de voir que ces enfants arrivèrent à se créer leur paradis d'enfance rempli de jeux et de plaisirs innocents qu'ils se rappelaient avec une grande nostalgie quand ils étaient parvenus à l'âge adulte. Exclus du monde des adultes par les usages du temps, les enfants de l'époque puritaine mettaient leur énergie dans un monde imaginaire, organisant des réunions de poupées et engageant des batailles de soldats de bois. Ils associaient la flore et la faune du monde de la nature - chiens, chats, lapins et canards, parfois même les fleurs et les arbres dans leur élaboration d'une vie de fantaisie. Cette vie tellement différente de celle des adultes creusa l'écart entre l'enfance et la vie des adultes, apportant aux jeunes un aspect plus «puéril » que ceux élevés dans la tolérance des époques qui suivirent.

Dans le livre qui fait autorité de Laurence Wylie, *A Village in the Vaucluse* (Un village dans le Vaucluse)[5], une étude de la vie dans un petit village français des années 1920, cet assemblage en apparence paradoxal de répression sévère et de comportements libres et spontanés surgit fréquemment. Dans l'école du village, Wylie décrit par exemple les enfants, qui sont obligés de s'asseoir sans bouger à leur pupitre pendant des heures. Ils sont contraints régulièrement à copier de multiples pages d'une écriture soignée dans leur cahier, une occupation qui va à l'encontre des instincts de l'enfant, nous le savons aujourd'hui, exigeant la répression de leur besoin de bouger, d'expérimenter, de faire des découverte, «d'apprendre en agissant ». Quand arrive l'heure du dîner, toutefois, ces petits Français réprimés jouent bruyamment et ils continuent comme des enfants insouciants leurs jeux et leurs courses. A l'inverse, leurs homologues américains passent leur matinée dans l'atmosphère joyeuse de leurs classes ouvertes, où ils font rarement quelque chose qu'ils n'ont pas envie de faire ou une raison de faire. Cependant, *ces* enfants, quand ils sont «libérés » de leur semblant de paradis, sont manifestement beaucoup plus calmes. Ils semblent plus posés, plus adultes.

On pourrait raisonnablement s'attendre à ce que ce soit le contraire - que les enfants auxquels on permet de libérer leurs instincts, les enfants qui ne vivent pas sous la répression, qu'on introduit pas de force dans un moule d'adulte, auraient un comportement puéril, insouciant, et que les autres, par conséquent, qui ont dû avoir un comportement contre nature, seraient beaucoup plus adultes. Mais c'est précisément le contraire qui se produit : l'enfant libre perd de sa puérilité, alors que l'enfant qui est réprimé s'accroche à sa puérilité plus obstinément.

Pourquoi est-ce ainsi ? Peut-être que c'est une autre preuve que le soi-disant comportement enfantin pendant les années qui suivent la prime jeunesse n'est pas nécessairement naturel aux enfants, mais que c'est plutôt une réaction aux conditions culturelles qui ont fait, jusqu'à récemment, une généralité de l'enfance. Ces conditions exigent que les enfants répriment certains instincts et qu'ils oublient complètement leur sexualité, en conformité avec les lois du comportement qui insistent sur l'obéissance et la soumission aux adultes. Peut-être que ces manifestations attachées à l'innocence heureuse des enfants sont aujourd'hui des exutoires pour compenser les répressions de la société, une réaction pour échapper aux chaînes qui nous étranglent, comme le petit chien qu'on détache, qui part en trombe et joue sauvagement et follement. On ne nie pas le fait que les enfants ont des instincts particuliers de curiosité ou de jeu - le jeu, nous l'avons compris, c'est tout le travail de l'enfance ; mais on suggère que ces instincts soient renforcés et qu'on les libère complètement quand l'enfant est resté en arrière dans d'autres domaines et dans cette période de la vie qu'on appelle l'enfance prolongée.

CHAPITRE 12 - PROLONGER L'ENFANCE

1. Konrad Lorenz, "Part and Parcel in Animal and Human Societies", *Studies in Animal and Human Behavior, Vol. 2* (Cambridge, Mass. : Harvard University Press, 1971).
2. Stephen Jay Gould, "A biological Homage to Mickey Mouse", *The Panda's Thumb : More Reflections in History* (New York : W.W. Norton, 1980).
3. Nan Robertson, "Wanting Children : The Factors Involved", *New York Times*, March 16, 1981.
4. B.F. Skinner, *Particulars of My Life* (New York : Alfred A. Knopf, 1976), p. 63.
5. Laurence W. Wylie, *Village in the Vaucluse*, 3rd ed. (Cambridge, Mass. : Harvard University Press, 1974).

CHAPITRE 13

LA SIGNIFICATION DE L'ENFANCE

COMPOSER AVEC LA RÉALITÉ

Nous sommes devant une énigme. Selon des théories largement acceptées de la psychologie moderne, les enfants ne peuvent réussir à grandir sans les soins et la protection incessante de parents aimants. Mais que penser des enfants du passé, ceux du Moyen Âge, par exemple, qui étaient projetés dans le monde sans protection à un âge tendre ? Est-ce que tous les enfants grandissent pour devenir des êtres corrompus, privés de sentiments comme nous le croyons couramment, incapables d'amour et de sympathie, tabassant les vieilles dames avec la plus grande indifférence ? Ou se peut-il que ces présomptions, basées en grande partie sur l'étude des rapports parents-enfants de Freud, telles qu'il les a découvertes dans la société de son époque, ne soient pas universelles pour toutes les sociétés différemment structurées ?

Peut-être, comme nous le croyons, que si la sécurité élémentaire dont tous les enfants ont absolument besoin n'est pas trouvée auprès du père et de la mère à l'intérieur d'un noyau familial douillet, peut-il exister d'autres moyens pour eux de trouver un support affectif et protecteur. Nous nous interrogeons sur le fait qu'au Moyen Âge, un réseau organisé par la famille ou les voisins jouait un plus grand rôle de protection envers les enfants de la communauté livrés à eux-mêmes, alors que les adultes d'aujourd'hui n'assument ce rôle qu'envers leurs enfants. C'est peut-être de cette façon que les enfants du passé arrivaient à grandir sans être désemparés par un manque d'affection, bien que leurs proches ne ressentaient pas l'obligation d'en prendre particulièrement soin.

Qu'arrive-t-il avec le nombre croissant d'enfants qui grandissent sans la sécurité donnée par une famille unie et sans la protection particulière, entière, de parents qui en prennent soin pendant les années d'enfance ? Est-ce qu'il existe une satisfaction compensatoire pour les enfants qui sont élevés dans une famille monoparentale ou dans un foyer où les parents travaillent au dehors, ou une de ces familles qui ne croient plus à la protection pour les enfants et prennent une attitude «préparatoire » dans leur éducation ? Est-ce que les enfants, en effet, ne seraient pas mieux sans ce lien profond parent-enfant qui amène tous ces conflits terribles dont parle Freud ?

Nous savons que depuis quelques années, certains services d'aide familiale pour les enfants ont surgi, s'occupant des problèmes causés par le divorce et les parents menant chacun une carrière au dehors. Écoles et communautés ont commencé à conseiller, orienter, et même apporter une surprenante affection à ces enfants dont les familles ne reconnaissent plus les besoins essentiels. En effet, les écoles se substituent de plus en plus à la famille pour les enfants, tellement que lors des cérémonie de graduation, il y a souvent des larmes ; les jeunes montrant une profonde anxiété, la même que jadis un enfant ressentait quand il quittait la maison de ses parents.

Nous avons raison de croire que beaucoup d'enfants recherchent actuellement un nouveau genre de satisfaction et de soutien d'une autre source plus à leur portée : leurs camarades du même âge. Depuis longtemps, les enfants ont des liens particuliers entre eux. Mais il y a des différences fondamentales entre les liens formés sous la protection d'hier et les relations entre les enfants actuels ; les amitiés passées recherchaient l'édification de nouvelles énergies, celles d'aujourd'hui sont souvent forgées avec des faiblesses communes.

Le groupe d'amis du passé, avec la crainte de leur «influence » à laquelle les parents imputaient habituellement les difficultés qu'ils avaient avec leurs adolescents, était une manifestation évidente de la rébellion contre l'autorité parentale. En compagnie de leurs amis, les enfants, qui avaient toujours été protégés de la souffrance et du danger, se mettaient à jouer la séparation et l'indépendance ; alors seulement, ils pouvaient préparer la voie à une autonomie véritable. Mais les rapports étroits des petites bandes d'enfants que nous voyons souvent aujourd'hui ont un aspect différent. D'abord, ils s'organisent beaucoup plus jeunes. Il y a dix ou quinze ans, la famille était tout pendant les années qui précèdent l'adolescence et les activités en famille dominaient la vie sociale des enfants bien au-delà de dix ans. Aujourd'hui, d'après beaucoup de parents, leurs enfants abandonnent les activités en famille dès la cinquième ou sixième année, préférant leur petit groupe d'amis.

Alors que les adolescents d'hier recherchaient la compagnie de gens de leur âge pour mettre à l'épreuve leur comportement, prendre des risques, conduire trop vite, désobéir aux règlements, et, bien sûr, éprouver leur puissance sexuelle, tout ce qui était destiné à s'opposer à la stabilité confortable et à la sécurité de leur vie protégée, c'est peut-être cette stabilité et cette sécurité que les onze à treize ans d'aujourd'hui cherchent quand ils se réunissent et passent leur temps à fumer de la marijuana, écouter du rock et vivre leur «réalité ». Il y a un besoin dans leurs relations sexuelles précoces ; souvent leur comportement est étrangement «asexué », comme s'ils voulaient trouver entre eux une intimité et une affection que les enfants de leur âge partageaient autrefois avec leurs parents. Pour le même symbolisme, les heures de «rêve » qu'ils passent ensemble en se droguant sont un reflet lointain des conversations interminables, des projets, des discussions, des fanfaronnades, des réclamations et de tout le temps perdu avec les groupes d'amis d'autrefois. Le fait de «se droguer » en groupe paraît une tentative pour retrouver un état passif de dépendance, d'insouciance, un sentiment d'irresponsabilité et de sécurité - l'enfance, en un mot, qu'ils ont abandonnée trop tôt.

Les nouveaux liens entre les enfants existent non seulement avec ceux de leur âge, mais avec leurs rivaux traditionnels, les frères et les soeurs. Dans la famille transformée actuelle, on voit souvent les frères et les soeurs se dispenser l'aide et la protection qu'ils ne reçoivent pas de leurs parents. Mel Roman, professeur de psychiatrie au *Albert Einstein College*, qui a fait une étude sur les enfants du divorce, croit qu'en temps de crise conjugale, les frères et soeurs forment le plus important système de soutien. «L'éclatement de la famille rassemble inéluctablement les enfants », dit-il, remarquant que les aînés prennent souvent ouvertement le rôle des parents envers leurs cadets. Cela leur apporte une certaine satisfaction d'adulte de donner aux plus petits l'attention et les soins dont ils ont grand besoin.[1]

Quelle différence avec la lutte habituelle à tout propos entre frères et soeurs d'une famille unie ! Là, la rivalité classique freudienne entre frères et soeurs, pour devenir le «préféré » des parents, avec qui ils ont formé des liens si étroits et intenses, écarte tout lien réel entre eux jusque bien longtemps après que les conflits parents-enfants soient réglés. Anna Freud elle-même souligna le rapport entre la rivalité énergique entre frères et soeurs et celle de la situation sociale de la famille, quand elle observa :

> «La jalousie entre frères et soeurs est moindre quand les liens avec la mère sont moins intimes. Dans les familles ouvrières, où la mère ne peut donner autant de soins à ses enfants, la perte de tendresse à la naissance des plus jeunes est également moindre. Ainsi, on trouvera beaucoup plus d'amour et de solidarité entre les enfants d'ouvriers que chez les enfants des classes moyennes. Dans ces dernières, chaque enfant voit un rival dans les autres... pour un bien réel, et, bien sûr, la haine et la jalousie, ouvertes ou dissimulées, dominent les relations entre frères et soeurs. »[2]

On demande même de l'aide aux animaux domestiques ; pour arriver à un compromis dans un nouveau style de relations parent-enfant, ils apporteraient à peu près ce qu'apporte le groupe d'amis. Dans le *New York Times,* Jane Brody écrit : «À cet âge, quand les enfants rentrent de l'école, les parents sont souvent au travail, les animaux accueillent les enfants à la maison et leur procurent un sentiment de sécurité. »[3]

Si les amis, les frères et soeurs et même les animaux ont franchi la brèche et peuvent remplacer ou au moins contrebalancer les soins ou les liens étroits entre parents et enfants, que nous considérons comme une nécessité absolue pour la santé émotionnelle, pouvons-nous respirer de soulagement et voir la situation avec plus d'optimisme ? Il existe une certaine évidence pour soutenir l'idée que les relations entre jeunes du même âge peuvent, dans certaines circonstances, se substituer aux liens étroits parent-enfant des familles protectrices traditionnelles. Dans son étude sur «l'éducation de l'enfant dans un kibboutz israélien », Bruno Bettelheim dit que pour ces enfants élevés en communauté, c'est ce qui arrive. À la place d'un lien étroit parent-enfant, pense Bettelheim, ces enfants substituent un attachement solide, profond et sûr dans un petit groupe d'autres enfants : ces relations leur apportent la sécurité émotionnelle dont ils ont besoin.[4]

Mais le kibboutz est un milieu spécial, une enclave moins complexe, tranquille et homogène de partisans volontaires, un système stable et économiquement indépendant comme le village féodal l'a été. Probablement que dans de telles conditions, les enfants peuvent mutuellement remplir leurs besoins profonds. Mais en dehors de la protection d'un tel milieu, le monde moderne est trop instable, trop complexe, trop dangereux pour que les enfants soient indépendants ou se contentent de l'aide d'autres groupes manquant de maturité comme eux.

L'homme est un «animal » qui s'adapte, et, dans leur petite bande, les enfants s'adaptent en effet à leur situation extrêmement vulnérable en recherchant la compagnie des autres. Mais comme ces enfants qui souffrent d'un goût morbide pour les substances non comestibles *le pica*, un sérieux manque de fer qui fait consommer quantités de terre, sable ou glaise, les enfants actuels ne trouvent pas une «nourriture » réelle dans leurs activités compensatoires. Les conséquences de leurs aventures sexuelles sont souvent désastreuses lorsqu'ils découvrent qu'ils ne peuvent se donner mutuellement la sécurité affective qu'ils désirent, et que les filles se retrouvent parfois enceintes. Leur dépendance envers la drogue ou l'alcool ne leur donne pas ce qu'ils recherchent : la véritable sécurité et une réelle insouciance ; en effet, le plus souvent, cela les plonge dans un monde plus dangereux que celui qu'ils fuient. Peut-être que les frères et les soeurs, qui abandonnent leur ancienne rivalité pour lutter contre un malheur qu'ils partagent, ont des liens plus solides, mais il est difficile de croire que ces liens remplaceront la perte de sécurité, de confiance, de plaisir insouciant de vivre, qu'on considérait jadis comme le droit de l'enfant.

L'ÉMANCIPATION DES ENFANTS

Il peut sembler que le fait de «combler le fossé » entre l'enfance et l'état adulte et celui de traiter les enfants d'égal à égal représente un pas en avant pour eux, l'émancipation d'un semi-asservissement à un état où ils ont des droits comme les adultes. Mais traiter un enfant en égal, comme un adulte, contredit les réalités sociales fondamentales des relations parent-enfant et omet les différences naturelles dans l'évolution qui existent entre les deux. Le nouveau concept de l'enfant comme l'égal de l'adulte et la nouvelle intégration des enfants dans la vie adulte a provoqué l'érosion graduelle mais certaine de ces frontières qui séparaient jadis les deux mondes, des frontières qui permettaient aux adultes de traiter les enfants différemment parce qu'ils croyaient que les enfants *sont* différents. Ces frontières qui empêchaient la liberté de comportement aux enfants, parce qu'on pensait que le comportement des enfants, si on leur accordait l'égalité des droits, n'aurait rien à voir avec celui d'un adulte et entraverait leur liberté dans la conduite d'une vie adéquate.

Les difficultés particulières qui s'élèvent, quand la différence entre les enfants et les adultes n'est pas admise, ont été observées à leur plus haut degré par des étudiants activistes idéalistes des années soixante, après leur mariage, quand ils commencèrent à affronter des problèmes de parents. Un père de trois fils, aujourd'hui directeur d'une organisation des droits de la personne, fut un de ces parents. Il parle de la tension existant entre sa croyance dans les droits des enfants et les réalités quotidiennes de son état de parent.

> «Lorsque nous eûmes des enfants, au début des années 1970, nous étions certains que nos enfants devraient avoir des libertés et des droits égaux à tout être humain. Lorsqu'ils furent assez âgés pour comprendre les mots, nous avons commencé à leur apprendre la liberté, qu'ils ne *devaient* pas obéir juste parce que nous étions les plus forts, qu'ils avaient droit à leurs opinions et leurs envies. Mais cela tourna au désastre. Si je leur disais d'aller jouer dehors, parce que j'avais du travail, ils me répondaient : «Nous ne devons pas y aller. Tu nous as dit qu'on faisait ce dont on a envie ». Ou bien, ils arrivaient en me disant : «Je veux m'asseoir sur tes genoux, tout de suite ». Alors, je leur disais : «Il faut attendre que j'aie fini. » Et eux me rétorquaient : «Non, je veux m'asseoir sur tes genoux ; et je vais le faire tout de suite ». Nous avons vite compris que leur donner une liberté absolue n'est pas suffisant, qu'il fallait aussi qu'ils sachent que les droits d'une personne ne peuvent violer ceux des autres. Et nous nous sommes vite aperçus que cela était beaucoup plus compliqué pour eux. Ils n'avaient pas suffisamment de maturité d'esprit pour être capables de faire d'eux-mêmes ces restrictions. Nous avons compris que les enfants ont tout simplement un besoin absolu de sécurité, d'autorité, même si je reste persuadé que cela ne devrait pas être. »

Le fait qu'un enfant est incapable de comprendre les règles complexes du comportement humain, qu'il ne sait pas que sa liberté est limitée par le respect des droits des autres - par exemple, qu'il y a des règles dans les relations qui exigent le droit à la parole pour chacun, à tous, le droit de s'exprimer librement - devrait conduire à instituer des règles particulières pour les enfants qui leur éviteraient de violer les droits des adultes. Seule une amnésie temporaire motivée par l'une ou l'autre de ces certitudes idéalistes dans l'égalité ou plus normalement aujourd'hui sur la méconnaissance des réalités de l'enfance, à cause de parents trop occupés ou distraits, ferait accepter des relations sociales d'égal à égal dans le monde adulte, ou supposer que l'enfant peut se montrer à la hauteur en n'étant pas agaçant, dominateur, récalcitrant, exigeant et généralement égoïste, comme c'est naturel pour un enfant parvenu à ce stade de développement. D'une certaine façon, la suppression des frontières traditionnelles enfant-adulte peut avoir un effet contraire au but recherché, retarder plutôt que de faciliter cette même libération que les activistes pleins d'espoir des années soixante rêvaient de réaliser pour leurs enfants. Car, en réalité, le fait d'accorder l'égalité aux enfants les prive souvent de la sauvegarde et de la sécurité dont on ne peut jouir que dans un monde structuré, un monde dans lequel les adultes sont des adultes qui prennent soin des enfants, alors que les enfants restent des enfants, qui dépendent des adultes et, par conséquent, ne sont pas égaux.

Dans un article sur les droits des enfants, Mary Kohler, juge fédéral, proclama «le droit d'être un enfant durant l'enfance » et souligna qu'un des obstacles à l'atteinte de ce droit «inaliénable », c'est de «trop tôt, forcer les enfants aux choix. »[5] Le droit à l'enfance pouvait paraître «inaliénable » il y a dix ou quinze ans, lorsque l'article fut publié. Aujourd'hui, les parents sont enclins à préparer les enfants à l'avenir, justement «en forçant aux choix ». L'idée même de cet événement «trop précoce » est disparue.

LES BESOINS DE L'ENFANCE

Il y a ceux qui voient l'enfance comme une période de carence affective. Helen Vendler, critique, parle par exemple de «la médiocrité de la vie pleine de restrictions de chaque enfant» quand elle décrit «le passage d'une enfance ''étouffée'' à un état adulte socialisé par la force. »[6] Implicitement, le mot médiocrité, associé à l'idée d'une enfance «étouffée » signifie : si on donnait à l'enfant toutes les richesses de l'expérience qu'on offre à l'adulte, il s'en enrichirait. Parce qu'il en est «sauvegardé », l'enfant doit être considéré comme un être médiocre et inachevé. Il est cependant permis de penser que c'est un sentiment malencontreux.

Une part de cet enrichissement dont on les a «privés » était contestable : la connaissance du mal de la violence, de l'impuissance humaine, de la futilité, de l'injustice, de la misère, de la mort. Aujourd'hui, lorsque les parents luttent pour la survie économique et la recherche d'un accomplissement sexuel, lorsqu'ils divorcent, se remarient, se débarrassent peu à peu de leur premières contradictions avec le recul, vitupèrent contre la corruption de la politique, sont angoissés face à l'épuisement des ressources naturelles et la destruction écologique, ils «n'isolent » plus leurs enfants de cette connaissance et de leur participation à ces affaires très complexes pour eux. Ce n'est pas toujours parce qu'ils sont incapables de leur cacher ces sujets difficiles ; mais aussi parce qu'ils croient qu'il est préférable de *préparer* que de *protéger* les enfants.

Ceux qui croient que la protection «amoindrit l'enfant, qui pensent qu'il est préférable de lui donner une libre accession aux expériences adultes, posent là une hypothèse décisive : celle que les enfants ont la même capacité d'assimilation que les adultes et peuvent aussi utiliser leurs connaissances et profiter de leur expérience. Beaucoup de gens ont une opinion tout à fait différente.

Annie Herman, une spécialiste de la première enfance est en désaccord complet avec un tel point de vue. Sans doute, elle relie certains des problèmes qui semblent le propre de la jeunesse d'aujourd'hui, aux besoins des enfants et à ceux des adultes qu'on n'a pas su différencier :

> «Éliminer les divergences entre enfants et adultes est beaucoup plus généralisé en Amérique qu'en Europe. Nous pensons que ça aide à développer l'égalité et la démocratie quand on traite avec les enfants d'égal à égal, et à cause de cela, nous nous sentons obligés de partager avec eux toutes nos connaissances. Mais c'est comme si vous donniez un bon steak à un bébé. Nous allons expliquer que nous le lui donnons parce que nous aimons manger un bon steak, et qu'il est donc juste d'en donner à notre bébé. Malheureusement, celui-ci n'a pas de dents et il n'est pas capable de manger le steak. Il s'étrangle avec. »
>
> Nous voulons que nos enfants sachent très vite à quoi s'en tenir à notre sujet. Nous croyons que ce n'est pas honnête, peu démocratique en quelque sorte, de laisser aux enfants de fausses illusions au sujet de la toute-puissance des adultes. Alors, au lieu de leur faire croire à notre sagesse et à notre puissance, à nos mains toujours secourables quand ils en ont besoin, nous disons à nos enfants : «Oh, nous ne sommes pas mieux que vous. Nous avons nos défauts et nos faiblesses. » Car l'enfant a un «temps » pour son développement et ne peut assimiler les réalités de la vie adulte quand elles lui sont imposées prématurément.

En outre, continue le docteur Herman, «l'innocence, considérée autrefois comme le droit de l'enfant, peut être envisagée comme n'étant que l'absence de «responsabilités ». La maturité, c'est justement la capacité de supporter les «responsabilités ». Mais si l'on vous donne le fardeau du savoir avant que vous ne puissiez traiter avec lui - et la connaissance *est* pénible parce qu'il faut un travail mental et psychologique pour traiter avec elle - de là peuvent venir les signes qu'ils observent chez leurs enfants, ceux qui inquiètent actuellement parents et professeurs : incertitude, peur, sentiment d'incompétence. Les enfants grandissent en n'étant pas réellement capables de négocier avec les difficultés, et ils cherchent comment y échapper. Alors, ils apprennent que la meilleure façon est de «fuir » les problèmes à l'aide de la drogue, l'alcool ou tout autre chose. »[7]

À cause de leur savoir, leur connaissance du monde, leur indépendance, leurs manières assurées, leur confiance quand ils traitent à égalité avec les adultes, qui caractérisent tant d'enfants actuellement - surtout ceux qui ont dû «grandir plus tôt » à cause d'un divorce ou de carrières séparées des parents - ils donnent facilement l'impression qu'ils sont plus «adultes » maintenant. L'enfant qui grandit dans les conditions traditionnelles de la protection peut sembler plus «puéril », plus «gâté », plus exigeant que l'enfant audacieux, indépendant, de parents qui travaillent au dehors. Mais que le plus haut degré de maturité soit fonction d'une période plus ou moins longue de protection et de dépendance, reste toujours une question sans réponse. En se basant sur l'évidence ressortant des enfants actuels, il semble qu'un certain niveau de subtilité et de facilité est atteint quand un enfant doit la plupart du temps s'occuper de lui-même, cela n'a rien à voir avec la maturité. Lorsqu'il devient plus âgé, la maturité réelle, qui se définit par une aptitude à partager, avoir de la sympathie, se sacrifier, être généreux, aimer sans égoïsme, éduquer et prendre soin des enfants, peut s'avérer illusoire et être remplacée par un désir de se faire remarquer et par le «culte du moi » (narcissisme, égotisme) qui deviendront les caractéristiques de *sa* vie adulte.

Une fille de treize ans, dont les parents divorcèrent quand elle avait neuf ans, attire l'attention sur le rapport entre une enfance sans protection et les difficultés pour atteindre la maturité : «Quand mes parents ont divorcé, tout allait mal. Ils étaient trop bouleversés et trop préoccupés d'eux pour m'accorder beaucoup d'attention, et de bien des façons, je devais «m'élever » toute seule. J'ai grandi très vite, plus vite que la plupart des enfants. Mais actuellement, je n'ai pas plus de maturité d'esprit que mes amies. Si quelque chose a changé, c'est en sens inverse. J'ai besoin de beaucoup d'attention, beaucoup de longues discussions - beaucoup plus que la plupart de mes amies qui ont grandi moins vite. »

Le psychanalyste Peter Neubauer ajoute un avertissement qui retentit avec une résonance particulière dans cette époque de narcissisme (culte du moi) croissant : «Les enfants qui sont «projetés » dans l'expérience de la vie adulte n'acquièrent pas la maturité plus tôt. Au contraire, ils s'accrochent obstinément à l'enfance, peut-être pour toute leur vie. »[8]

La «détresse » de l'enfance ne serait donc qu'un concept mal avisé. Pendant que ces enfants enrichis par le don d'expériences adultes «s'accrochent à l'enfance » à cause de cela, les enfants «amoindris » par la protection semblent avoir reçu un trésor d'une grande valeur, qui ne se révèlera comme tel que lorsqu'ils auront grandi. Comme l'explique Annie Herman : «L'enfant a besoin de dépendre de l'adulte, et c'est un droit pour lui. Si l'adulte «fait » l'enfant, après tout, alors, l'enfant ne peut réellement dépendre de lui. Et c'est vrai que cette période de l'enfance où les enfants croient en la toute-puissance des parents aide à développer une confiance fondamentale, une confiance qui transporte avec elle la moitié du plaisir de la vie, longtemps après que l'enfance soit envolée. »[9]

L'UTILITÉ DE L'ENFANCE

Pourquoi les mythes de la création, dans autant de cultures, commencent-ils avec un paradis aussitôt perdu ? Pourquoi ne pas montrer tout de suite le premier couple qui découvre que l'existence humaine n'est qu'un mélange de joies et de peines, que la vie sur terre était là au commencement, qu'elle continue maintenant et qu'elle continuera probablement toujours ? Peut-être parce que les faiseurs de mythes comprenaient que la vie commence toujours en effet comme dans une sorte d'Éden, où l'on répond à vos besoins et à vos désirs - l'enfance. Et déjà, c'est un paradis limité dans le temps, qui doit finir quand l'enfant grandit.

Mais allons plus loin que la réalité - que la vie commence avec l'enfance - le mythe principal de la création, dans notre culture, l'histoire d'Adam et Ève et de leur expulsion du Paradis Terrestre, contient un éclaircissement sur la signification de l'enfance et son utilité dans la vie. Que le jardin de l'Éden soit une image, une figure de rhétorique, non seulement pour l'enfance à la création, mais pour l'enfance de tous les temps - hommes et femmes - est appuyé par une observation attentive de l'histoire. Chaque détail de cette histoire courte mais profondément significative peut être relié à un aspect de l'enfance.

Considérez l'unique condition pour rester au Paradis : ce n'est pas d'être bon, de travailler beaucoup, d'être habile, toutes des conditions normales pour réussir dans les contes ou dans la vie. Il faut simplement garder l'innocence : «de l'arbre à la connaissance du bien et du mal, tu ne mangeras pas... est le seul commandement du Seigneur. Aussi longtemps qu'ils ne mangent pas du fruit défendu, ils peuvent rester dans ce jardin du Bonheur, protégés de tout mal, libérés de tout souci. De la même façon, les enfants sont aimés et nourris, qu'ils se comportent bien ou non, qu'ils rangent leurs jouets ou les laissent traîner, qu'ils aient ou non de bonnes notes dans leur bulletin. Mais ces soins, les meilleurs possibles, sont aussi dépendants de leur innocence d'enfants, comme le séjour d'Adam et Ève dans l'Éden était dépendant de la leur. Dès que les enfants découvrent les mystères complexes du monde des adultes, leur séjour au Paradis touche à sa fin ; la protection dont ils jouissaient se transforme rapidement en une méthode d'endurcissement qui va les préparer à une vie difficile.

Qu'est-il arrivé exactement quand Adam et Ève décidèrent de désobéir au Seigneur ? Qu'est-ce qui les a conduits ? Il est assez étrange que bien que ce fut le fruit de l'arbre de la connaissance qu'ils aient mangé, cela ne les a pas subitement amenés à démontrer une grande sagesse, à déclamer des préceptes savants, à débiter des formules algébriques ou s'engager dans un dialecte savoureux. Une chose simple causa leur trahison : ils prirent conscience d'eux-mêmes. Bien que nus depuis le moment de leur création, ils n'avaient encore eu aucune honte dans leur innocence originelle. Ils essayaient à présent de dissimuler leur nudité au Seigneur. «Qui t'a appris que tu étais nu ? » dit le Seigneur, comprenant immédiatement qu'ils avaient désobéi. Ce fut la constatation même de leur nudité qui leur permit une nouvelle prise de conscience et amena la fin de leur innocence.

Les enfants aussi perdent leur aptitude naturelle à jouir de la vie aussitôt qu'ils pénètrent dans les mystères déconcertants du monde adulte. Biologiquement, cette inconscience de soi de l'enfant est l'un de ces traits néoténiques particuliers aux jeunes et qui sont là pour attirer la protection des adultes. L'enfance reste aussi à l'abri du danger, en sécurité - en d'autres mots, au Paradis.

Pourquoi Adam et Ève ont-ils dû passer par cette innocence parfaite et cet état de bonheur pour accomplir leur destinée ? Est-ce que cette période a une utilité pour leur vie après l'Éden ?

Et qu'est-ce qu'une enfance heureuse et protégée peut apporter dans la vie des adultes ? Il est évident que chacun a une enfance. Elle est plus ou moins longue et pour certains, elle est proche du ciel. Est-ce une grande différence avec ce que le mythe propose ?

C'est dans la nature même de cette «inconscience» particulière qui précède la chute que nous devons rechercher l'utilité primordiale de l'enfance. Car si nous considérons cette part «inexplicable» de l'être humain qui lui permet d'endurer les souffrances qui suivent la chute et de vivre avec la connaissance insoutenable qu'il est mortel - là se trouve le mystère de l'instinct artistique créateur - qui a sa source dans la sensibilité particulière à l'enfance.

On a observé que certains artistes savaient habilement retrouver la fraîcheur et la spontanéité des expériences de la vie, à la façon que seuls les enfants connaissent. Il y a cent ans, le poète allemand Schiller, auteur de théâtre, appelait de tels artistes «des naïfs» parce qu'ils tiraient leur «art» directement de leur vie, sans raisonner, sans faire leur «psychanalyse». De tels artistes sont en parfaite harmonie avec leur art comme les enfants le sont dans leur implication directe avec la vie. Et Schiller les a comparés à ceux qui ont une sensibilité artistique différente, qu'il a appelée «sentimentale». Ces artistes, dans le concept de Schiller, peuvent seulement considérer cette harmonie entre les sens et la pensée comme un idéal. Timidement, ils cherchent à recréér ce monde disparu qui faisait partie d'eux-mêmes dans le passé. Les premiers, ceux qui, d'une certaine façon, seraient restés des «naïfs» à l'âge adulte, seraient rares. La plupart des adultes retrouvent leur expérience d'enfance, seulement par le second moyen : l'imagination. Mais les formes «naïves» ou «sentimentales» de l'expression artistique ont un lien profond : chacune est fondée sur la prise de conscience particulière à l'enfance. Si celle-ci est précocement «contaminée» par la façon de penser ou de se comporter des adultes, il y a un danger que la perte soit ressentie par les générations suivantes, dont le capital artistique sera médiocre, peut-être inexistant. Mais pourquoi prolonger l'enfance ? Peut-être parce que les conséquences d'un passage au Paradis procureraient suffisamment d'inspiration pour un nouveau Shakespeare ou un nouvel Homère. L'histoire d'Adam et Ève donne encore une autre indication sur l'utilité de l'enfance. Nous observons une étrange exception à la vie libre et sans responsablités que le premier couple vécut dans les jardins de l'Éden : Adam avait une tâche particulière, celle de donner aux créatures vivantes de ce monde nouvellement créé un nom, «à tous les bestiaux, aux oiseaux du ciel et à toutes les bêtes sauvages». Un travail considérable, si on y pense. Mais dans la Bible, cette science de la classification (taxonomie) est clairement détachée de la connaissance dangereuse qui réside dans l'arbre de la Connaissance. Cela seul est défendu ; les autres formes de connaissance sont évidemment encouragées.

Les enfants aussi ont une tâche dans l'enfance, pas tellement différente de celle d'Adam : ils doivent accumuler systématiquement les informations, apprendre, aller en classe. Même s'ils ne doivent pas manger du fruit de l'Arbre de la Connaissance, s'ils veulent rester dans l'enfance, cet autre genre de nourriture intellectuelle est nécessaire.

Nous savons que dans d'autres temps et dans d'autres cultures, l'enfance se terminait plus rapidement que dans nos temps modernes. Mais c'étaient des périodes de vie plus simple, l'enfance de la civilisation, dans un sens. Les adultes du Moyen Âge, semble-t-il, étaient eux-mêmes plus puérils dans leurs pensées et leur comportement que les adultes actuels, probablement plus que les enfants de nos jours. Mais plus l'espèce se développe, plus la civilisation devient complexe, plus il est nécessaire de prolonger l'enfance. Il est exact qu'il y a un surcroît de connaissances à assimiler. Et l'enfance est la période idéale, celle où l'organisme humain a le temps de préparer une base intellectuelle solide, sur laquelle il pourra construire plus tard une structure sociale donnée, qui pourra peut-être avoir de l'importance pour l'entité de l'espèce. Les longues heures de l'enfance, si l'enfance demeure un paradis d'équilibre et de sécurité, peuvent être occupées par la lente et méthodique accumulation des connaissances culturelles recueillies des penseurs du passé. Comme Adam, le Carl von Linné (naturaliste suédois) original, les enfants peuvent mettre en application leur compréhension de toutes les créatures vivantes, leur nom, leur histoire, leur biologie et leur chimie. Progressivement, dans leur vie dépendante, où tous les problèmes de la vie sont pris en main par les autres, les enfants peuvent apprendre comment savoir.

L'utilité finale de l'enfance est démontrée par la chute inéluctable, dans le chapitre 3 de la Genèse. Même si Adam et Ève sont blâmés pour leur faiblesse quand ils cèdent à la tentation et qu'on en fasse les responsables de toutes les souffrances qui rendent la vie tellement différente d'un paradis, il était en fait d'une grande utilité qu'ils mangent le fruit de la Connaissance. Ils *devaient* quitter le Paradis, pour évoluer d'une autre façon, ils devaient donner naissance à la race humaine. «L'homme connut Ève, elle conçut et enfanta Caïn » ; c'est par ces mots que débute le chapitre suivant de l'histoire, après l'expulsion du Paradis. Le premier couple prophétique fit un échange, il perdit sa bienheureuse dépendance et gagna la sagesse et la maturité sexuelle pour une raison : l'avenir de l'humanité en dépendait. Comme Adam et Eve, chaque enfant doit perdre son paradis pour devenir un adulte, doit apprendre les mystères cruels et pourtant excitants de la vie adulte, il doit affronter les dangers du monde fantasque des phénomènes naturels, des réactions imprévisibles des humains, et faire face à la peur de la mort pour vivre en adulte, être indépendant, remplir sa mission particulière sur terre, quelle qu'elle soit. Et il doit surtout, pour réussir comme parent, continuer la tâche d'Adam et Ève. Car c'est dans la réalisation de cette même tâche que réside l'utilité la plus évidente de l'enfance. C'est dans l'expérience de sa dépendance pour la nourriture, la protection et l'éducation, que l'enfant retire son aptitude à devenir lui-même un parent qui réussit avec ses enfants.

Le rapport entre l'enfance et la vie adulte a été démontré, encore et toujours par des études qui sont des clichés : les enfants battus deviennent des parents qui maltraitent leurs enfants. Le rapport entre une enfance heureuse prolongée et une vie d'adulte accomplie, comblée, entre la qualité de l'enfance et la capacité pour être un parent bon, aimant est plus difficile à faire. Néanmoins, nous avons nos mythes du Paradis pour nous enseigner la vérité sur l'enfance. Il doit y avoir un Paradis au commencement, comme il doit en exister un dans chaque mythe de création. L'avenir de l'humanité dépend encore de cela.

CHAPITRE 13 - LA SIGNIFICATION DE L'ENFANCE

1. Mel Roman, dans une entrevue personnelle avec l'auteur.
2. A. Freud, *Psychoanalysis for Teachers and Parents*, p. 32.
3. Jane Brody, Personal Health column, *New York Times*, August 11, 1982.
4. Bruno Bettelheim, *The Children of the Dream* (New York : MacMillan, 1969).
5. Mary Kohler, "The Rights of Children : An Unexplored Constituency", *Social Policy*, March-April 1971.
6. Helen Vendler, "The Music of What Happens", critique littéraire de *The Poems of Seamus Heaney*, *New Yorker*, September 28, 1981.
7. Dr. Annie Herman, dans une entrevue personnelle avec l'auteur.
8. Dr. Peter Newbauer, dans une entrevue personnelle avec l'auteur.
9. Dr. Annie Herman, dans une entrevue personnelle avec l'auteur.

POSTFACE

LE NOUVEAU MOYEN ÂGE

Aujourd'hui, après plusieurs siècles d'enfance en tant qu'état soigneusement séparé de l'âge adulte, il semble que nous sommes en train de retourner à un modèle lointain d'intégration - nous pourrions l'appeler un nouveau Moyen Âge.

Il n'y a aucun doute que depuis les années 1960, les enfants ressemblent de plus en plus aux adultes, plus qu'ils ne l'ont fait pendant des siècles. Dans les vêtements qu'ils portent, le langage qu'ils utilisent et leurs connaissances, dans tous les aspects de leur comportement quotidien, les enfants d'aujourd'hui semblent moins «enfants ».

Considérez le changement qui s'est produit dans leurs loisirs. Il y a des siècles, enfants et adultes jouaient ensemble dans les rues, ils chantaient et écoutaient des histoires ensemble, à la maison. Plus tard, enfants et adultes prirent des directions différentes. Aujourd'hui, dans le «nouveau » Moyen Âge, les enfants lisent des livres sur la prostitution et regardent des films qui exploitent les problèmes conjugaux des adultes. Ils écoutent de la musique au puissant rythme sensuel. Et adultes et enfants sont encore réunis dans leur plus important passe-temps. Il n'y a plus d'enfants qui jouent pendant que les adultes participent à des activités plus enrichissantes : maintenant, jeunes et vieux passent la plus grande partie de leur temps libre devant la télévision.

Considérez les lois complexes du savoir-vivre qui s'est lentement développé au cours des siècles, et qui séparait clairement le comportement des enfants de celui des adultes. Il n'y a aucune loi qui décrète que ce qui est arrivé petit à petit ne peut pas «rétrograder » rapidement, peut-être en moins de quelques dizaines d'années. La honte et l'écoeurement que les gens civilisés ont pris si longtemps à ressentir, il semble qu'une seule génération a suffi pour les relâcher et dans certains cas à s'en débarrasser complètement. Une nouvelle largeur d'esprit est préférable. Aujourd'hui, nos thérapeutes nous apprennent à avoir honte de nos refoulements, plutôt que d'avoir fait tout ce qui nous passait par la tête. Aujourd'hui, les parents ne font plus de petits soupers aux chandelles pendant que les enfants mangent dans leur chambre et apprennent l'utilisation correcte de leur fourchette et de leur couteau. Maintenant, toute la famille va à la rôtisserie du coin manger avec les doigts.

Observez la fin de l'innocence sexuelle parmi les enfants. Nous savons que l'intégration occasionnelle des enfants dans la société adulte du Moyen Âge comportait quelques restrictions au sujet de la sexualité. Aujourd'hui, les enfants de neuf et dix ans regardent les films pornographiques sur le câble-télé et discutent sans aucune gêne de sexe oral et de sadomasochisme ; assez fréquemment ils se trouvent entraînés dans les complications de la vie sexuelle de leurs parents, à moins qu'ils n'en soient les spectateurs ou les participants, les conseillers, les critiques amicaux ou les intermédiaires. Encore un autre signe précurseur de ce «nouveau » Moyen Âge.

Observez cette curieuse coutume médiévale de renvoyer les enfants de la maison à un âge précoce pour vivre dans la maison d'étrangers. Aussi longtemps que jusqu'au dix-huitième siècle, les enfants de sept ans étaient envoyés pour leur éducation dans des familles semblables à la leur. Au moment où ils envoyaient ailleurs leurs enfants, ils prenaient d'autres enfants dans leur maison. Ainsi, les premiers liens entre parents et enfants étaient brisés plus tôt. Selon ce que nous savons de la psychologie de l'enfant, une telle privation les rendait plus dociles, plus malléables, moins exubérants et plus «posés ». À la maison, leur énergie psychologique naturelle, leur égoïsme plein de santé, auraient résisté aux travaux et aux services demandés par leurs parents, exactement comme nos enfants d'aujourd'hui poussent parfois l'imagination très loin pour éviter tout travail dans la maison.

Aujourd'hui aussi, les premiers liens sont brisés précocement pour beaucoup d'enfants. Maintenant, on ne renvoie plus les enfants, ce sont les parents qui s'en vont, leur départ étant précipité par la séparation, le divorce ou les exigences du travail. Toutefois, les conséquences pour les enfants sont semblables : dépression, perte d'énergie, et la fin de l'enfance comme période d'insouciance.

Enfin, observez la transformation récente de l'imagerie populaire de l'enfance - c'est-à-dire la façon dont les enfants sont représentés dans les films, les livres et spécialement dans les programmes de télévision et les commerciaux. Comme à la télé, nous voyons aujourd'hui les enfants transformés par le maquillage, les vêtements, les expressions du visage et les gestes (la danse qui suggère la sexualité, par exemple) en pseudo-adultes, si bien que nous commençons à comprendre l'étrange déformation des enfants dans les peintures et enluminures médiévales qui les faisaient ressembler à des nains-adultes plutôt qu'à des enfants. La reconnaissance de l'enfance comme un état séparé et différent de l'âge adulte ne répondait pas alors, et ne le fait pas plus aujourd'hui, aux buts profonds de la société.

Il est devenu très chic d'idéaliser le passé, de suggérer que lorsqu'ils étaient intégrés à la société, ils se débrouillaient mieux. Encore que les détracteurs de la nostalgie actuelle mettent en évidence l'exploitation sexuelle largement répandue, la négligence et les mauvais traitements des enfants dans la période médiévale. De la même façon, comme nous vivons la transition d'une période où les enfants étaient protégés de tout par l'adulte à une autre où une nouvelle fois ils sont intégrés précocement dans une société désinvolte et insensible, nous ne pouvons manquer d'observer que les mauvais traitements et l'exploitation des enfants s'accroissent encore et que la vie de la plupart des enfants n'a subi aucune amélioration, au contraire.

Cela démontre sans doute que les enfants sont de plus en plus utiles aux adultes dans la société moderne, à tel point que leur rôle a changé depuis celui d'êtres «à part », dépendants, innocents, car ils ont maintenant leur part du «mystère » et du «supposé mystère » du fardeau inévitable de la vie adulte. Mais d'après les enfants, il reste douteux que ce qu'ils retireront de cette «préparation » plus précoce, compensera la perte de cette enfance insouciante que dans le passé on prenait pour un droit et une nécessité. Car on ne peut nier que l'enfance est plus difficile aujourd'hui. Comme le disait une adolescente de quinze ans qui jetait un regard sur son passé récent (elle avait connu le divorce de ses parents, l'expérience de la marijuana à partir de la sixième année et une orageuse expérience sexuelle en secondaire deux) : «Tous les enfants que je connais veulent grandir vite et je ne les blâme pas. Je ne crois pas que l'enfance soit une période heureuse. Je ne voudrais pas redevenir une enfant. »

Nous ne voulons pas dire que l'enfance à l'âge de la protection d'autrefois était un état continuel de bonheur. Rare en effet était l'enfant qui n'éprouvait jamais jalousie, terreur, honte, haine, ou n'importe laquelle de la multitude des formes de la misère humaine, à un moment ou l'autre de ses années d'enfance. Dans son livre *Growing Up* (Devenir adulte), par exemple, le journaliste Russell Baker décrit son enfance pendant la grande dépression, assombrie par la pauvreté, la mésentente conjugale, la maladie et la mort. Et pourtant, il écrit : «Les explosions intermittentes de colère qui se sont produites dans mon enfance étaient des orages d'été. Le ciel se couvrait subitement, le tonnerre grondait, un éclair étincelait et je tremblais quelques instants, puis très vite, le ciel redevenait bleu et je me replongeais avec délices dans la paix de l'innocence. »[1] Ce n'est pas un hasard que, lorsque Baker dépeint une scène qui décrit l'ambiance prédominante de son enfance, il généralise en parlant d'adultes assis sous un porche, se berçant et prononçant des sentences telles que : «Les enfants devraient être vus, pas entendus », qui interrompait leur bavardage pour dire : «Les murs ont des oreilles. » Car ce n'est pas l'absence complète de malheur dans ces jeunes années qui lui permit de se pencher sur son enfance et de la considérer comme un îlot de paix et d'innocence. C'était la certitude qu'il était un enfant et que les adultes étaient des adultes et que malgré la misère qu'il percevait dans leur monde, il pourrait y rester, dans sa condition «à part », à laquelle on ne toucherait pas. C'est l'essentiel de la protection des adultes : faire savoir aux enfants qu'ils sont des êtres «à part », particuliers, et qu'ils sont sous la surveillance attentive des adultes. Cette compréhension permettait aux enfants d'hier, il y a environ dix ou quinze ans encore, de jouir des joies simples de l'enfance - de jouer, d'imaginer, d'explorer et de poursuivre l'aventure - dans les circonstances les plus défavorables.

Est-ce que les frontières entre l'état adulte et l'enfance peuvent de nouveau être rétablies ? Est-ce que les parents d'aujourd'hui, qui ressentent que quelque chose manque, peuvent essayer de recréer le genre d'enfance qu'eux-mêmes ont connu ? Dans cette époque de «préparation », est-ce que les parents peuvent individuellement espérer remonter le courant et élever leurs enfants dans la «protection » ?

La transformation de la société qui amena la nouvelle intégration des enfants dans la vie adulte - changement dans la stabilité de la famille, plus spécialement avec la libération de la femme et la prolifération de la télévision comme une part prédominante de la vie des enfants - ne peut être inversé. Nous ne reverrons jamais la famille à l'ancienne avec le père qui travaille et la femme-enfant qui reste à la maison et prend soin des enfants. Nous ne voudrions d'ailleurs pas retourner à ce point en arrière. Le mouvement de libération a apporté une maturité nouvelle et l'indépendance aux femmes, les forçant, quelquefois sans vraiment en avoir envie, à chercher à remplir un plus grand rôle qu'elles ne l'avaient fait dans le passé. L'espoir d'un retour en arrière manque de réalisme et est une idée rétrograde. Néanmoins, si le courant ne peut être inversé, il peut être modifié et apporter un mieux dans les familles.

Peut-être qu'une compréhension des conséquences irréversibles de l'éclatement de la famille sur les enfants, pourrait amener les hommes et les femmes à réajuster certaines de leurs idées préconçues du mariage. Si leurs objectifs restent d'abord leur accomplissement personnel, les émotions sexuelles, des relations d'adulte profondément satisfaisantes, il faudrait peut-être leur conseiller de réfléchir avant d'avoir des enfants. La pensée d'une famille, surtout comme source d'accomplissement et de satisfaction pour le couple ne sont pas non plus de bon augure pour l'avenir des enfants. Les parents doivent savoir que pour réussir à élever une famille, c'est sur le bien-être des enfants qu'il faut se pencher le plus et qu'il faut savoir sacrifier certaines ambitions, désirs, et faire son possible pour leur bonheur, de manière à ce qu'ils deviennent des adultes «bien ». Peut-être que l'avenir donnera la possibilité d'une variété d'associations pour les hommes et les femmes, dont quelques-unes seulement seront jugées aptes à élever des enfants avec succès.

Peut-être que si on comprend que la prime jeunesse n'est pas la seule étape importante de l'enfance, que les années pré-scolaires sont également importantes, les parents pourraient penser un peu moins à leur carrière et à leurs ambitions, ils pourraient consacrer un peu plus de temps, d'attention, de soins et surveiller un peu plus leurs enfants d'âge pré-scolaire, même s'ils semblent ne pas en avoir besoin. Comme le suggère la spécialiste en développement de l'enfant Annie Herman, les années de la première enfance ne sont pas nécessairement les plus importantes, en dépit de l'idée conformiste que la personnalité s'installe durant ces années. «Il y a une certaine souplesse de caractère dans la première enfance, explique-t-elle, mais cette souplesse disparaît lentement. Quand vous êtes souple, vous rebondissez. Ainsi, les jeunes enfants peuvent se remettre rapidement d'un traumatisme physique ou mental, ils peuvent oublier et se tourner vers autre chose. Mais quand ils grandissent, leur souplesse de caractère diminue. À ce moment, l'enfant devient plus vulnérable aux expériences extérieures. Il peut maintenant souffrir d'un préjudice durable. »

Peut-être qu'une compréhension de l'importance du jeu dans la vie des enfants, non seulement pour l'enfant comme source directe d'un genre particulier de satisfaction, mais comme une activité, qui aide à définir l'enfant comme un être à part qui appelle la protection des adultes, incitera les parents à être plus fermes dans leur contrôle des émissions de télévision, celle-ci étant l'unique passe-temps des enfants actuels.

Peut-être qu'une compréhension du fait qu'enfants et adultes ne sont *pas* égaux, et que les enfants ne gagnent rien dans l'égalité avec les adultes va encourager les parents à prendre plus d'autorité, sans autoritarisme, dans la famille.

Peut-être que la reconnaissance qu'une civilisation terriblement compliquée ne peut se permettre d'écourter la période d'éducation et de protection de ses membres manquant de maturité va rétablir une enfance véritable pour les enfants des générations futures.

POSTFACE - LE NOUVEAU MOYEN ÂGE

1. Russell Baker, *Growing Up* (New York : Congdon & Weed, 1982), p. 42.

Achevé d'imprimer à Montmagny
par les travailleurs des ateliers Marquis Ltée
en mars 1985

Imprimé au Canada